A MAN CALLED OVE

오베라는 남자

A MAN CALLED OVE

오베라는 남자

FREDRIK
BACKMAN

프레드릭 배크만
장편소설 · · · ·

최인우 옮김

다산
책방

차 례

1. 오베라는 남자가 컴퓨터가 아닌 컴퓨터를 사러 가다 · 7

2. (3주 전) 오베라는 남자가 동네를 시찰하다 · 13

3. 오베라는 남자가 트레일러를 후진시키다 · 26

4. 오베라는 남자가 3크로나의 추가 요금을 내지 않는다 · 40

5. 오베라는 남자 · 56

6. 오베라는 남자와 있어야 할 곳에 있어야 했던 자전거 · 70

7. 오베라는 남자가 고리를 걸 구멍을 뚫다 · 82

8. 오베였던 남자와 아버지의 오래된 발자국 한 쌍 · 103

9. 오베라는 남자가 라디에이터 증기를 빼다 · 115

10. 오베였던 남자와 오베가 지은 집 · 123

11. 오베라는 남자와 사다리에서 떨어지지 않고서는 창문도 못 여는 멀대 · 136

12. 오베였던 남자와 그만하면 충분했던 어느 하루 · 152

13. 오베라는 남자와 베포라는 광대 · 163

14. 오베였던 남자와 기차에 탄 여자 · 178

15. 오베라는 남자와 연착된 기차 · 190

16. 오베였던 남자와 숲속의 트럭 · 205

17. 오베라는 남자와 눈더미에 묻힌 골칫거리 고양이 · 216

18. 오베였던 남자와 어니스트라는 고양이 · 229

19. 오베라는 남자와 다친 채 찾아온 고양이 · 235

20. 오베라는 남자와 불청객 · 241

21. 오베였던 남자와 레스토랑에서 외국 음악을 연주하는 나라들 · 254

22. 오베라는 남자와 차고에 갇힌 사람 · 261

23. 오베였던 남자와 도착하지 못한 버스 · 273

24. 오베라는 남자와 색칠하는 꼬마 녀석 · 282

25. 오베라는 남자와 골함석 · 292

26. 오베라는 남자와 더는 자전거 하나 못 고치는 세상 · 305

27. 오베라는 남자와 운전교습 · 314

28. 오베였던 남자와 루네였던 남자 · 324

29. 오베라는 남자와 동성애자 · 334

30. 오베라는 남자와 그가 없는 사회 · 349

31. 오베라는 남자가 트레일러를 후진시키다. 또다시. · 358

32. 오베라는 남자는 망할 놈의 호텔 주인이 아니다 · 370

33. 오베라는 남자와 평소와는 다른 시찰 · 380

34. 오베라는 남자와 이웃집 소년 · 389

35. 오베라는 남자와 사회적 무능력자 · 400

36. 오베라는 남자와 위스키 한 잔 · 410

37. 오베라는 남자와 쓸데없이 참견해대는 수많은 놈들 · 417

38. 오베라는 남자와 이야기의 끝 · 426

39. 오베라는 남자 · 436

오베라는 남자와 에필로그 · 444

1
오베라는 남자가
컴퓨터가 아닌 컴퓨터를 사러 가다

오베는 59세다.

그는 사브를 몬다. 그는 자기 마음에 들지 않는 사람이 있으면, 마치 그 사람은 강도고 자기 집게손가락은 경찰용 권총이라도 되는 양 겨누는 남자다. 지금 그는 일제 자동차를 모는 사람들이 흰색 케이블을 사러 오는 가게의 카운터에 서 있다. 오베는 점원을 오랫동안, 뚫어져라 쳐다보다가 자기 앞에 있는 하얀 상자를 들어 점원의 눈앞에 대고 흔들었다.

"그러니까 이게 패드인가 뭔가라는 거지?"

그가 다그쳤다. 빼빼 마른 체질의 젊은 점원은 매우 불편해 보인다. 누가 봐도 오베의 손에서 상자를 잡아채고 싶어 안달복달하는 게 빤했다.

"네, 맞아요. 아이패드요. 굳이 그렇게 흔들지 않으실 수도 있겠죠……?"

오베가 굉장히 수상쩍은 물건이라는 듯 상자를 향해 의심스러운 눈길을 던진다. 마치 추리닝을 입고 스쿠터에 올라탄 상자가 오베에게 '이봐, 친구!'라고 부르고는 시계를 팔기라도 한 양.

"알겠어. 그러니까 이게 컴퓨터다?"

점원이 고개를 끄덕였다. 그러고는 약간 주저하더니 재빨리 고개를 젓는다.

"네…… 아니, 그러니까 무슨 말이냐 하면, 이건 아이패드예요. 어떤 사람들은 '태블릿'이라고도 부르고 어떤 사람들은 인터넷 서핑용 기기라고도 부르고요. 보는 관점은 여러 가지가 있지요……."

오베는 점원이 방금 단어를 거꾸로 말하기라도 한 듯 바라보더니 상자를 다시 흔들기 시작한다.

"하지만 이 물건은 좋은 제품이다?"

점원은 당황하여 고개를 끄덕인다.

"네. 아니, 저…… 무슨 뜻으로 하신 말씀인지……?"

오베는 한숨을 쉬고는 천천히 말한다. 지금 이 상황의 문제는 오로지 상대방의 덜떨어진 듣기 능력밖에 없다는 듯, 한 단어씩 또박또박.

"이게, 좋은, 제품이냐고. 이게 좋은 컴퓨터냔 말이다."

점원이 턱을 긁는다.

"제 말은…… 네, 이거 정말 좋아요…… 하지만 손님께서 원하는 컴퓨터가 어떤 종류냐에 달린 문제긴 합니다."

오베는 그를 홀끗 본다.

"내가 원하는 건 컴퓨터야! 빌어먹을 평범한 컴퓨터!"

침묵이 잠시 두 남자 위로 내려앉는다. 점원이 헛기침을 한다.

"에…… 그게 사실 그냥 평범한 컴퓨터는 아니에요. 아마 손님께서는……."

점원이 말을 멈췄다. 자기 앞에 있는 남자의 이해 범위에 들어맞는 단어를 찾고 있는 듯하다. 그리고 다시 헛기침을 하고는 말한다.

"……랩톱을 쓰셔야겠죠?"

오베는 고개를 절레절레 흔들고는 위협적으로 카운터에 몸을 기댔다.

"아니. 난 '랩톱'을 원하는 게 아냐. 컴퓨터를 원한다고."

점원은 고개를 끄덕이며 학생을 가르치듯 말한다.

"랩톱이 바로 컴퓨터예요."

모욕을 당한 오베는 그를 노려보더니 삿대질을 하며 말한다.

"너 내가 그딴 것도 모른다고 생각하는 거지?"

또다시 침묵이 흐른다. 마치 마주보던 두 총잡이가 권총을 챙겨오지 않았다는 사실을 깨달았을 때의 침묵과도 같다. 오베는 마치 고백을 기다리는 사람처럼 오랫동안 상자를 바라본다.

"키보드는 어디로 빼내는 거지?"

마침내 그가 웅얼거린다. 점원은 카운터 모서리에 손바닥을 비비고, 초조한 듯 한쪽 발에서 다른 쪽 발로 무게 중심을 옮긴다. 소매점에 고용된 젊은이들이, 자신이 기대했던 것보다 훨씬 더 많은 시간이 걸리는 이런 손님과 직면한 순간에 종종 그러듯이.

"어, 사실 이 제품에는 키보드가 안 달려 있어요."

이 말에 오베가 눈썹을 찌푸린다.

"당연히 그렇겠지. 나한테 그걸 '추가 구성품'으로 팔아야 하니까. 안 그래?"

그가 씩씩거리며 말한다.

"아뇨. 제 말은, 이 컴퓨터에는 키보드가 따로 없다는 소리예요. 화면에서 다 조작하는 거예요."

오베는 믿을 수 없다는 듯 고개를 내젓는다. 마치 카운터 주위에서 어슬렁거리던 점원이 유리 진열장을 핥는 걸 목격한 듯한 표정으로.

"하지만 난 키보드가 있어야 돼. 무슨 말인지 알아?"

젊은 점원은 참을성 있게 열까지 숫자를 세듯 심호흡을 한다.

"좋아요. 알겠습니다. 보아하니 손님께서는 이 컴퓨터를 고르시면 안 될 것 같아요. 이거 대신 맥북 같은 걸 사셔야겠네요."

"맥북?"

오베가 아주아주 미심쩍은 목소리로 말한다.

"그거 사람들이 '이-리더스(eReaders)'라고 떠드는 그런 것 중 하나인가?"

"아뇨. 맥북은…… 랩톱이에요. 키보드 달린 랩톱."

"좋아!"

오베가 신경질적으로 으르렁거린다. 그는 잠시 가게 안을 둘러본다.

"그것들은 쓸 만한 거라 이거지?"

점원은 카운터로 고개를 떨군다. 자기 얼굴을 벅벅 긁고 싶은 충동이 마구 솟구치지만 가까스로 참아내고 있는 것 같다. 그러다 별안간 얼굴이 환해지더니 활기 넘치는 미소를 띤다.

"저기요, 제 동료 직원이 다른 손님과 일을 다 마쳤는지 알아볼게요. 그 친구가 와서 설명을 해줄 수 있나 봐야겠네요."

오베는 시계를 본 뒤 마지못해 알겠다고 하면서, 어떤 사람들에게는 하루 종일 서서 기다리는 것보다 훨씬 가치 있는 일이 있다는 사실을 점원에게 상기시킨다. 점원은 재빨리 고개를 끄덕이고는 사라지더니 몇 분 뒤 동료 직원과 함께 돌아온다.

"안녕하세요. 뭘 도와드릴까요?"

오베는 예의 그 경찰용 권총 같은 손가락을 세워 구멍이라도 뚫을 듯 카운터에 박는다.

"컴퓨터가 필요해."

동료 직원은 더 이상 그리 행복해 보이지 않는다. 그는 처음 오베를 응대했던 직원에게 두고 보자는 듯한 눈빛을 슬쩍 던진다.

그러는 동안 첫 번째 직원이 웅얼거린다.

"나는 더 못 있을 것 같아. 점심 먹으러 가야 하거든."

"점심이라."

오베가 코웃음을 친다.

"사람들이 신경 쓰는 건 이제 그것뿐이지."

"네?"

동료 직원이 몸을 돌린다.

"점심 잘 드셔!"

오베는 냉소적으로 말한 다음 상자를 카운터에 내던지고는 재빨리 밖으로 걸어 나간다.

2

(3주 전)

오베라는 남자가 동네를 시찰하다

오베와 고양이가 처음 만난 건 아침 6시 5분 전이었다. 고양이는 오베를 만나자마자 무지막지하게 싫어했다. 그건 오베도 마찬가지였다.

오베는 보통 그보다 10분 일찍 일어났다. 그는 '자명종이 울리지 않아서' 늦잠을 잤다는 사람들을 도통 이해할 수 없었다. 오베는 평생 자명종이라고는 가져본 적이 없었다. 그는 6시 15분 전에 눈을 떴고, 그게 그의 기상 시간이었다.

그들이 이 집에서 살았던 40년 가까이, 오베는 매일 아침마다 커피 여과기를 사용했고, 늘 정확히 같은 양의 커피를 내렸으며, 그 커피를 아내와 함께 마셨다. 컵 두 개에 한 잔씩 따르고 나면 주전자에 한 컵 분량이 남았다. 그보다 많지도 적지도 않았다.

사람들은 어떻게 그럴 수 있는지, 어떻게 제대로 커피를 내리는지 몰랐다. 오늘날 사람들이 펜으로는 글씨도 쓸 줄 모르는 것과 마찬가지로. 왜냐하면 이제는 모두 컴퓨터와 에스프레소 기계를 쓰기 때문이었다. 사람들이 펜으로는 글을 못 쓰고 커피 하나 제대로 내리지 못한다면 대체 세상은 어떻게 돌아가고 있다는 말인가?

커피가 제대로 우러나는 동안 그는 감청색 바지와 재킷을 입고, 나무 나막신에 발을 집어넣었으며, 쓸모없는 바깥세상이 그를 실망시키리라는 걸 예상하고 있는 중년 남자 특유의 방식으로 주머니에 손을 찔러 넣었다. 그런 다음 아침 시찰을 하러 거리로 나갔다. 그가 문밖으로 걸어 나갔을 때 주변의 이층집들은 침묵과 어둠에 잠겨 있었고, 눈에 보이는 사람이라고는 한 명도 없었다. 내 이럴 줄 알았지. 오베가 생각했다. 이 동네에는 일어나야 하는 시간보다 굳이 일찍 기상하기 위해 노력하는 사람 같은 건 없었다. 이제 여기 사는 사람이라고는 자영업자들과 그 외 변변찮은 종류의 인생들뿐이었다.

고양이는 주택들 사이로 난 길 한가운데 무덤덤한 표정으로 앉아 있었다. 꼬리는 절반이 잘려나갔고 귀는 하나뿐이었다. 털은 여기저기 빠진 게 누가 손으로 한 움큼 잡아 뽑은 모양새였다. 딱히 인상적인 고양이는 아니었다.

오베가 걸음을 쿵쿵 옮기며 앞으로 나아갔다. 고양이가 일어섰다. 오베는 멈췄다. 그들은 마주서서 잠시 서로를 가늠했다. 조그만 마을의 술집에서 잠재적인 말썽꾼 둘이 마주보듯. 오베는 나막신 한쪽을 녀석한테 던질까 생각했다. 고양이는 자기가 되던질 나막신을 안 가져왔다는 사실을 후회하는 것처럼 보였다.

"꺼져!" 오베가 으르렁거렸다. 그게 너무 갑작스러워서 고양이가 뒤로 펄쩍 뛰었다. 고양이는 쉰아홉 살 먹은 남자와 그가 신고 있는 나막신을 면밀히 검토해본 다음 뒤돌아 느릿느릿 떠났다. 오베는 고양이가 떠나기 전 자신을 향해 눈을 흘겼다는 사실을 맹세할 수 있었다.

'성가신 녀석.' 오베가 시계를 흘끗 보며 생각했다. 6시까지 2분 남았다. 시작할 시간이다. 하마터면 그 망할 고양이가 시찰 전체를 지체시킬 뻔했다. 하지만 아직은 괜찮다.

그는 주택 사이에 난 도로를 따라 전진하듯 걷기 시작했다. 그는 거주 지역 내에 자동차가 들어오면 안 된다는 사실을 알리는 교통 표지판 옆에 잠시 멈춰 섰다. 금속 기둥을 퍽 하고 찼다. 흔들리거나 뭐 그런 것 같지는 않지만 언제나 확인해보는 게 최선이었다. 오베는 뭐든 간에 발길질을 하면서 물건들의 상태를 점검하는 남자였다.

그는 주차 구역을 가로질러 걸었고, 밤사이 도둑맞거나 공공 기물을 파손하는 패거리들이 불을 지른 차가 없는지 확인하기 위해 모든 차고를 어슬렁어슬렁 돌아다녔다. 이 동네에서 여태 그런 일이 벌어진 적은 한 번도 없었지만, 오베는 그가 하는 시찰 중 하나라도 그냥 건너뛴 적이 없었다. 그는 사브가 주차되어 있는 자기 집 차고 문손잡이를 세 번 당겼다. 여느 아침과 똑같이.

그러고 난 다음 그는 방문객 주차 구역을 돌아보았다. 이곳에는 차를 최대 24시간까지만 주차할 수 있었다. 그는 재킷 주머니에 넣고 다니는 작은 수첩에 모든 차량 번호를 꼼꼼히 적은 다음 그걸 전날 적어둔 번호들과 비교했다. 같은 번호가 오베의 수첩에 적혀 있을 경우, 오베는 집으로 가서 자동차 등록 사업소에 전화를 걸어 해당 차주의 신상을 검색한 뒤 그에게 연락을 취해 그가 표지판도 읽을 줄 모르는 쓸모없는 머저리라는 사실을 알려주었다. 물론 오베가 방문객 주차 구역에 차를 댄 게 누구인지 궁금해서 그런 것은 아니었다. 하지만 그건 원칙 문제였다. 만약 표지판에 '24시간'이라고 적혀 있다면 그게 거기에 머물러도 되는 시간이었다. 사람들이 자기 좋은 곳에 아무렇게나 차를 세운다면 어찌될 것인가? 혼란이 일어날 것이다. 아무 데나 빌어먹을 차들이 널려 있을 것이다.

다행히 오늘은 방문객 주차 구역에 불법 주차된 차량이 없었다. 오베는 매일매일 하는 시찰의 다음 단계로 넘어갈 수 있었다. 쓰레기통. 사실 따지자면 그건 오베가 책임질 일은 아니었다. 그는 최근 이 동네에 몰려든 SUV를 타는 패거리들이 밀어붙인 '가정용 쓰레기를 분리해서 놔둬야 한다'는 말도 안 되는 헛소리에 애초부터 단호히 맞서왔다. 그렇기는 해도 일단 쓰레기의 종류를 나누자는 결정이 내려진 이상 누군가는 그게 제대로 이뤄졌는지 확인해야 했다. 아무도 오베보고 그래 달라고 하지는 않았지만, 만약 오베 같은 사람이 앞장서지 않는다면 무정부적 혼란이 벌어질 것이다. 쓰레기봉투가 온갖 곳에 널려 있으리라.

그는 쓰레기통을 툭툭 차보더니 욕설을 내뱉으면서 유리 재활용 통에서 병 하나를 끄집어냈고, 금속 뚜껑을 돌려 빼는 동안 '무능한 인간들'에 대해 중얼거렸다. 그는 병을 다시 유리 재활용 통에 버리고, 금속 뚜껑은 금속 재활용 통에 집어넣었다.

오베가 주민 자치회 회장이었을 당시, 사람들이 쓰레기 처리장에 허가받지 않은 쓰레기를 투기하는 걸 막기 위해 감시 카메라를 설치하자고 강력히 추진했다. 오베에게는 참으로 짜증스럽게도, 그 제안은 투표에서 부결되었다. 동네 사람들은 그 제안을 '살짝 거북하다'고 느꼈다. 게다가 그들은 비디오테이프를 전부 보관하는 것도 골치 아픈 일일 거라고 생각했다. 오베가 '정직한 의도'를 가진 사람들은 '진실'에 대해 걱정할 게 아무것도 없다고 끈질기게 주장했음에도 불구하고 그랬다.

2년 뒤, 그러니까 오베가 자치회 회장에서 물러난 후(나중에 오베는 이 사건을 쿠데타라고 언급했다) 그 의제가 다시 등장했다. 새 운영 위원회는 주민들에게 최신 카메라가 나왔는데 센서가 있어 움직임이 감지되었을 때만 작동하며, 녹화된 화면은 곧바로 인터넷으로 전송된다고 솜씨 좋게 설명했다. 그런 카메라의 도움을 받으면 쓰레기 처리장뿐만 아니라 주차 구역도 감시할 수 있다고, 따라서 기물 파괴범이나 강도를 막을 수도 있다고 했다. 심지어 더 좋은 건 녹화된 자료는 24시간이 지나면 자동으로 삭제되므로 '주민들의 사생활에 대한 권리가 침해'되는 걸 피할 수 있다는 사실이었다. 카메라 설치를 추진하자는 결정이 만장일치로 이루어졌다. 딱 한 사람만 반대표를 던졌다.

그건 오베가 인터넷을 신뢰하지 않기 때문이었다. 아내가 '인터'에 강조점을 둬야 한다고 잔소리를 했음에도 불구하고, 그는 '인터넷'의 철자를 쓸 때 대문자로 '아이(I)'를 쓰고 '넷(net, 올가미)'을 강조했다. 운영 위원회는 이내 카메라를 설치하는 건 오베의 눈에 흙이 들어가기 전까지는 불가능하리라는 사실을 깨달았다. 결국 어떤 카메라도 설치되지 않았다. 오베는 차라리 잘된 거라고 그들을 설득했다. 어쨌거나 매일매일 시찰을 하는 편이 훨씬 효율적이었다. 그래야 당신들도 누가 뭘 하고 있는지, 누가 이 상황을 계속 통제하고 있는지를 알 거 아니냔 말이다. 이건 머리를 반만 굴려도 무엇을 뜻하는지 알 수 있는 일이다.

그는 매일 아침 그러듯 쓰레기 처리장 시찰을 끝내고 나서 처리장 문을 잠갔고, 제대로 닫혔는지 확인하기 위해 문을 세 번 잡아당겼다. 그런 다음 몸을 돌리자 자전거 보관소 바깥벽에 기대어놓은 자전거 한 대가 눈에 들어왔다. 거기 자전거를 놔두면 안 된다는 표지판이 떡하니 있는데도. 자전거 바로 옆에는 주민 누군가가 화난 듯 갈겨쓴 쪽지가 붙어 있었다.

'여기는 자전거 주차 구역이 아니에요! 표지판 읽는 법 좀 배우시지!'

오베는 말을 해도 소용이 없는 얼간이들에 대해 투덜거리면서 자전거 보관소 문을 열고 자전거를 들어 깔끔하게 집어넣었다. 그런 뒤 보관소 문을 잠그고 손잡이를 세 번 잡아당겼다.

그는 분노의 쪽지를 벽에서 떼었다. 그는 운영 위원회에 이 벽에 '전단지 부착 금지'라는 표지판을 설치해야 한다고 건의하고 싶었다. 요즘 사람들은 지들이 화난 것을 알리는 피켓을 들고 본인들 멋대로 여기저기 아무 데나 어슬렁거릴 수 있다고 생각하는 모양이었다. 여기는 벽이다. 빌어먹을 게시판이 아니란 말이다.

오베는 주택 사이에 난 좁은 길을 걸어 내려갔다. 그는 자기 집 앞에 멈춰 서더니 정원 잔디에 엎드려 디딤돌들 사이의 틈을 따라 맹렬히 코를 킁킁거렸다.

오줌. 오줌 냄새가 났다.

오베는 관찰을 마치고 집으로 들어가 문을 잠근 다음 커피를 마셨다.

커피를 다 마신 뒤 그는 전화국 가입과 신문 구독을 취소했다. 작은 욕실에 있는 수도꼭지를 수리했다. 부엌에서 베란다로 통하는 문손잡이에 새 나사를 박았다. 다락방에 있는 상자들을 차곡차곡 정리했다. 헛간에 있는 도구들을 정리하고 사브에 쓰는 겨울용 타이어를 다른 곳으로 옮겨놓았다. 자, 여기 오베를 보라.

인생이 처음부터 이렇게 되려던 것은 아니었다.

11월 어느 화요일 오후 4시. 오베는 라디에이터, 커피 여과기, 그리고 전등을 모두 껐다. 이케아의 얼간이들이 목재에는 기름칠을 할 필요가 없다고 지껄였지만 오베는 부엌에 있는 목재 조리대에 기름칠을 해뒀다. 이 집에 있는 모든 목재 작업대는 6개월마다 꼬박꼬박 기름칠을 했다. 필요하건 아니건 간에. 셀프 서비스 가구점에서 노란 맨투맨 셔츠를 입고 있는 계집애들이 그 점에 대해 뭐라 떠들든 간에 말이다.

그는 뒷마당 쪽으로 절반 사이즈의 다락방이 붙어 있는 이층집 거실에 서서 창밖을 내다보고 있었다. 턱수염이 까칠하게 난 40살 먹은 겉멋쟁이가 길 맞은편 집에서 나와 조깅을 하며 지나갔다. 아마 이름이 앤더스인가, 그랬다. 이사 온 지 얼마 안 됐다. 길어봐야 여기서 4년인가 5년 정도 살았을 것이다. 이미 사람들을 살살 구슬려서 주민 자치회 운영 위원회에 들어가는 데 성공했다. 뱀 같은 인간. 그는 이 거리가 자기 것인 줄 안다. 이혼한 다음 이사를 온 게 분명한데 터무니없는 집값을 지불하고 들어왔다. 이런 빤한 놈들이 이곳에 와서 정직한 사람들을 상대로 부동산 가격을 올려 받는다. 마치 이 동네가 부촌이라도 되는 양. 게다가 그 녀석은 아우디를 몰았다. 오베는 그럴 줄 알고 있었다. 자영업자나 기타 등신들은 죄다 아우디를 모니까. 오베가 주머니에 손을 찔러 넣었다. 그리고 살짝 거만한 태도로 마룻바닥에 발길질을 했다. 사실 이 이층집은 오베와 아내가 살기에는 좀 크다. 그 점은 어느 정도 인정할 수 있다. 하지만 돈은 다 갚았다. 융자는 한 푼도 없다. 유행에 따라 옷이나 사 입는 사람들에게 그거 하난 확실히 말해줄 수 있었다. 이젠 사방이 다 융자였다. 다들 그게 인간이 가는 길인 줄 알았다. 오베는 모기지를 갚았다. 의무를 다했다. 직장도 다녔다. 병가라고는 한 번도 낸 적 없었다. 자기 몫의 짐을 짊어졌다. 책임도 어느 정도 졌다. 아무도 더는 그렇게 하지 않는다. 누구도 책임을 지지 않는다. 이제 있는 거라고는 컴퓨터와 컨설턴트, 그리고 나이트클럽에 가거나 아파트 임대차 계약을 은밀하게 팔아치우는 지역 유지들뿐이다. 조세 피난처와 금융 자산만 있다. 아무도 일하기를 원치 않는다. 하루 종일 점심이나 처먹었으면 하는 인간들로 나라가 꽉 찼다.

"좀 느긋하게 살면 좋지 않아요?"

직장에서 그들이 오베에게 말했다. 일자리 부족과 그로 인한 '나이든 세대의 은퇴'에 대해 설명하는 와중에 말이다. 한 세기의 3분의 1을 한 직장에서 보낸 사람, 그들이 오베를 표현하는 방식이었다. 별안간 오베는 빌어먹을 '세대'가 된 것이었다. 왜냐하면 이제 직장에 다니는 사람들은 모두 31세이고, 너무 꽉 끼는 바지를 입으며, 더 이상 제대로 된 커피를 마시지 않기 때문이다. 책임을 지길 원치도 않는다. 공들여 턱수염을 기른 엄청난 수의 인간들이 직장을 옮기고 아내를 갈아치우고 자동차 상표를 바꿨다. 딱 저렇게. 지들 기분이 당길 때마다.

오베는 창밖을 노려봤다. 겉멋쟁이가 조깅을 하고 있다. 오베가 조깅 때문에 짜증이 나는 건 아니었다. 전혀. 오베는 사람들이 조깅을 하는 것에는 조금도 관심이 없었다. 그가 이해할 수 없는 건, 왜 인간들이 조깅 가지고 저렇게 호들갑이냐는 거다. 하나같이 만면에 거만한 미소를 띠고 다니는데, 꼭 자기들이 폐기종이라도 치료하러 밖에 나온 것처럼 굴었다. 빨리 걷는 놈이건 천천히 뛰는 놈이건, 조깅하는 인간들은 다 똑같이 그랬다. 마흔 살이나 먹은 남자가 세상에 대고 자긴 똑바로 할 줄 아는 게 없다고 떠들어대는 꼴이었다. 조깅을 하려면 반드시 열네 살짜리 루마니아 체조 선수처럼 입고 나와야 한단 말인가? 올림픽에 출전한 터보거닝* 팀처럼 차려입어야만 하나? 고작 45분 동안 목적도 없이 동네를 돌아다닌다는 이유 때문에?

그 겉멋쟁이에게는 여자 친구가 있었다. 그보다 열 살 어렸다. 오베는 그녀를 '금발 잡초'라고 불렀다. 얼굴에는 광대처럼 분칠을 하고, 헬멧인지 안경인지 구분이 안 될 정도로 큰 선글라스를 끼고, 박스스패너처럼 길쭉한 힐을 신고 술 취한 판다처럼 휘청휘청 길을 걷는 여자였다. 그녀는 핸드백만 한 크기의 동물을 기르고 있는데, 그놈은 목줄에서 풀려나면 신나게 쏘다니다가 오베의 정원 디딤돌 위에 오줌을 쌌다. 그녀는 오베가 그걸 모를 거라 생각했지만, 오베는 언제나 알아차렸다.

그의 인생이 이렇게 되리라곤 예상 못했다. 완전히 다 멈췄다.

"조금만 마음 편하게 받아들이면 좋지 않을까요?"

그들은 어제 일하던 중에 그렇게 말했다. 이제 오베는 기름을 먹인 부엌 조리대 옆에 서 있다. 화요일 오후에 이런 일을 할 줄은 몰랐다.

---

* toboggan. 활주용 강철 썰매. 흔히 '봅슬레이'라고 한다.

그는 맞은편에 위치한, 자기 집과 똑같이 생긴 주택을 창밖으로 내다봤다. 아이가 딸린 가족이 막 이사를 왔다. 분명 외국인이었다. 아직 무슨 차를 타고 다니는지는 모른다. 아마 일제거나 뭐 그렇겠지. 맙소사. 오베는 방금 자기 입으로 너무나 공감되는 이야기라도 한 것처럼 격하게 고개를 끄덕였다. 그는 거실 천장을 올려다보았다. 오늘 거기다 고리를 매달 것이다. 그냥 보통 고리를 매달겠다는 뜻이 아니다. 데이터 코드를 진단한다고 나발을 불어대고, 성별 구분이 되지 않는 카디건만 입고 다니는 IT 컨설턴트들은 흔해빠진 고리를 설치하겠지. 하지만 오베의 고리는 바위처럼 단단할 것이다. 그는 아주 단단히 나사를 박아 넣을 것이고, 그래서 집이 부서질 때에도 그 고리는 끝까지 버틸 것이다.

며칠 안에 넥타이 매듭을 아기 머리통만큼이나 크게 매고 거드름을 피워대는 부동산업자가 여기 서 있을 것이고, '개발 호재'니 '공간 효율'이니 하는 소리를 떠벌이다가 오베라는 망할 자식에 대해 온갖 종류의 의견을 갖게 될 것이다. 그러나 그는 오베의 고리에 대해서는 입도 벙긋할 수 없으리라.

거실 바닥에는 오베의 '유용한 물건들'이 들어 있는 상자가 하나 있었다. 그게 그들이 이 집 안의 물건들을 분류하는 방식이었다. 오베의 부인이 샀던 것은 모두 '사랑스러운' 혹은 '가정적인' 것들이다. 오베가 산 물건은 모두 '유용한' 것들이다. 기능이 있는 물건. 그는 그것들을 상자 두 개에 나눠 담아두었다. 큰 상자 하나, 작은 상자 하나. 지금 이 상자는 작은 상자다. 나사와 못,

스패너 세트 등 그런 종류의 물건들로 가득했다. 사람들은 더 이상 유용한 물건들을 안 갖고 살았다. 사람들이 가진 건 죄다 똥덩어리뿐이었다. 신발을 스무 켤레나 갖고 있으면서도 구둣주걱이 어디 있는지는 전혀 모른다. 집 안을 전자레인지와 평면 TV로 채워놓았지만, 누군가 칼로 위협하며 대답을 강요해도 콘크리트 벽에 쓰는 플러그가 뭔지 대답하지 못한다.

오베의 유용한 물건들을 보관한 상자 안에는 콘크리트 플러그(concrete plug)만 담아두는 서랍이 따로 있었다. 그는 마치 체스 말을 보듯 플러그들을 바라보고 있었다. 그는 콘크리트에 나사를 박을 때, 무슨 플러그를 쓸지 결정하느라 스트레스를 받지 않는다. 물건들은 저마다 쓰일 곳이 정해져 있게 마련이다. 모든 플러그에는 돌기가 달려 있는데, 각각 나름의 사용처가 있다. 사람들은 더 이상 물건의 알맞은, 올바른 기능을 존중하지 않는다. 그들은 컴퓨터 화면상의 모든 것이 말쑥하고 깔끔하게 보이기만 하면 행복해한다. 하지만 오베는 물건들을 응당 그렇게 다뤄져야 하는 방식으로 다뤘다.

오베는 월요일에 사무실에 출근했고, 그들은 '오베의 주말을 망칠까봐' 그 사실을 금요일에 전하지 않았다고 말했다.

"조금 느긋하게 사는 것도 좋을 겁니다."

그들이 점잔을 빼며 천천히 말했다. 느긋하게 살라고? 그치들은 화요일 아침 눈을 떴을 때 더 이상 아무런 목적이 없다는 게 어떤 건지 알고는 있을까? 인터넷을 사용하고 에스프레소 커피를 마시는 그 인간들은 무언가에 대해 책임을 진다는 게 어떤 것인지 알기는 할까?

오베는 눈을 가늘게 뜨고 천장을 올려다보았다. 고리를 정중앙에 다는 게 관건이다, 그는 다짐을 했다.

오베가 거실에 서서 그 문제에 몰입해 있는데, 뭔가 길게 찌익하고 긁히는 소리가 사정없이 훼방을 놓았다. 어느 굉장한 머저리가 트레일러 달린 일제 자동차를 몰다가 오베의 집 외벽을 긁지 않고서는 도저히 나올 수 없는 소리였다.

3
오베라는 남자가
트레일러를 후진시키다

오베가 초록색 꽃무늬 커튼을 홱 열어젖혔다. 오베의 아내가 수년 동안 제발 좀 바꾸라고 잔소리를 했던 커튼이다. 오베의 눈에 서른 살쯤 돼 보이는, 누가 봐도 외국인이 분명한 검은 단발머리 여자가 보였다. 그녀는 자신과 비슷한 나이대로 보이는, 지나치게 키가 크고 비쩍 마른 금발의 사내에게 화가 난 것처럼 보였다. 그 멀대 녀석은 우스울 정도로 작은 일제 자동차의 운전석에 꽉 끼어 있었다. 그리고 그 차에 달린 트레일러는 지금 오베의 집 외벽을 긁어대고 있다.

멀대는 여자에게 '이게 보이는 것만큼 쉽지 않다'는 사실을 교묘한 손짓과 몸짓을 이용해 전달하고 싶은 듯 보였다. 여자는 그보다는 덜 교묘한 몸짓으로 지금 벌어진 문제의 상황이 멀대의 덜떨어진 천성과 관계가 있다는 사실을 전하려는 듯 보였다.

"내 이 망할⋯⋯." 트레일러 바퀴가 오베의 화단으로 굴러가자 오베가 창문을 통해 버럭 소리를 질렀다. 몇 초 뒤 오베의 집 현관문이 확 열렸다. 마치 문이 열리지 않을 경우 오베의 몸이 문을 뚫어버릴까 두려운 나머지 저절로 열린 것 같았다.

"도대체 뭐 하는 거요?" 오베가 여자에게 으르렁거렸다.

"네, 그게 제가 지금 저한테 묻고 있는 거예요!" 그녀가 되받아 소리쳤다.

오베는 허를 찔린 듯 잠시 주춤했다. 그가 그녀를 노려보자, 그녀도 맞받아 노려보았다.

"여기선 운전하면 안 돼! 이거 못 읽어요?"

작은 외국인 여성이 오베에게 한 발짝 다가왔고, 그제야 오베는 그녀가 만삭이거나 혹은 국소 비만이라고 분류할 수 있는 상태로 인해 고통받고 있다는 사실을 깨달았다.

"제가 운전하고 있는 게 아니잖아요. 네?"

오베는 잠시 그녀를 조용히 바라보았다. 그러다 이제 겨우 막 일제 자동차에서 빠져나와 사과의 미소를 만면에 덕지덕지 바른 채 두 손을 의미심장하게 허공에 놀리면서 다가오는 그녀의 남편에게 몸을 돌렸다. 니트 카디건을 걸치고 있는 자세를 보아하니 칼슘 부족이 분명했다. 키는 못해도 2미터는 되어 보였다. 오베는 키가 185센티미터 이상인 모든 사람에게 본능적으로 회의 감을 느꼈다. 피가 뇌까지 제대로 올라갈 수가 없을 것 같았기 때문이다.

"당신은 누구시려나?" 오베가 물었다.

"제가 운전자입니다." 멀대가 대범하게 대답했다.

"아 진짜? 그렇게 안 보이는데!" 남편보다 50센티미터는 작아 보이는 임산부가 화를 터뜨렸다. 그녀는 두 손으로 남자의 팔을 찰싹찰싹 때리려 했다.

"그럼 이쪽은?" 오베가 그녀를 바라보며 물었다.

"제 아내입니다." 멀대가 웃으며 말했다.

"계속 그리 될 거라고 장담하지 마." 아내가 남자의 말을 뚝 끊었다. 임신한 배가 오르락내리락하고 있다.

"저게 보이는 것처럼 쉽지가……." 멀대가 무슨 말을 더 하려다가 이내 딱 멈추었다.

"내가 오른쪽이랬지! 그런데 넌 계속 왼쪽으로 후진했잖아! 넌 말을 참 안 들어! 도대체 말을 들어먹질 않는다고!"

그렇게 말하고 난 뒤 그녀는 30초 정도 정신없이 열변을 토했는데, 오베는 그녀가 아랍어로 된 복잡한 저주의 말을 표현하고 있다는 것 정도만 짐작할 수 있었다.

멀대는 그저 그녀에게 고개를 끄덕이며 말로 표현할 수 없을 정도로 온화한 미소를 짓고 있었다. 품위 있는 사람도 스님의 뺨을 후려치고 싶게 만들 그런 종류의 미소라고, 오베는 생각했다.

"진정해. 미안하다니까." 그가 쾌활하게 말하고는 주머니에서 씹는담배가 든 케이스를 꺼내어 호두알만 한 공 모양으로 담배를 말았다. "그냥 작은 사고일 뿐이야. 우리가 해결할 거라고!"

오베는 마치 멀대가 자신의 차 보닛에 쪼그리고 앉아 똥이라도 싸고 간 듯 그를 보았다.

"해결한다고? 당신 지금 내 화단에 들어왔어!"

멀대가 천천히 트레일러 바퀴를 보며 말했다.

"화단이라고 하긴 어렵잖습니까, 안 그래요?" 그는 전혀 굴하지 않은 채 웃으면서 담배를 혀끝에 맞췄다. "저기요, 이건 그냥 흙이잖아요." 그는 오베가 마치 자기에게 농담이라도 하고 있는 양 계속 고집했다.

오베의 이마 근육들이 크고 깊고 위협적인 하나의 주름살을 만들었다.

"이건, 분명히, 화단이야."

멀대는 헝클어진 앞머리에서 담배를 찾기라도 하듯 머리를 긁어댔다.

"하지만 선생님은 여기 아무것도 안 키우고 계신데요……."

"내가 내 화단에 뭘 하든 무슨 빌어먹을 간섭이야!"

멀대는 재빨리 고개를 끄덕였다. 이 정체불명의 사내를 더 이상 자극하는 일을 피하고 싶은 게 분명했다. 그는 자기를 도와주길 바라듯 아내를 돌아봤다. 그녀는 그럴 생각이 없어 보였다. 멀대가 다시 오베를 봤다.

"임신 중입니다, 보시다시피요. 호르몬이랑 뭐 그런 것들 때문에……." 그가 미소를 지으며 분위기를 바꿔보려 노력했다.

임신한 아내는 미소 짓지 않았다. 오베도 웃지 않았다. 그녀가 팔짱을 꼈다. 오베는 허리띠에 손을 찔러 넣었다. 멀대는 자기 커다란 손을 어찌해야 할지 모르는 것 같았다. 그는 살짝 부끄러운 듯 두 손을 이리저리 흔들었다. 마치 손이 천으로 만들어져서 바람에 펄럭이기라도 하듯.

"제가 차를 옮겨서 다시 해보겠습니다." 마침내 그가 그렇게 말하며 오베의 마음을 누그러뜨리려 다시 미소를 지었다.

오베는 화답하지 않았다.

"자동차는 여기 못 들어와. 저기 표지판 있잖아."

멀대는 뒤로 물러서며 열심히 고개를 끄덕였다. 터벅터벅 돌아가서는 자기 몸 치수보다 한참 아래인 일제 자동차에 몸을 비틀어 넣었다. "맙소사." 오베와 임신부가 맥이 탁 풀려서 동시에 중얼거렸다. 이걸 듣자 오베는 그녀가 살짝 덜 싫어지게 됐다.

멀대가 차를 몇 미터 앞으로 빼는 모습을 보고 오베는 그가 트레일러를 똑바로 해두지 않았다는 것을 확인할 수 있었다. 그러더니 다시 차를 후진시켜 오베의 우편함으로 곧장 달렸다. 녹색 철제 우편함이 찌그러졌다.

오베가 쿵쾅거리며 달려가 차 문을 홱 열어젖혔다. 멀대가 다시 팔을 퍼드덕거리기 시작했다.

"제 잘못입니다, 제 잘못이에요! 죄송합니다! 백미러에 우편함이 안 보였어요! 이 트레일러 차 운전하기 힘들어요. 바퀴를 어느 쪽으로 돌려야 할지 감이 안 와요……."

오베가 차 지붕을 주먹으로 너무 세게 내리치는 바람에 멀대가 펄쩍 뛰면서 머리를 천장에 부딪혔다.

"차에서 내려!"

"네?"

"차에서 내리라고 했다!"

멀대는 오베에게 살짝 놀란 눈길을 던졌지만 말대꾸를 할 만큼 용기가 있는 것 같지는 않았다. 대신 차에서 내려 선생님에게 혼난 아이가 교실 구석에 서 있는 것처럼 차 옆에 섰다. 오베는 주택들 사이에 난 길로 팔을 뻗어 자전거 보관소와 주차 구역 언저리를 손가락으로 가리켰다.

"가서 방해 안 되는 곳에 서 있어."

멀대는 좀 멍한 듯 고개를 끄덕였다.

"젠장. 팔이 없는 놈이 백내장에 걸렸어도 너보다는 후진을 잘 할 거다." 오베가 차에 타면서 중얼거렸다.

어떻게 트레일러도 후진 못 시키는 사람이 지구상에 존재할 수 있지? 오베는 자문했다. 어떻게? 오른쪽과 왼쪽 개념을 세우고 나서 핸들을 돌리는 게 뭐가 어렵다는 거지? 이런 인간들이 자기 인생은 대체 어떻게 꾸려나가는 거지?

오베는 이 차가 오토라는 것을 확인했다. 암, 그럴 줄 알았어. 이 얼간이들은 차를 제대로 후진시키기는커녕 제 손으로 직접 몰려고도 하지 않으니까. 그는 기어를 'D'로 놓고 조금씩 앞으로 나아갔다. 일제 오토 차량 외에 진짜 차를 운전할 수 없는 사람에게도 운전면허를 발급해야만 하는지, 오베는 궁금했다. 주차도 제대로 못 하는 사람이 투표권은 가져도 정말 괜찮은 건지 의심스러웠다.

그는 문명인들이 트레일러를 후진시키기 전에 그러듯 차를 앞으로 뺀 다음 트레일러를 바로잡고 나서 후진에 들어갔다. 곧 차에서 끽끽거리는 소음이 나기 시작했다. 오베는 화가 나서 차 안을 둘러봤다.

"대체 빌어먹을 넌 또 뭐야…… 왜 이런 소리를 내는데?" 그는 계기판에다 대고 씩씩거리더니 핸들을 퍽 때렸다.

"그만하랬지, 내가!" 그가 집요하게 번쩍이는 빨간불에 대고 소리를 질렀다.

그와 동시에 멀대가 차 옆에 나타나서는 조심스럽게 차창을 두드렸다. 오베가 차창을 내리고 멀대에게 짜증스런 눈길을 던졌다.

"후방 탐지기가 소리를 내는 거예요." 멀대가 고개를 끄덕이며 말했다.

"내가 그것도 모를까봐?" 오베의 속이 부글부글 끓어올랐다.

"이 차가 좀 별나긴 해요. 선생님이 괜찮으시다면 제가 제어 장치에 대해 알려드릴 수 있을 것 같은데……."

"난 머저리가 아냐." 오베가 코를 씩씩거리며 말했다.

멀대가 열심히 고개를 끄덕였다.

"그럼요, 맞습니다, 당연하죠."

오베가 계기판을 노려보며 물었다.

"이게 대체 뭘 하고 있는 거지?"

멀대가 열성적으로 고개를 끄덕였다.

"그건 배터리에 파워가 얼마나 남아 있는지 측정하고 있는 거거든요. 그러니까 전기 모터에서 휘발유로 움직이는 모터로 바뀌기 전에요. 왜냐하면 이게 하이브리드 차량이라서……."

오베는 대답하지 않았다. 그는 멀대가 차 밖에서 입을 반쯤 벌리고 있는 걸 놔둔 채 천천히 차창을 올렸다. 오베는 왼쪽 사이드미러를 확인했다. 그런 다음 오른쪽을 확인했다. 그는 일제 자동차가 놀라서 깩깩 비명을 지르는 동안 차를 후진시키고, 트레일러를 자기 집과 무능한 새 이웃집 사이에 똑바로 세운 다음, 차에서 나와 그 백치 같은 인간에게 차 열쇠를 넘겼다.

"후방 탐지기니 주차 센서니 카메라니 그런 거 죄다 개똥 같은 거야. 트레일러를 정말 제대로 후진시키고 싶은 사람이라면 그딴 빌어먹을 건 애초에 사용하질 말아야 한다고."

멀대가 기꺼이 고개를 끄덕였다.

"도와주셔서 감사합니다." 마치 오베가 지난 10분 동안 자기를 모욕한 적이 없다는 양 그가 큰 소리로 말했다.

"당신 같은 사람은 카세트 플레이어도 되감기하면 안 돼."

오베가 투덜거렸다. 임산부는 팔짱을 낀 채 서 있었지만 아까만큼 화가 난 것처럼 보이진 않았다. 그녀는 자기가 웃으려고 노력하고 있다는 듯 삐딱한 미소를 띠며 오베에게 감사를 표했다. 그녀는 오베가 지금껏 본 것 중 가장 큰 갈색 눈을 갖고 있었다.

"주민 자치회가 이 구역에서 운전하지 말라고 하더군. 그러니 당신네들도 빌어먹을 규칙을 따르쇼."

오베는 이렇게 툴툴대더니 쿵쿵거리며 자기 집으로 돌아갔다.

그는 집과 차고 사이에 난 포장길을 올라가다가 중간에 멈추었다. 그가 그 나잇대 남자들이 하는 방식으로 코를 찡그리자 상반신 전체에 주름이 잡힌 것 같았다. 그가 무릎을 꿇고 코가 디딤돌에 닿을 정도로 고개를 숙였다. 그는 매해 예외 없이 헌 디딤돌을 제거하고 깔끔하게 새 디딤돌을 다시 깔았다. 필요하건 그렇지 않건 간에. 그가 다시 코를 쿵쿵댔다. 고개를 끄덕이며 일어섰다.

새 이웃들이 여전히 그를 지켜보고 있었다.

"오줌. 여기 사방에 오줌을 갈겨놨어." 오베가 디딤돌을 가리키며 퉁명스레 내뱉었다.

"멀…… 쩡한데요." 검은 머리 여자가 말했다.

"아니! 이 주변에 멀쩡한 데라고는 망할 아무 데도 없어!"

그 말과 함께 오베는 집으로 들어가 문을 잠갔다.

그는 현관 안쪽 의자에 무너지듯 앉아 오랫동안 그 상태로 있었다. 빌어먹을 여자 같으니. 눈앞에 빤히 보이는 표지판도 못 읽는 그 여자랑 그 여자 가족이 하필 왜 여기로 이사 온 거냐고! 이 구역에서는 차를 몰면 안 된다고. 다들 그걸 안단 말이다.

오베는 옷걸이에 걸린 아내의 수많은 오버코트 사이에 자기 코트를 걸었다. 창문이 닫혀 있는지 확인하고는 "등신들"이라고 중얼거렸다. 그런 다음 거실로 가 천장을 바라봤다.

얼마나 거기 서 있었는지 알 수 없었다. 그는 자기 생각에 골몰해 있었다. 마치 안개 속에 있는 것처럼 이리저리 헤맨 것 같다. 그는 지금껏 결코 그런 행동을 해본 적이 없는 남자였다. 백일몽이라곤 꿔본 적도 없다. 하지만 최근 들어 머릿속의 뭔가가 뒤틀린 것 같았다. 집중하는 게 점점 어려워졌다. 그는 그게 너무도 마음에 들지 않았다.

초인종이 울리는 바람에 오베는 포근한 잠에서 깬 것 같았다. 그는 눈을 세게 비비고 이런 자기 모습을 본 사람이라도 있을까 봐 걱정하듯 주위를 둘러봤다.

다시 초인종이 울렸다. 오베는 돌아서서 초인종을 바라봤다. 초인종이 자기가 한 짓을 부끄러워해야 하는 상황인 듯. 그는 현관으로 몇 걸음 걷다가 자기 몸이 경화 플라스터처럼 뻣뻣하다는 사실을 깨달았다. 삐걱거리는 소리가 마룻바닥에서 나는지 자기 몸에서 나는지 구분이 안 될 정도였다.

"또 무슨 일이야?" 그는 밖에 온 게 누군지 이미 아는 듯, 문을 열기도 전에 물었다.

"무슨 일이냐니까?" 그가 같은 말을 반복하면서 거칠게 문을 여는 바람에 세 살 난 여자애가 뒷걸음질을 치다가 급기야 엉덩방아를 찧었다.

그 옆에는 일곱 살 난 여자애가 완전히 겁에 질린 얼굴로 서 있었다.

아이들의 머리는 칠흑처럼 까맸다. 둘 다 오베가 지금껏 본 것 중 가장 큰 갈색 눈을 갖고 있었다.

"뭐야?" 오베가 말했다.

언니는 조심스러운 태도로 서 있다가 오베에게 플라스틱 용기를 건넸다. 오베는 마지못해 그걸 받아들었다. 따뜻했다.

"밥이에요!" 세 살 난 여자애가 활기차게 일어서며 기쁜 듯 선언했다.

"사프란*을 곁들였어요. 치킨이랑요." 일곱 살 난 여자애가 고개를 끄덕이며 말했다. 아까보다 한층 더 오베를 경계하고 있다.

오베가 그들을 의심스러운 얼굴로 바라보며 말했다.

"이걸 나한테 팔겠다는 거냐?"

일곱 살 여자애가 기분이 상한 표정을 지었다.

"우리 여기 살아요. 아시면서!"

오베는 잠시 침묵했다. 그러다 고개를 끄덕였다. 여기 살고 있다는 사실이 질문에 대한 대답이 되기라도 한 것처럼.

"알았다."

동생 쪽도 만족스럽게 고개를 끄덕이고는 자기 팔보다 살짝 긴 옷소매를 펄럭였다.

---

* saffron. 크로커스(crocus) 꽃으로 만드는 샛노란 가루. 음식에 색을 낼 때 쓴다.

"엄마가 할아버지 '배거푸'대써요."

오베는 쪼끄만 꼬마애가 옷을 펄럭거리며 발음을 뭉개자 완전히 얼이 빠진 듯 보였다.

"뭐라고?"

"엄마가 할아버지 배고픈 것처럼 보인다고 그랬다고요. 그래서 저희가 저녁 식사를 줘야 한다고 했어요." 일곱 살짜리가 살짝 짜증을 내며 또랑또랑하게 말했다. "일루 와, 나샤닌." 그녀는 그렇게 덧붙이고는 오베에게 못마땅한 눈길을 던진 뒤 동생 손을 잡고 걸어갔다.

오베는 아이들이 살금살금 걸어가는 동안 계속 시선을 고정했다. 그는 임산부가 자기 집 현관문에 서서 소녀들이 집에 도착하기 전에 그에게 미소를 짓는 걸 보았다. 세 살짜리 여자애가 돌아서더니 그에게 활기차게 손을 흔들었다. 그애 어머니도 손을 흔들었다. 오베는 문을 닫았다.

그는 다시 현관에 서 있었다. 다이너마이트를 보고 있기라도 한 것처럼 사프란과 치킨을 곁들인 밥이 들어 있는 따뜻한 통을 응시했다. 그러다 부엌으로 가져가 냉장고에 넣었다. 그는 면식도 없는 외국인 꼬마들이 문간에서 준 음식을 아무렇게나 먹는 사람이 아니었다.

하지만 오베의 집에서는 음식을 버리지 않는다. 원칙의 문제였다.

그는 거실로 갔다. 손을 주머니에 푹 집어넣고 천장을 바라보았다. 잠시 거기 서서 콘크리트 벽에 쓰는 플러그 중 어떤 게 이번 작업에 알맞을지 생각했다. 그는 눈이 욱신거릴 때까지 가늘게 뜬 채 서 있었다. 그는 고개를 숙이고, 살짝 혼란스런 기분으로 상처 난 손목시계를 보았다. 그러다가 창밖을 보고는 땅거미가 졌다는 사실을 알아차렸다. 그는 체념하며 고개를 저었다.

해가 지면 구멍을 뚫을 수 없다. 다들 아는 사실이었다. 집 안의 불을 모두 켜야 할 테고, 아무도 불을 껐는지 신경써주지 않을 것이다. 계량기 숫자가 치솟아 또 다시 2천 크로나*를 달성하면 전력 회사에나 좋은 일을 시키는 것이다. 그들은 그런 건 까맣게 잊어버렸다.

오베는 유용한 물건이 든 상자를 다시 포장해서 위층의 큰방으로 가져갔다. 작은방 라디에이터 뒤의 공간에서 다락 열쇠를 가져왔다. 다락 밑으로 가서 몸을 곧추세우고는 뚜껑처럼 달린 다락문을 열었다. 사다리를 아래로 펴고 다락으로 올라가 아내가 삐걱거리는 소리가 너무 심하게 난다며 갖다놓으라고 한 부엌 의자들 뒤 공간에 상자를 내려놓았다. 의자들은 전혀 삐걱대지 않았다. 오베는 그게 핑계였다는 걸 잘 알았다. 아내가 새 의자를 사고 싶어 했기 때문이다. 마치 그러면 인생 전체가 새것이 되기라도 하듯. 부엌 의자를 사고 레스토랑에서 식사를 하면 인

---

* 스웨덴의 화폐 단위. 1크로나는 1외레(öre)의 100배이다. 기호는 kr.

생도 그렇게 될 것처럼.

그는 다시 계단을 내려왔다. 다락 열쇠를 작은방 라디에이터 뒤에 되돌려놓는다. "여유를 좀 가지세요." 그들은 그에게 그렇게 말했다. 컴퓨터로 일을 하고 제대로 된 커피를 마시길 거부하는, 건방이나 떨고 앉아 있는 수많은 서른한 살짜리들이. 아무도 트레일러를 후진시킬 줄 모르는 이 사회 전체가. 그러더니 자기한테 더 이상 당신이 필요하지 않다고 말한다. 이게 말이나 되는 소린가?

오베는 거실로 내려와 TV를 켰다. 그는 TV 프로그램을 보지 않지만 벽이나 멍하니 바라보며 멍청이처럼 혼자 앉아 저녁을 보낼 수 있을 것 같지는 않았다. 그는 냉장고에서 외국 음식을 꺼내 와서는 통째로 들고 포크로 찍어 먹었다.

화요일 밤이다. 그는 신문 구독을 취소했다. 라디에이터를 껐으며 집 안의 불도 모두 껐다. 내일은 저 천장에 고리를 설치할 것이다.

4
오베라는 남자가
3크로나의 추가 요금을 내지 않는다

오베는 그녀에게 꽃다발을 주었다. 두 개. 물론 두 개가 될 줄은 몰랐다. 하지만 일을 하다 보면 못 넘는 한계란 게 있기 마련이다. 그건 원칙 문제였다고 오베는 그녀에게 설명했다. 그게 그가 결국 꽃다발 두 개를 사게 된 이유였다.

"당신이 집에 없을 땐 일이 안 돌아가." 오베가 중얼거리고는 얼어붙은 땅바닥을 발로 툭 찼다.

아내는 대답하지 않았다.

"오늘은 눈이 오겠는데." 오베가 말했다.

뉴스에서는 눈이 오지 않을 거라고 했지만, 오베가 종종 지적하듯 그 사람들이 예측한다고 해서 뭐든지 꼭 일어나리라는 보장은 없었다. 그는 그녀에게 이 점을 말해주었다. 그녀는 대답하지 않았다. 그는 주머니에 손을 찔러 넣고 그녀를 향해 슬쩍 고개를 끄덕였다.

"당신이 없을 땐 하루 종일 집이 너무 넓어져. 자연히 그렇게 돼. 살 수가 없다니깐. 내가 하고 싶은 말은 그게 다야."

그녀는 그 말에도 역시 대답하지 않았다.

그는 고개를 끄덕이고 땅을 다시 찼다. 그는 은퇴를 바라는 사람들을 이해할 수가 없었다. 어떻게 자기들이 잉여가 될 날을 고대하면서 평생을 보낼 수 있지? 하릴없이 배회하면서 사회의 짐이나 되는. 대체 어떤 인간이 그런 걸 소망하지? 집에 앉아 죽을 때나 기다리는 삶. 더 최악인 것은 누군가 자길 양로원에 집어넣어주길 기다리는 일일 것이다. 다른 사람들에게 의존해서 화장실에 가는 삶. 오베는 그보다 더 나쁜 게 뭔지 상상이 안 갔다. 그의 아내는 종종 그를 놀리면서, 그는 자기가 아는 한 이동 간병 밴을 이용하느니 차라리 관 속에 드러누울 유일한 사람이라고 말했다. 그녀가 제대로 짚은 것이리라.

오베는 6시 15분 전에 일어났다. 아내와 자신이 마실 커피를 내리고, 그녀가 몰래 라디에이터 온도를 높여놓지는 않았는지 점검 차원에서 집을 둘러보았다. 전날의 상태에서 바뀐 게 하나도 없었지만, 그는 만전을 기하기 위해 온도를 살짝 더 내렸다. 그런 다음 방에 있는 여섯 개의 옷장 중 아내의 옷으로 꽉 차지 않은 유일한 옷장에서 재킷을 꺼내 입고 아침 시찰을 나섰다. 그는 날씨가 쌀쌀해지기 시작했다는 걸 알아차렸다. 군청색 가을 재킷을 군청색 겨울 재킷으로 바꿀 때가 거의 다 됐다.

그는 눈이 오기 시작할 때를 언제나 정확히 알았다. 아내가 침실 난방 온도를 올리자고 불평을 시작하기 때문이었다. 미친 짓이지. 오베는 매년 그 사실을 새로 확인했다. 계절이 좀 바뀌었다는 이유로 전력 회사 이사들의 배를 불려줄 이유가 뭐란 말인가? 난방 온도를 5도 올리면 해마다 수천 크로나가 더 든다. 계산해봤기 때문에 알았다. 그래서 매 겨울마다 그는 바자회 때 축음기와 바꾼 낡은 디젤 발전기를 다락에서 끌고 나왔다. 그는 이 발전기를 39크로나에 사온 팬히터에 연결했다. 발전기가 팬히터를 충전하면 30분 정도 전기가 공급됐다. 그러면 그의 아내는 히터를 침대 곁에 놔두었다. 그녀는 잠자리에 들기 전 히터를 켤 수 있었다. 하지만 딱 두 번뿐이었다. 그 이상은 사치다("디젤은 공짜가 아니라고"). 오베의 아내는 늘 하던 대로 했다. 고개를 끄덕인 다음 오베의 말이 아마 맞을 거라고 동의하는 것. 그런 다음 그녀는 겨울 내내 라디에이터 온도를 슬금슬금 올리며 돌아다녔다. 매년 이 빌어먹을 일이 되풀이되었다.

오베가 다시 땅을 찼다. 그는 그녀에게 고양이 얘기를 할지 고민해봤다. 그 더러운데다 털은 반이나 빠진 생명체를 고양이라고 부를 수나 있다면 말이다. 그가 아침 시찰에서 돌아왔을 때 고양이가 그곳, 정확히 말해 정문 바로 바깥에 또다시 앉아 있었다. 그는 고양이를 손으로 가리키며 빽 소리를 질렀다. 소리가 어쩌나 컸는지 그의 목소리가 이층집들 사이에 메아리쳤다. 고양이는 오베를 보며 그냥 앉아 있었다. 그러다 곧 천천히 몸을 일으키더니, 마치 자기가 떠나는 게 오베 때문이 아니라 더 괜찮은 볼일이 있어서라는 듯 어슬렁거리며 골목을 돌아 사라졌다.

오베는 고양이 얘기를 그녀에게 하지 않기로 결심했다. 자기가 고양이를 쫓아버렸다고 말하면 그녀에게 좋은 소리는 듣지 못할 게 뻔했기 때문이다. 만약 그녀가 집안 살림을 책임졌다면 집 전체가 떠돌이들로 꽉 찼을 것이다. 털 달린 놈이건 아니건 간에.

그는 군청색 정장을 입고 있으며 하얀 셔츠 단추는 끝까지 다 채웠다. 아내는 오베에게 넥타이를 맬 게 아니라면 첫 단추는 채우지 말라고 했다. 그는 자기는 해변에서 접이식 의자나 빌려주는 막돼먹은 부랑아 따위가 아니라고 항변하며 반항적으로 단추를 끝까지 다 채우곤 했다. 그는 상처 난 낡은 손목시계를 차고 있었다. 오베의 아버지가 열아홉 살이었을 때 당신의 아버지에게서 물려받은 시계로, 오베가 열여섯 번째 생일을 맞고 난 뒤 그에게 전해졌다. 그리고 며칠 뒤 오베의 아버지는 세상을 떴다.

오베의 아내는 그 정장을 좋아했다. 그녀는 그가 그 옷을 입으면 무척 잘생겨 보인다고 늘 말했다. 양식 있는 다른 사람들과 마찬가지로, 오베는 겉멋을 부리는 사람들이나 평일에 슈트를 쫙 빼입는다는 확고한 의견을 갖고 있었다. 하지만 오늘 아침은 예외를 두기로 했다. 심지어 검정색 외출용 구두를 신었고 구두약을 듬뿍 발라 광도 냈다.

밖으로 나가기 전 옷장에서 가을 재킷을 꺼내 걸쳐 입으면서, 그는 생각에 잠긴 표정으로 아내가 모아둔 코트들을 바라봤다. 그는 그렇게 조그만 사람이 어떻게 저렇게 많은 겨울 코트를 가질 수 있었는지 궁금해했다. "이 옷장을 통과하면 나니아*에 갈 수 있을 것만 같아." 아내의 친구 중 하나가 그런 농담을 한 적이 있었다. 오베는 그녀가 무슨 소릴 하는지 감도 오지 않았지만 코트가 빌어먹게 많다는 점에는 진심으로 동의했다.

그는 동네 사람들이 눈을 뜨기도 전에 집 밖으로 나왔다. 주차 구역까지 어슬렁어슬렁 걸어갔다. 열쇠로 차고를 열었다. 문에 사용하는 리모컨이 있었지만 대체 이게 왜 존재하는지 이해를 할 수 없었다. 제대로 된 사람이라면 당연히 손으로 문을 열 수 있다. 그는 사브에 올라타 시동을 걸었다. 물론 열쇠로. 차량 시스템은 늘 완벽하게 잘 돌아갔다. 바꿀 이유가 없었다. 그는 사브에 탈 때마다 늘 그러듯 운전석에 앉아 양 사이드미러를 조정하고, 라디오 다이얼을 절반 정도 앞으로 돌린 다음 다시 뒤로 돌렸다. 마치 누군가 사브에 침입해서 사이드미러와 라디오 채널을 바꾸는 막돼먹은 짓을 저지르기라도 한 듯.

주차 구역을 가로질러 차를 몰고 가면서 그는 이웃인 외국인 임산부를 지나쳤다. 그녀는 세 살배기 아이의 손을 잡고 있었다. 껑충한 멀대가 그녀 옆에서 걷고 있었다. 세 명 모두 오베를 보

---

* C. S. 루이스의 환상소설 『나니아 연대기』에 나오는 마법의 세계. 옷장을 통해 들어간다.

고는 활기차게 손을 흔들었다. 오베는 답례하지 않았다. 처음에 그는 차를 세워서 주차 구역이 무슨 운동장이라도 되는 양 뛰게 한다고 그녀를 꾸짖으려 했다. 하지만 그는 그럴 시간이 없다고 결론을 내렸다.

그는 줄줄이 늘어선, 자기 집과 똑같이 생긴 집들을 따라 차를 몰았다. 그들이 처음 여기 왔을 때 이 동네에 있던 집은 겨우 여섯 채였다. 이제는 수백 채가 있다. 한때 여기에는 숲이 있었지만 이제는 집들뿐이다. 물론 다 융자를 낀 집들. 그게 오늘날 일을 하는 방식이었다. 신용카드로 쇼핑을 하고 전기차를 몰고 다니며 전구 하나 바꾸려고 수리공을 고용했다. 딸각딸각 맞추는 조립식 마루를 깔고 전기 벽난로를 설치한 뒤 그럭저럭 살아간다. 급박한 상황에도 벽에 못 하나 박지 못하는 사회. 이게 지금 세상이 돌아가는 방식이었다.

쇼핑센터의 꽃집까지 차를 몰고 가는 데 항상 14분이 걸렸다. 오베는 모든 속도 제한을 정확히 지켰다. 심지어는 최근 이사 온 양복 입은 머저리들이 90킬로미터까지 밟아대는 도로에서도 시속 50킬로미터를 준수했다. 그들은 자기네 집 사이에다가는 속도 방지턱도 몇 개씩 설치하고 '아이들이 놀고 있어요'라고 적힌 표지판도 빌어먹게 많이 걸어놨지만, 다른 사람들의 집 앞 도로를 지날 때는 그런 건 안중에도 없었다. 오베는 지난 10년간 운전을 할 때마다 아내에게 이 점을 반복해서 말해왔다.

그리고 오베는 상황이 점점 더 나빠지고 있다고 투덜대곤 했다. 마치 오베의 그 말을 처음 들어보는 사람 대하듯 아내에게 또 말하고, 또 말했다.

오늘은 오베가 출발한 지 겨우 2킬로미터도 안 됐는데 검정색 벤츠가 그의 사브 뒤에 손가락만 한 거리를 남기고 바짝 따라붙었다. 오베는 비상등을 세 번 깜빡이는 것으로 신호를 보냈다. 벤츠는 시비를 걸 듯 상향등을 켰다. 오베는 백미러를 보며 씩씩거렸다. 마치 이 머저리들이 속도 제한에 상관없이 활개를 치고 있는 도로에 함께 있는 게 분한 듯. 하지만 오베는 움직이지 않았다. 벤츠는 그에게 다시 상향등을 빵빵 쏴댔다. 오베는 속도를 더 늦췄다. 벤츠가 경적을 울렸다. 오베는 시속 20킬로미터까지 속도를 늦췄다. 그들이 언덕 꼭대기에 이르렀을 때 벤츠가 굉음을 내며 사브를 추월했다. 넥타이를 매고 하얀 블루투스 이어폰을 귀에 끼운 40대 운전자가 차창 안에서 오베에게 가운뎃손가락을 들어올렸다. 오베는 제대로 성장한 특정 연령대의 모든 남자들이 하는 방식으로 그 제스처에 응답했다. 손가락으로 옆머리를 천천히 톡톡 친 것이다. 벤츠에 앉은 남자는 앞 유리에 침이 튈 때까지 소리를 지르더니 액셀러레이터를 밟고 사라졌다.

2분 뒤 오베는 빨간 신호등을 만나 정차했다. 벤츠는 줄의 맨 끝에 서 있었다. 오베는 바로 뒤에 서서 벤츠를 향해 전조등을 쏴았다. 그러자 벤츠 운전자가 목을 길게 빼고 주위를 둘러보는 것이 보였다. 하얀색 이어폰이 귀에서 떨어져 계기판 위에 놓여 있었다. 오베는 만족스럽게 고개를 끄덕였다.

신호등이 녹색으로 바뀌었다. 줄은 움직이지 않았다. 오베는 경적을 울렸다. 아무 일도 일어나지 않았다. 오베는 고개를 절레절레 저었다. 맨 앞에 여자 운전자가 있는 게 분명했다. 아니면 도로 공사중이거나. 아니면 아우디가 있겠지. 30초 정도 아무 일도 벌어지지 않자 오베는 자동차 기어를 중립에 놓고 시동을 끄지 않은 채 사브에서 내렸다. 도로에 서서 헤라클레스처럼 엉덩이에 두 주먹을 얹은 채 짜증으로 꽉 차서 앞을 응시했다. 교통 체증에 걸린 슈퍼맨의 자세가 그러했을까.

벤츠에 탄 남자가 미친 듯이 경적을 울렸다. 등신. 오베가 생각했다. 그와 동시에 차들이 움직이기 시작했다. 오베의 앞에 있던 차들이 출발했다. 오베의 뒤에 있던 폭스바겐이 경적을 빽빽 울렸다. 운전자가 신경질을 내며 오베에게 손을 흔들었다. 오베는 흘끗 돌아보고는 아주 여유 있게 사브에 다시 올라탔다. "다들 참 대단히도 바쁘시구먼." 그는 백미러를 보며 비웃은 다음 차를 출발시켰다.

그다음 빨간 신호에서 오베는 다시 벤츠 뒤에 섰다. 또 줄이 생겼다. 오베는 시계를 확인한 다음 왼쪽으로 돌아 작고 조용한 도로로 들어갔다. 이 길로 가면 쇼핑센터까지 가는 데 더 오래 걸리지만 신호등은 적었다. 뭘 제대로 아는 사람들이 다들 알고 있듯 자동차란 언제나 서 있을 때보다는 움직이고 있을 때 기름을 덜 먹는다. 오베가 인색한 건 아니었다. 그저, 오베는 그의 아내가 "오베 영감의 부고 기사에 반드시 적어야 할 단 한 줄을 꼽

으라면 '그는 최소한 석유는 아껴 썼다'를 고르겠어요"라고 말할 정도의 인물이었을 뿐이다.

오베가 좁은 샛길을 통해 쇼핑센터에 도착했을 때, 그는 주차 공간이 두 곳밖에 안 남았다는 사실을 알았다. 이 많은 사람들이 평일 낮에 전부 쇼핑센터에 있다는 게 오베로서는 도무지 이해가 안 되었다. 진정 사람들이 일할 곳이 더 이상 없는 것이었다.

오베의 아내는 늘 주차장 입구에 다다르면 한숨을 내쉬기 시작했다. 오베는 입구 가까이에 차를 대고 싶어 했다. "꼭 무슨 최고의 주차 자리를 찾아내는 대회에라도 참가한 것 같아요." 그녀는 그가 주차장을 뱅뱅 돌며 외제 자동차들로 자기 앞길을 막는 지진아들에게 욕을 퍼부을 때마다 그렇게 말했다. 가끔 괜찮은 자리를 발견하기까지 다섯 번이나 여섯 번 정도 뱅뱅 돌 때도 있는데, 만약 오베가 결국 패배를 인정하고 입구에서 20미터 이상 떨어진 자리에 만족할 경우, 그는 나머지 하루를 내내 언짢게 보냈다. 아내는 그걸 전혀 이해하지 못했다. 그녀는 원칙 문제를 이해하는 데 무척 서툴렀다.

오베는 대략적인 지형을 파악하기 위해 두 번 정도 천천히 주차장을 돌아보면 될 것이라고 계산했지만, 그때 갑자기 대로에서부터 우르릉 쾅쾅거리며 쇼핑센터로 돌진하는 벤츠가 눈에 들어왔다. 여기가 그의 목표 지점이었던 것이다. 양복을 입고 귀에 블루투스 이어폰을 끼운 남자의 목표 지점. 오베는 잠시도 망설이지 않았다. 액셀러레이터를 밟아 합류 지점까지 돌진했다. 주차장에 들어서던 벤츠가 끽 소리를 내며 브레이크를 밟았고, 경적을 세게 울리며 사브 뒤를 바짝 따라붙었다. 경주가 시작되었다.

입구에 적혀 있는 대로 주차장에서 차량은 오른쪽으로 통행해야 했지만, 벤츠도 빈 주차 공간이 두 곳밖에 없다는 사실을 깨닫고 오베를 추월하기 위해 왼쪽으로 가려고 했다. 오베는 그저 벤츠 앞에서 길을 막기 위해 움직였다. 두 남자는 타맥으로 포장한 길을 누비며 사냥을 시작했다.

오베는 작은 도요타 한 대가 도로 표지판을 따라 오른쪽에서 빙 둘러 주차 구역으로 진입하는 것을 백미러로 확인했다. 오베는 돌진하는 동안 반대 방향에서 다가오는 도요타를 눈으로 계속 좇았다. 벤츠는 여전히 오베의 뒤에 따라붙어 있었다. 물론 오베는 남은 주차 공간 중 입구와 제일 가까운 자리에 들어갈 수도 있었다. 그런 다음 벤츠가 나머지 하나로 들어가도록 할 수도 있겠고. 하지만 그렇게 하면 이 전쟁에서 오베가 얻는 건 대체 뭐란 말인가?

오베는 그러는 대신 첫 번째 주차 공간 앞에 비상등을 켜고 멈추었다. 벤츠가 주차장이 떠나가라 경적을 울려댔다. 오베는 조금도 움찔하지 않았다. 작은 도요타가 저 앞에서 천천히 다가왔다. 벤츠도 도요타를 봤고, 그제야 오베의 사악한 계획을 이해했다. 벤츠는 사브를 밀어버리기라도 할 것처럼 울부짖으며 경적을 울렸지만, 가망은 조금도 없었다. 오베는 이미 인자한 표정으로 도요타에게 빈 주차 공간으로 들어가라고 손을 흔들었다.

도요타가 무사히 주차 공간에 들어가고 나서 오베 역시 남은 한 공간으로 태연하게 슥 들어갔다.

벤츠 운전자가 어찌나 소리를 지르며 침을 튀겨대는지, 차가 지나갈 때 오베가 그를 볼 수 없을 정도로 창문에 얼룩이 져 있었다. 오베는 마치 적을 베어 넘긴 검투사처럼 승리를 만끽하며 사브에서 내렸다. 그런 다음 도요타를 봤다.

차 문이 활짝 열렸다.

"아…… 젠장." 오베가 짜증스레 중얼거렸다.

"어라, 안녕하세요!" 멀대가 운전석에서 나와 몸을 펴면서 명랑하게 인사했다. "어머, 안녕하세요!" 도요타의 다른 쪽에서 세 살배기를 내려주던 멀대의 부인도 인사했다.

오베는 멀리 사라져가는 벤츠를 후회에 찬 시선으로 바라보았다.

"주차 공간 내주셔서 고마워요! 진짜 감사해요!" 멀대가 환하게 웃고 있었다.

오베는 대답하지 않았다.

"하부지 이름 머예요?" 세 살배기가 소리를 빽 질렀다.

"오베." 오베가 말했다.

"내 이름은 나사닌!" 세 살배기가 명랑하게 말했다.

오베가 그애에게 고개를 끄덕였다.

"저는 패트릭이라고……." 멀대가 말하기 시작했다.

하지만 오베는 이미 몸을 돌려 떠난 뒤였다.

"주차 고마워요." 외국인 임산부가 뒤에서 소리쳤다.

오베는 그녀의 목소리에 웃음이 섞인 걸 들을 수 있었다. 그는 그게 마음에 들지 않았다. 그는 그저 '뭐, 됐어'라고 웅얼거리고는 돌아보지 않은 채 회전문을 통과해 쇼핑센터로 들어갔다. 첫 번째 모퉁이에서 왼쪽으로 돈 다음 몇 번씩 주변을 둘러보았다. 마치 그 이웃집 사람들이 자길 따라올까봐 걱정되기라도 하듯. 하지만 그들은 오른쪽으로 돌아 사라졌다.

오베는 미심쩍은 표정을 지으며 슈퍼마켓 앞에 멈춰서 이 주의 특별 상품을 광고하는 포스터를 빤히 바라보았다. 오베는 이 특별 매장에서 햄을 살 계획 같은 건 없었다. 하지만 가격에 주의를 기울이는 것은 언제나 가치 있는 일이었다. 만약 오베가 이 세상에서 싫어하는 게 딱 하나 있다면, 그건 누가 자기를 속이려 하는 것이었다. 오베의 아내는 가끔 오베가 아는 최악의 문장이 바로 '배터리는 포함되지 않습니다'라고 농담을 했다. 사람들은 그녀가 그렇게 말할 때마다 대개 웃음을 터뜨렸다. 하지만 오베는 대개 웃지 않았다.

오베는 슈퍼마켓에서 걸음을 옮겨 꽃집으로 들어갔다. 오베의 아내라면 '으르렁거리기'라고 표현했을, 반면 오베는 언제나 '토론'이라고 부르자며 고집하는 일이 시작되는 데는 그리 오랜 시간이 걸리지 않았다. 오베는 카운터에 '꽃다발 두 개에 50크로나'라고 적힌 쿠폰을 올려놓았다. 오베가 자신이 원하는 건 꽃다발 하나만이라는 점을 점원에게 성심성의껏 설명한바, 그는 25크로나로 꽃다발 하나를 살 수 있어야 했다. 왜냐하면 25크로나는 50크로나의 절반이니까. 하지만 문자 메시지나 탁탁 두드리는 열아홉 살 먹은 무개념 점원은 그 말에 동조하지 않았다. 그녀는 꽃다발 하나는 39크로나이며, '2개에 50크로나'는 꽃다발 두 개를 살 때만 적용되는 거라고 고집했다. 점장이 불려 나올 타이밍이었다. 오베는 15분에 걸쳐 그에게 자기 말을 이해시킨 다음 오베가 옳다고 동의하게 만들었다.

실은, 솔직히 말하자면, 점장은 '망할 영감탱이'와 슬쩍 비슷하게 들리는 소리를 중얼거린 다음 쿠폰을 금전함에 쾅 때려 박았는데, 누가 들었으면 기계가 고장난 것이라고 생각했을 정도였다. 오베는 아무 상관이 없었다. 그는 이 소매상들이 늘 자기 돈을 탈탈 털어가려 한다는 걸 알고 있었고, 그 덕에 아무도 오베를 엿 먹일 수 없었다. 오베는 직불 카드를 계산대에 올려놓았다. 점장은 슬쩍 미소를 짓더니 거만하게 고개를 끄덕이고 나서 다음과 같이 적힌 표지판을 가리켰다. '50크로나 이하의 물건을 카드로 구입할 경우 3크로나의 추가 요금이 붙습니다.'

지금 오베는 꽃다발 두 개를 들고 아내 앞에 서 있었다. 왜냐하면 그건 원칙 문제였기 때문이다.

"삼 크로나를 안 낼 방법이 없었어." 오베가 툴툴댔다. 그의 눈이 자갈을 내려다보고 있었다.

오베의 아내는 그가 모든 것에 시비를 건다고 종종 오베와 다투었다.

하지만 오베는 시비 따위를 거는 게 아니었다. 그저 옳은 건 옳은 것이라고 생각할 뿐이다. 그게 그렇게 잘못된 태도란 말인가?

그는 고개를 들고 그녀를 보았다.

"당신, 내가 약속한 대로 어제 도착 안 해서 기분 상했을 것 같은데." 그가 중얼거렸다.

그녀는 아무 말도 하지 않았다.

"동네 전체가 아수라장이 되고 있어." 그가 방어적으로 말했다. "무질서가 판을 치지. 심지어 이젠 직접 나가서 그 인간들 트레일러까지 후진시켜줘야 해. 고리 하나 속 편하게 못 건다니까." 그는 마치 그녀가 동의하지 않기라도 한 듯 계속 말했다.

그가 헛기침을 했다.

"바깥이 어두워지니까 고리를 걸 수 없었던 건 맞아. 불을 켜 두면 되지만 만약 그렇게 한다면 언제 전구가 나갈지 모르는 거잖아. 아마 계속 켜진 채로 전기를 잡아먹을 거야. 말도 안 될 일이지."

그녀는 대답하지 않았다. 그는 얼어붙은 땅을 발로 찼다. 적당한 말을 찾고 있었다. 다시 짧게 헛기침을 했다.

"당신이 집에 없으니까 되는 게 하나도 없어."

그녀는 대답하지 않았다. 오베가 꽃다발을 만지작거렸다.

"피곤해. 당신이 떠나 있으니까 집 안이 하루 종일 썰렁해."

그녀는 그 말에도 대답하지 않았다. 그는 고개를 끄덕였다. 그녀가 볼 수 있도록 꽃다발을 들었다.

"분홍색이야. 당신 좋아하는 색깔. 가게 사람들 말로는 다년생 꽃이라던데 그게 이 식물의 이름은 아니겠지. 보나마나 이런 추위에는 시들 거라고 가게 인간들이 그렇게 말하던데, 그런다고 나한테 다른 똥덩어리를 한 뭉텅이 더 팔아치울 수 있을 것 같나?"

그는 그녀의 동의를 기다리고 있는 것처럼 보였다.

"새 이웃은 밥에다 사프란을 넣어 먹어. 무슨 그런 추태가 다 있는지. 외국인이야." 그가 나지막이 말했다.

다시 침묵.

그는 손가락에 낀 결혼반지를 천천히 돌리면서 계속 거기 서 있었다. 뭔가 할 말을 더 찾고 있는 것처럼. 그는 대화를 책임지는 역할을 맡는다는 게 얼마나 고통스럽고 힘든 일인지 깨달았다. 그건 항상 그녀가 담당하던 것이었는데. 그는 대개는 그냥 대답만 했다. 지금 이건 둘 다에게 새로운 상황이었다.

오베는 몸을 웅크리고는 지난주에 가져왔던 화초를 파낸 다음 비닐봉지에 넣었다. 그는 새 꽃을 꽂아 넣기 전 언 땅을 조심스레 뒤집었다.

"그 인간들이 전기 요금을 또 올렸어." 오베가 몸을 일으키면서 아내에게 말했다.

그는 그녀를 오랫동안 바라보았다. 마침내 그는 커다랗고 둥근 바위에 조심스레 손을 얹고, 마치 그녀의 볼을 만지듯 좌우로 부드럽게 쓰다듬었다.

"보고 싶어." 그가 속삭였다.

아내가 죽은 지 6개월이 지났다. 하지만 오베는 하루에 두 번, 라디에이터에 손을 얹어 온도를 확인하며 집 전체를 점검했다. 그녀가 온도를 몰래 올렸을까봐.

5

오베라는 남자

오베는 아내의 친구들이 자신과 결혼한 그녀를 이해 못 한다는 걸 잘 알았다. 사실 그는 그들을 비난할 수 없었다.

사람들은 그가 까칠하다고 말했다. 아마 그들이 옳으리라. 그는 그 점을 결코 심각하게 반성해본 적이 없었다. 사람들은 그가 '사회성이 없다'고도 했다. 오베는 이 말이 자기가 사람들에게 지나치게 싹싹하지 않다는 의미일 것이라고 짐작했다. 그런 관점에서라면 그는 그들에게 전적으로 동의할 수 있었다. 사람들은 종종 제정신이 아니었다.

오베는 잡담에 끼어드는 사람이 아니었다. 그는 이런 경향이 최소한 오늘날에는 심각한 성격적 결함이 된다는 사실을 깨닫게 되었다. 이제 사람들은 주변에 어슬렁거리는 영감탱이 아무나와 무슨 주제로든 수다를 떨 수 있어야 했다. 순전히 그게 '사근사근한' 태도라는 이유만으로. 어쩌면 오베 세대의 사람들은 여기저기서 가치 없어 보이는 일들을 한다고 떠들어대는 세상을 맞이할 준비가 안 되어 있는지도 몰랐다. 오늘날 사람들은 새로 개조한 주택 앞에 서서 마치 그 집을 자기들 손으로 직접 지은 양 떠벌였다. 드라이버 하나 집어 올리지 않았으면서. 그들은 심지어 돈을 주고 사람을 고용하는 것 외에 다른 방법을 찾으려고 시도조차 하지 않았다. 그냥 허풍이나 떨었다! 자기가 직접 마룻바닥을 깔거나 습기 찬 방을 개조하거나 겨울용 타이어를 갈아 끼울 수 있다는 건 더 이상 아무런 미덕도 아니었다. 나가서 다 돈으로 살 수 있는데 그런 것이 다 무슨 소용인가? 도대체 인간의 가치란 무엇인가?

아내의 친구들은 그녀가 자발적으로 매일 아침 눈을 뜬 뒤 오베와 함께 하루를 공유하기로 결정한 이유를 이해할 수가 없었다. 그도 이해할 수 없었다. 오베가 그녀에게 책장을 만들어주면 그녀는 페이지마다 작가의 생각으로 가득 찬 책들을 거기에 꽂았다. 오베는 자기가 보고 만질 수 있는 것들만 이해했다. 시멘트와 콘크리트, 유리와 강철, 공구들, 가늠할 수 있는 물건들. 그는 올바른 각도와 분명한 사용 설명서를 이해했다. 조립 모델과 도면, 종이에 그릴 수 있는 것들.

그는 흑백으로 이루어진 남자였다.

그녀는 색깔이었다. 그녀는 그가 가진 색깔의 전부였다.

그녀를 보기 전까지 그가 사랑했던 유일한 건 숫자였다. 그에게 유년에 대한 특별한 기억이라곤 없었다. 그는 따돌림을 당하지도 않았고 따돌리는 사람도 아니었으며, 스포츠를 잘하지도 못하지도 않았다. 중심에 있었던 적도 없었고 겉돌았던 적도 없었다. 그는 있는 듯 없는 듯 존재하는 종류의 사람이었다. 성장 과정도 그리 많이 기억하지 못했다. 그는 딱히 필요가 없는 이상 무언가를 굳이 기억하려 든 적이 없는 남자였다. 그저 무척 행복하다가 몇 년 뒤에는 그렇지 않게 되었다는 사실을 기억했다. 기억하는 건 그 정도였다.

그는 산수 과목을 기억했다. 숫자들이 그의 머리를 채웠다. 학교에서 수학 시간을 무척이나 기다렸다는 걸 기억했다. 아마 다른 애들에게는 인고의 시간이었겠지만 그에게는 아니었다. 왜 그런지는 몰랐다. 이유에 대해 깊이 고민하지도 않았다. 그는 자기 나름의 이유로 돌아가고 있는 세상일에 대해, 그 이유에 대해 왜 골똘히 생각해야 하는지 결코 이해하지 못했다. '지금 이게 내 모습이고, 내가 할 일을 하고 있다.' 오베에게 이거면 충분했다.

엄마가 일을 그만둔 건 오베가 일곱 살이었던 8월 초 어느 아침이었다. 그녀는 화학 공장에서 일했다. 당시 사람들은 화학 공장의 공기가 얼마나 독한지 몰랐고, 오베도 나중에야 깨달았다. 그녀는 담배도 많이 피웠다. 그게 엄마에 대해 오베가 갖고 있는 가장 선명한 기억이었다. 그의 엄마는 토요일 아침마다 마을 외곽에 위치한 그들의 작은 집 부엌 창가에 앉아 하늘을 바라보았다. 그녀 주변으로 뭉게뭉게 담배 연기가 피어올랐다. 오베는 수학책을 무릎 위에 올려놓고 그 창문 아래 앉아 있곤 했었는데, 가끔 엄마는 쉰 목소리로 노래를 불렀다. 그는 그때 들리던 엄마의 노랫소리를 좋아했다. 그는 그런 것들을 기억했다. 물론 엄마의 목소리는 걸걸했고, 음정은 이상해서 보통 사람들이 좋아할 만한 노래에 비하면 훨씬 귀에 거슬렸지만, 어쨌거나 그는 자기가 그 노래를 좋아했다는 걸 기억했다.

오베의 아버지는 철도 회사에서 일했다. 아버지의 손바닥에는 나이프로 새긴 것처럼 깊은 손금들이 있었고, 얼굴의 주름은 워낙 깊어서 그가 열심히 일할 때면 땀이 주름을 따라 가슴으로 흘러내릴 정도였다. 머리카락은 가늘고 몸은 호리호리했지만 팔 근육은 굉장히 울퉁불퉁해서 마치 바위를 깎아낸 것처럼 보였다. 오베가 무척 어렸을 때 그는 부모님을 따라 아버지의 철도 회사 동료들이 있는 큰 파티에 참석하게 되었다. 오베의 아버지가 필스너 맥주 두어 병을 해치우고 나자 파티 참석자 중 몇 사람이 아버지에게 팔씨름 시합을 하자고 도전했다. 오베는 그런 거인들이 아버지 맞은편 벤치에 다리를 벌리고 앉아 있는 광경은 처음 봤다. 그들 중 몇은 몸무게가 200킬로그램은 나가 보였다. 아버지는 그들 모두를 꺾었다. 그날 밤 그들이 집으로 돌아갈 때, 아버지는 오베의 어깨에 팔을 두르고 말했다.

"오베, 돼지 새끼들이나 덩치와 힘이 맞먹는다고 생각한단다. 꼭 기억해라."

오베는 절대 그 말을 잊지 않았다.

아버지는 절대 주먹을 들지 않았다. 오베에게나 다른 누구에게나. 눈에 멍이 들거나 허리띠로 채찍질을 당하다 버클에 맞아 상처를 달고 학교에 오는 친구들이 있었다. 하지만 오베는 그런 적이 없었다.

"우리 집안에서는 싸움 같은 거 안 한다."

아버지는 늘 그렇게 말하곤 했다.

"서로와도, 다른 사람과도."

아버지는 철도 회사에서 매우 인기가 있었다. 조용하지만 친절했다. '너무 친절하다'고 말하는 사람들도 있었다. 오베는 자신이 어릴 때 이런 평가가 안 좋은 것일 수도 있다는 사실을 이해하지 못했던 것을 기억했다.

그러다 엄마가 죽었다. 아빠는 더 조용해졌다. 마치 엄마가 아버지가 갖고 있던 몇 안 되는 단어들을 갖고 가버린 것 같았다.

오베와 그의 아버지는 결코 말을 많이 하지 않았지만 함께 있는 건 좋아했다. 그들은 언제나 식탁 양쪽의 자기 자리에 조용히 앉았고, 바쁘게 살 방법들을 찾아냈다. 그들은 집 뒤편의 썩어가는 나무에서 살고 있는 새 가족에게 줄 먹이를 하루걸러 한 번씩 내놓았다. 오베는 규칙적으로 그 일을 하는 게 중요하다는 걸 이해했다. 왜 그런지는 몰랐지만 이유는 중요한 게 아니었다.

저녁에는 소시지와 감자를 먹었다. 그런 다음 카드를 쳤다. 부유하지는 않았지만 늘 먹고 살 만은 했다.

오베의 아버지에게 남은 유일한 말은 엔진에 대한 것들이었다(그의 어머니는 분명 그걸 남겨놓고 만족했으리라). 그는 상당한 시간을 엔진에 대해 말하며 보냈다. "엔진은 받은 만큼 준다." 그는 그렇게 말하곤 했다. "네가 엔진을 존중해서 다루면 엔진은 네게 자유를 줄 거다. 네가 바보처럼 행동하면 네게서 자유를 빼앗을 거고."

아버지는 오랫동안 자기 차가 없었지만, 1940년에서 50년대 사이에 철도 회사의 사장과 임원들이 자동차를 사기 시작했고, 이내 철로에서 일하는 과묵한 남자가 알고 지낼 만한 가치가 있는 사람이라는 소문이 퍼졌다. 오베의 아버지는 학교를 마치지 못했고, 오베의 교과서에 있는 산수 문제도 많이 이해하지 못했다. 하지만 그는 엔진을 이해했다.

어느 임원의 딸이 결혼식을 올리던 날, 신부를 실은 웨딩카가 교회로 가던 도중 망가져버렸을 때 오베의 아버지가 불려왔다. 그는 어깨에 공구함을 멘 채 자전거를 타고 왔는데, 공구함이 어찌나 무거웠던지 그걸 옮기는 데 건장한 두 사람이 필요했을 정도였다. 하지만 그가 일을 마치고 다시 자전거를 타고 돌아갈 때 그건 더 이상 문제도 아니었다. 임원의 아내가 오베의 아버지를 결혼식 피로연에 초대했지만, 팔뚝에 기름때가 덕지덕지 묻은 사람이 우아한 분들과 한자리에 앉아 있는 게 그리 적절한 행동은 아닐 것 같다고 그는 말했다. 하지만 집에 있는 꼬맹이에게 줄 빵과 고기를 담아주면 기꺼이 받겠다고 했다. 오베는 막 여덟 살이 되었다. 그날 저녁 아버지가 저녁 식사를 차렸을 때, 오베는 궁중 연회에 온 듯한 기분이었다.

몇 달 뒤 그 임원이 다시 오베의 아버지를 호출했다. 사무실 바깥의 주차 구역에 엄청나게 낡고 말도 못하게 허름한 사브 92가 서 있었다. 눈에 띄게 업그레이드된 사브 93이 시장에 나온 뒤로 더는 생산되지 않았지만, 그 차는 사브 사에서 최초로 제조한 자동차였다. 오베의 아버지는 그 차가 정말 괜찮다는 사실을 알아차렸다. 전륜 구동에 커피 메이커 같은 소리가 나는 측방 엔진. 그 임원이 재킷 속 멜빵에 엄지손가락을 찔러 넣은 채 설명한 바에 따르면 사고를 당한 차량이었다. 암녹색 차체가 심하게 파여 있었고 보닛 아래 상태도 그리 괜찮은 편이 아니었다. 하지만 오베의 아버지는 지저분한 작업복 주머니에서 작은 드라이버를 꺼내고는 시간을 들여 차를 검사한 뒤, 시간과 정성과 적당한 도구만 있으면 차를 정상적으로 작동시킬 수 있을 거라는 판단을 내렸다.

"누구 차죠?"

오베의 아버지가 몸을 쭉 펴고 손가락에 묻은 기름을 걸레로 닦으며 물었다.

"내 친척의 차였네."

임원이 바지 주머니에서 열쇠를 꺼내 오베의 아버지 손바닥 위에 올려놓으며 말했다.

"이젠 자네 거고."

임원은 그의 어깨를 툭툭 두드리고는 몸을 돌려 사무실로 돌아갔다. 오베의 아버지는 숨을 고르려 애쓰면서 거기 그대로 서 있었다. 그날 저녁 그는 눈이 왕방울만 해진 자기 아들에게 그 일을 몇 번이고 다시 설명해야 했고, 이제 그들의 집 정원에 주차된 이 신비로운 괴물에 대해 알고 있는 걸 전부 가르쳐줘야 했다. 그는 자기 아들을 무릎에 올려놓은 채 한밤중까지 운전석에 앉아 수많은 기계 부품들이 어떻게 연결되어 있는지 설명했다. 그는 모든 나사와 튜브들 하나하나에 대해 설명해줄 수 있었다. 오베는 그날 밤의 자기 아버지만큼 자부심에 찬 남자는 본 적이 없었다. 여덟 살이었던 오베는 그날 밤 사브 말고 다른 차는 절대 몰지 않겠다고 다짐했다.

토요일 수업이 없을 때마다, 오베의 아버지는 그를 마당으로 데리고 가서 보닛을 열고 온갖 부품의 이름과 기능을 가르쳐주었다. 일요일에 그들은 교회에 갔다. 둘 다 신을 향해 대단한 열정을 품고 있지는 않았다. 오베의 엄마가 꾸준히 교회에 나갔기 때문에 따라갔을 뿐이다. 그들은 뒷좌석에 앉아 예배가 끝날 때까지 각자 바닥의 무늬를 가만히 응시했다. 솔직히 말해 그들은 신에 대해 생각하는 것보다 오베의 엄마를 그리워하는 데 더 많은 시간을 보냈다. 말하자면 그건 그녀의 시간이었다. 비록 그녀가 더는 세상에 없어도. 그런 다음 그들은 사브를 몰고 오랫동안 시골길을 드라이브했다. 오베가 한 주의 일과 중 가장 좋아하는 시간이었다.

그해 오베는 학교가 끝나면 집에 혼자 있기보다 아버지를 따라 일을 하기 위해 조차장으로 갔다. 지저분하고 보수도 낮은 일이었지만, 아버지는 말하곤 했다 "정직한 직업이니 할 만한 가치가 있다."

오베는 조차장에서 일하는 사람들을 모두 좋아했다. 톰만 빼고. 톰은 키 크고 시끄러운 사내로, 주먹은 플랫베드 트럭*만큼이나 크고 눈은 항상 걷어차기 좋은 만만한 동물들을 찾고 있는 것 같았다.

오베가 아홉 살 때, 그의 아버지가 고장 난 기차 차량을 청소하는 걸 도우라며 그를 톰에게 보냈다. 오베가 다가가자 톰은 별안간 눈을 희번덕거리며 잔뜩 지친 승객이 두고 간 서류가방을 잡아챘다. 선반에서 떨어진 가방의 내용물들이 바닥에 흩어져 있었다. 이내 톰은 네 발로 기듯 돌아다니면서 눈에 띄는 걸 모두 뒤져댔다.

"줍는 사람이 임자지." 그가 오베에게 내뱉듯 말했다. 그의 눈속에 있는 무언가를 보자 오베는 마치 자기 피부 아래로 벌레들이 기어 다니는 것 같은 기분이 들었다.

오베가 돌아서서 가려는데 우연히 지갑 하나를 봤다. 부드러운 가죽으로 되어 있었는데, 오베의 거친 손가락에는 마치 부드러운 천 같았다. 아버지의 낡은 지갑에 매어 있는, 너덜너덜해진

---

* flatbed truck. 짐칸이 노출된 평상형 트럭. 트레일러나 짐을 올려놓는다.

지갑을 잡아주는 고무줄도 없었다. 지갑에는 열 때 딸깍 소리가 나는, 은으로 된 작은 단추가 달려 있었다. 안에는 6천 크로나가 넘는 돈이 들어 있었다. 당시에는 상당한 액수였다.

톰이 지갑을 발견하고는 그걸 오베의 손에서 빼앗으려고 했다. 소년은 본능적인 반항심에 휩싸여 저항했다. 그는 톰이 이 상황에 큰 충격을 받았다는 걸 알았고, 그 커다란 남자가 주먹을 꽉 쥐고 있는 모습을 곁눈질로 보았다. 오베는 자기가 절대 빠져나갈 수 없다는 걸 알았다. 눈을 꼭 감고는 있는 힘껏 지갑을 쥔 채 주먹이 날아오길 기다렸다.

하지만 어느 틈엔가 오베의 아버지가 그들 사이에 서 있었다. 순간 분노와 증오에 찬 톰의 눈이 아버지의 눈과 마주쳤지만, 오베의 아버지는 굳건히 서 있었다. 마침내 톰이 주먹을 내리고 조심스레 뒤로 물러섰다.

"줍는 사람이 임자야. 늘 그랬잖아." 톰이 지갑을 가리키며 으르렁거렸다.

"그거야 주운 사람이 누구냐에 달린 문제지." 오베의 아버지가 눈을 돌리지 않고 말했다.

톰의 눈이 어두워졌다. 하지만 손에 서류가방을 꽉 쥔 채 한 걸음 더 뒤로 물러섰다. 톰은 오랫동안 철도 회사에서 일했지만, 오베는 아버지의 동료들이 톰에 대해 좋게 말하는 걸 한 번도 들은 적이 없었다. 그는 부정직하고 심술궂었다. 그게 아버지의 동료들이 파티에서 맥주 두어 병을 마시고 나서 하는 얘기였다.

하지만 오베는 아버지가 그렇게 말하는 걸 들은 적은 없었다. 동료들의 얼굴을 한 번씩 보며 "애가 넷에다 마누라는 아파"라고 말하는 게 전부였다. "톰보다 사정이 나은 사람들도 더 나쁜 상황에 처할 수 있어." 그러면 동료들은 대개 화제를 바꿨다.

아버지는 오베가 들고 있는 지갑을 가리키며 말했다.

"네가 정해라."

오베는 톰의 두 눈이 자기 정수리에 불구멍을 내고 있는 걸 느끼며 결연한 태도로 바닥을 내려다봤다. 그런 다음 작지만 확고한 목소리로 유실물 보관소에 지갑을 맡기는 게 최선일 것 같다고 말했다. 아버지는 말없이 고개를 끄덕인 다음 오베의 손을 잡고 근 30분 정도 철로를 따라 걸어갔다. 둘 사이에는 말 한마디 오가지 않았다. 오베는 톰이 뒤에서 소리를 지르는 걸 들었다. 그의 목소리에 차가운 분노가 서려 있었다. 오베는 결코 그 목소리를 잊지 못했다.

유실물 보관소에서 책상에 앉아 있던 여자는 오베가 접수대에 지갑을 올려놓자 자기 눈을 의심했다.

"이게 그냥 바닥에 떨어져 있었다고? 가방이나 다른 건 못 봤고?" 그녀가 물었다. 오베가 아버지의 반응을 살폈지만 그는 그냥 조용히 서 있었고, 그래서 오베도 똑같이 했다.

접수대 뒤의 여자는 그 대답에 충분히 만족한 듯 보였다.

"이렇게 많은 돈을 인계하는 사람은 그리 많지 않은데." 그녀가 오베에게 미소를 지으며 말했다.

"많은 사람들이 체면도 안 차리죠." 아버지가 무뚝뚝한 목소리로 말하고는 오베의 손을 잡았다. 그들은 몸을 돌려 일터로 돌아갔다.

철로를 따라 몇 백 미터 정도 걷다가, 오베가 목을 가다듬고는 용기를 내어 톰이 발견한 서류 가방에 대해서는 왜 아무 말도 하지 않았는지 아버지에게 물었다.

"우리는 다른 사람들이 하는 일을 떠벌이는 사람들이 아니다." 아버지가 대답했다.

오베는 고개를 끄덕였다. 그들은 조용히 걸었다.

"돈을 가질까도 생각했어요." 마침내 오베가 속삭였다. 그런 다음 아버지의 손을 더 세게 잡았다. 아버지가 그의 손을 놓을까 두렵기라도 하듯.

"안다." 아버지가 그렇게 말하고는 아들의 손을 좀 더 세게 쥐었다.

"하지만 저는 아버지가 돈을 넘길 거라는 걸 알았어요. 톰 같은 사람은 그렇게 하지 않을 거라는 것도 알았고요." 오베가 말했다. 아버지가 고개를 끄덕였다. 그리고 그 문제에 대해 더 말하지 않았다.

만약 오베가 사람의 인격이 언제, 어떻게 형성되는가를 심사숙고하는 종류의 사람이었다면, 옳은 건 옳을 수밖에 없다는 사실을 배운 게 이날이었다고 말할 수 있었으리라. 그러나 오베는 그런 문제를 곰곰이 생각하는 사람이 아니었다. 그는 그저, 가능한 한 아버지와 많이 닮은 사람이 되겠다고 결심한 게 이날이었다고 기억하는 것으로 만족했다.

아버지가 죽은 건 오베가 막 열여섯 살이 되었을 때였다. 철로에서 객차가 돌진했다. 오베에게는 사브 한 대, 마을에서 몇 마일 떨어진 곳에 있는 무너질 듯한 집, 상처 난 손목시계 말고는 딱히 남은 게 없었다. 그는 그날 자기에게 무슨 일이 벌어졌는지 결코 설명할 수 없었다. 하지만 그는 행복하게 사는 걸 멈췄다. 그는 그 후 오랫동안 행복하지 않았다.

장례식에서 교구 목사는 오베와 위탁 가정 얘기를 해보고 싶어 했지만, 목사는 이내 오베가 자선을 받아들이는 아이로 자라지 않았다는 사실을 깨달았다. 그때 오베는 목사에게 조만간 있을 일요일 예배 때 자기 자리를 따로 마련해줄 필요가 없다는 사실을 분명히 했다. 그가 목사에게 설명한 바에 따르면 그건 오베가 신을 믿지 않아서라기보다, 신이 좀 빌어먹을 개자식처럼 느껴져서였다.

다음 날 그는 철도 회사 경리부로 가서 그 달에 남은 날만큼의 임금을 반환했다. 경리부 여직원은 이해를 못했고, 오베는 아버지가 16일에 죽었기 때문에 남은 14일 동안 직장에 출근해서 일을 할 수 없게 된 게 분명하지 않느냐며 설명을 해야 했다. 아버지는 월급을 선불로 받았고, 14일치 임금을 넘치게 받은 셈이므로 오베가 잔액을 돌려주러 온 것이었다.

여직원은 머뭇거리면서 오베에게 앉아서 기다리라고 했다. 15분 정도 지나고 임원이 나타나 죽은 아버지의 월급봉투를 손에 든 채 복도 의자에 앉아 있는 열여섯 살짜리 별난 소년을 보았다. 임원은 그 소년이 누구인지 잘 알았다. 임원은 돈에 대한 권리가 자기에게 없다고 생각하는 소년에게 그 돈을 도로 가져가라고 설득할 방법이 없다는 걸 깨달았다. 오베에게 남은 14일 동안 일을 해서 돈에 대한 권리를 획득하는 게 어떻겠냐는 제안 외에 다른 대안은 없어 보였다. 오베는 그게 합리적인 제안 같다고 생각했고, 학교에 2주 동안 결석하겠다고 통지했다. 이후 그는 다시는 학교로 돌아가지 않았다.

그는 철도 회사에서 5년 동안 일했다. 그러던 어느 날 그는 기차를 탔다가 처음으로 그녀를 보았다. 아버지가 죽고 난 이후 처음 웃은 게 바로 그날이었다.

인생이 다시는 전과 같지 않게 되었다.

사람들은 오베가 세상을 흑백으로 본다고 말했다. 하지만 그녀는 색깔이었다. 그녀는 오베가 볼 수 있는 색깔의 전부였다.

6
오베라는 남자와
있어야 할 곳에 있어야 했던 자전거

오베는 그저 평화롭게 죽고 싶을 뿐이었다. 그게 그렇게 과한 요구인가? 오베는 그렇게 생각하지 않았다. 뭐, 좋다. 그는 여섯 달 전 그녀의 장례식이 끝나자마자 이 일을 준비했어야 했다. 하지만 그 당시 그는 사정이 여의치 않다고 빌어먹을 결론을 내렸었다. 그에게는 챙겨야 할 직업이 있었다. 자살하는 바람에 사람들이 사방에서 출근하지 않는다면 세상이 어떤 꼴이 되겠는가? 오베의 아내는 금요일에 죽었고, 일요일에 묻혔으며, 바로 다음 월요일 오베는 출근했다. 그게 사람들이 일을 처리하는 방식이니까. 그 뒤 6개월이 지났고, 어느 월요일에 난데없이 관리자들이 찾아왔다. 자기네들은 이 문제를 금요일에 처리하고 싶지 않았다고, 왜냐하면 '그의 주말을 망치고 싶지 않아서'였다고 말했다. 그리고 화요일, 오베는 기름칠을 한 주방 조리대 앞에 서 있었다.

그는 모든 준비를 마쳤다. 장의사에게 돈도 냈고 교회 묘지에 묻힌 아내 옆에 자기 묏자리를 만드는 것에도 동의했다. 변호사를 불러 지시사항이 분명히 담긴 유언장도 썼다. 그걸 중요한 영수증과 집문서와 사브의 정비 내역과 함께 봉투에 넣었다. 봉투는 재킷 안주머니에 넣어뒀다. 청구서도 다 지불했다. 융자도 빚도 없고, 그가 가고 나서 이 집에 들어올 사람들은 따로 손볼 것이 아무것도 없을 것이다. 컵들도 다 씻어놨고 신문 구독도 끊었다. 그는 준비가 됐다.

이제 원하는 거라고는 평화롭게 죽는 것뿐이라고, 차고 속 사브에 앉아 창문 너머로 정원을 바라보며 그는 생각했다. 머저리 같은 이웃들 방해만 피할 수 있다면 오늘 오후 안에 떠나는 것도 가능할 것이다.

그는 몸무게가 심하게 많이 나가는 이웃집 젊은이가 구부정한 걸음걸이로 차고 앞을 지나가는 모습을 보았다. 오베가 뚱뚱한 사람들을 싫어하는 건 아니다. 절대 아니다. 사람들은 자기 마음에 드는 모습으로 살 수 있다. 그는 그저 뚱뚱한 사람들을 이해할 수 없을 뿐이었다. 그들이 어떻게 그렇게 살아가는지 헤아릴 수 없을 뿐이었다. 어떻게 그렇게 많이 먹을 수 있을까? 대체 어떻게 살았기에 2인분의 인간이 된 것일까? 아마 그렇게 된데에도 모종의 결단이 필요했을 거라고 그는 생각했다.

젊은이는 오베가 있다는 걸 알아채고는 활기차게 손을 흔들었다. 오베는 그에게 퉁명스럽게 고개를 끄덕였다. 젊은이는 그 자리에 서서 계속 손을 흔들어댔다. 티셔츠 속에서 뚱뚱한 가슴이 출렁였다. 오베는 종종 그를 보며 자기가 아는 한 감자칩 한 사발을 단숨에 먹어치울 수 있는 유일한 인간이라고 말했었다. 하지만 그가 그렇게 말할 때마다 오베의 아내는 그러지 말라고 하며 그에게 그런 식으로 말해서는 안 된다고 얘기했다.

아니, 얘기하곤 했었다. 그러고는 했었다.

오베의 아내는 저 비만 젊은이를 좋아했다. 젊은이의 모친이 사망한 뒤 그녀는 일주일에 한 번쯤 점심을 싸서 갖다주고는 했다. "그래야 가끔이나마 집밥을 먹을 수 있죠." 그녀는 그렇게 말했다. 오베는 도시락을 돌려받은 적이 없다는 사실을 지적하며, 아마 그 젊은이는 도시락과 안의 음식도 구분 못 하고 다 먹어버렸을 거라고 덧붙였다. 그쯤 되면 오베의 아내는 '그만하면 됐다'고 말했고, 그걸로 충분했다.

오베는 도시락을 씹어 먹는 저 친구가 지나갈 때까지 기다렸다가 사브에서 나왔다. 차 문손잡이를 세 번 당겼다. 차고를 나와 문을 닫았다. 문손잡이를 세 번 당겼다. 집과 집 사이에 난 좁은 보도를 걸어가다가 자전거 보관소 앞에 멈추었다. 벽에 여성용 자전거 한 대가 기대어 서 있었다. 또. 이 구역에 자전거를 세워두면 안 된다는 표지판 바로 아래.

오베는 자전거 손잡이를 잡았다. 앞바퀴 타이어에 구멍이 나 있었다. 그는 보관소 문을 열고 자전거를 줄 맨 끝에 깔끔하게 세워놓았다. 그가 문을 잠그고 문손잡이를 세 번 당기고 있을 때, 사춘기 후반 정도쯤으로 보이는 남자애가 깩깩거리는 게 들렸다.

"뭐야! 아저씨 지금 뭐 하는 거예요?"

오베가 몸을 돌리자 몇 야드 떨어진 곳에서 자길 보고 있는 철부지와 눈이 마주쳤다.

"자전거를 자전거 보관소에 넣고 있는데."

"아저씨가 그러면 안 되죠!"

자세히 보니 열여덟 정도쯤인가 싶었다. 다시 말해 철부지 애새끼보다는 풋내기 쪽에 가까운 것 같았다. 굳이 아는 척 말하고 싶다면 그렇단 거였다.

"그래도 돼."

"수리 중이었다고요!" 젊은이가 소리를 질렀다. 목소리가 가성으로 올라갔다.

"하지만 이건 여성용인데." 오베가 맞받아쳤다.

"맞아요. 근데 그게 뭐요?"

"그러니 네 자전거이기는 힘들다는 거지."

오베가 깔보듯 말했다. 젊은이는 끙끙거리는 소리를 내며 눈알을 굴렸다. 오베는 이 문제는 이제 끝이라는 듯 주머니에 손을 찔러 넣었다.

신중한 침묵이 흘렀다. 청년은 오베가 불필요할 정도로 답답

한 인간이라는 사실을 발견한 듯 그를 바라보았다. 그에 대한 답례로 오베는 자기 앞에 서 있는 생명체가 지구의 산소를 낭비하는 것 말고는 아무 쓸모없는 존재라는 듯 그를 바라보았다. 오베는 그 청년 뒤에 또 다른 청년이 있다는 사실을 알아챘다. 앞에 있는 녀석보다 더 깡말랐고 눈 주변을 꺼멓게 칠했다. 두 번째 청년이 첫 번째 청년의 재킷을 조심스럽게 잡아당기면서 '문제 일으키지 마' 같은 소리를 중얼거렸다. 첫 번째 청년이 쌓인 눈을 반항적으로 걷어찼다. 이게 눈 잘못이라는 듯.

"여자 친구 거예요." 마침내 그가 우물우물 말했다.

그는 분개하기보다는 체념한 듯 보였다. 오베는 청년이 신은 운동화가 너무 크고 청바지는 너무 꽉 낀다는 사실에 주목했다. 추위를 막기 위해 추리닝 상의를 턱까지 올려 입고 있었다. 수염이 듬성듬성 난 야윈 얼굴은 여드름투성이고, 머리 꼴은 웅덩이 속에서 익사하게 생긴 걸 누군가 머리카락을 잡아올려 구해준 듯 보였다.

"그럼 그 여자 친구는 어디 사는데?"

그 생명체는 마치 총을 맞기라도 한 것 같은 몸짓으로 힘겹게 팔을 들어 올리고는 오베가 사는 동네 맨 끝에 위치한 집을 가리켰다. 거기에는 차고 분류 개혁을 추진한 공산주의자가 딸들과 같이 살고 있었다. 오베는 신중히 고개를 끄덕였다.

"그 집 애라면 자기 집 자전거 주차장에 자전거를 놓을 텐데."
오베는 연극이라도 하는 것 같은 태도로 이 구역에 자전거를 놔두면 안 된다는 표지판을 톡톡 두드리고는 몸을 돌려 자기 집 쪽으로 돌아섰다.

"망할 영감탱이!" 젊은이가 뒤에서 소리를 질렀다.

"쉿!" 눈 주변이 시커먼 청년이 말했다.

오베는 대답하지 않았다.

그는 거주 구역에 자동차가 들어오는 걸 금지하는 표지판을 지나쳤다. 그 임신한 외국인 여자와 남편이 읽지 못한 표지판. 물론 오베는 이걸 못 본다는 게 불가능하다는 걸 잘 알고 있었다. 알 수밖에 없었다. 그도 그럴 것이, 그 표지판을 거기 갖다놓은 게 바로 오베 본인이니까. 그는 불만스러운 기분으로 집들 사이의 도보를 걸었다. 발을 하도 쾅쾅 울리며 걸어서 누가 보면 바닥을 다져 평평하게 만들려 하는 줄 알 정도였다. 이미 별의별 정신 나간 인간들이 이 동네에 살고 있는 걸로는 충분치 않은 모양이라고, 그는 생각했다. 사람들은 이 동네의 개발 과정에서 모든 길이 빌어먹을 과속 방지턱으로 다 바뀌지 않아 불만인가 보다. 오베의 집 맞은편에는 아우디를 모는 겉멋쟁이와 금발 잡초가 살고 있고, 저 맨 끝에는 너구리같이 생긴 십대 딸들과 사는 공산주의자 가족이 있다. 그 딸들의 머리는 새빨간 데다 바지 위에 반바지를 또 겹쳐 입는 인물들이다. 뭐 아마 지금은 태국에서 휴가를 보내고 있겠지만, 아무튼 그렇다는 거다.

오베 옆집에는 거의 250킬로그램이 나가는 스물다섯 살 먹은 남자가 살고 있다. 여자처럼 긴 머리에 이상한 티셔츠를 입고 다녔다. 몇 년 전 그의 어머니가 병으로 사망할 때까지는 모자가 함께 살았다. 이름이 지미인가 그랬다. 오베의 아내가 말해줬다. 오베는 지미의 직업이 뭔지 몰랐다. 범죄자들이 보통 그렇다. 베이컨을 테스트하면서 먹고 사나?

다른 쪽 끝 집에는 루네와 그의 부인이 산다. 오베는 루네를 꼭 집어 '적'이라 부를 생각은 없지만…… 아니, 그래야겠다. 주민 자치회에서 망쳐버린 일은 죄다 루네로부터 시작되었다. 루네와 그의 부인 아니타는 오베와 소냐가 이 동네로 이사 온 날과 같은 날에 이사를 왔다. 그때 루네는 볼보를 몰았지만 나중에는 BMW를 샀다. 그런 식으로 행동한 사람을 설득할 방법은 없었다.

오베를 주민 자치회 회장 자리에서 물러나도록 쿠데타를 주도한 인물도 루네였다. 이제 동네 돌아가는 꼴을 봐라. 전기 요금은 올랐고 자전거는 보관소에 안 들어가 있으며 통행금지 표지판이 떡하니 붙어 있는데도 거주 구역에서 트레일러를 후진시켰다. 오래 전부터 오베가 이런 끔찍한 일들이 일어날 거라고 경고를 했건만, 아무도 그의 말에 귀를 기울이지 않았다. 그 뒤로 그는 주민 자치회 모임에 절대 얼굴을 내밀지 않았다.

그는 속으로 '주민 자치회'라고 읊조릴 때마다 막 침을 뱉으려 하는 양 입술을 움직였다. 그 단어가 무지막지하게 추잡한 말이라도 되는 듯.

오베는 그의 박살난 우편함 15미터 앞에서 금발 잡초를 발견했다. 처음에는 그녀가 뭘 하고 있는지 가늠하지 못했다. 그녀는 힐을 신은 채 길가에 서서 몸을 흔들며 오베의 집 정면에 대고 신경질적으로 삿대질을 하고 있었다.

미친 듯 짖어대는 쬐끄만 것—제대로 된 개라기보다는 똥개 쪽에 가까운—이 오베의 집 디딤돌에 오줌을 싸대며 그녀의 발 주위를 뛰어다니고 있었다.

금발 잡초가 하도 요란하게 소리를 빽빽 질러대는 바람에 그녀의 선글라스는 떨어질 듯 코끝에 간신히 걸쳐져 있었다. 똥개가 더 크게 짖어댔다. 저 아줌마 저러다 뒤로 넘어가겠는데. 오베는 그렇게 생각하며 그녀의 몇 미터 뒤에 경계하듯 섰다. 그러다가 지금 그녀가 집에다 대고 삿대질하는 게 아니라는 사실을 깨달았다. 그녀는 돌을 던지고 있었다. 집에다 돌을 던지는 게 아니었다. 고양이에게 던지고 있었다.

고양이는 오베의 헛간 뒤 구석에 틀어박혀 앉아 있었다. 털에 피가 묻어 있었다. 아니면 털이 다 뽑혀 드러난 맨살에 피딱지가 붙은 것이거나. 똥개가 이빨을 드러내며 으르렁댔다. 고양이가 쉿쉿 소리를 내며 반격했다.

"우리 프린스한테 쉿쉿대지 마!" 금발 잡초가 울부짖으면서 오베의 화단에 있던 돌을 집어 고양이에게 던졌다. 고양이가 피했다. 돌은 창턱에 맞았다.

그녀는 또 돌을 집어 들고 던질 준비를 했다. 오베는 재빨리 두 걸음을 옮겨 그녀 뒤에, 그녀가 그의 숨결을 느낄 수 있을 정도로 바짝 다가서서 말했다.

"내 재산에다 그 돌을 던지면 나도 당신을 당신 정원에 집어 던질 거야."

그녀가 몸을 빙글 돌렸다. 둘의 눈이 마주쳤다. 오베는 양손을 주머니에 찔러 넣은 상태였고, 그녀는 전자레인지만 한 파리 두 마리를 쫓기라도 하듯 그의 앞에 주먹을 휘둘렀다. 오베는 눈썹 하나 깜짝하지 않았다.

"저 역겨운 것이 프린스를 할퀴었다고요!" 그녀는 두 눈에 거친 분노를 담은 채 간신히 말했다. 오베가 똥개를 내려다보았다. 똥개가 오베에게 으르렁거렸다. 오베는 고양이를 보았다. 고양이는 굴욕을 당하고 피까지 흘렸지만 도도하게 머리를 치켜든 채 집 바깥에 앉아 있었다.

"피를 흘리잖아. 그 정도면 무승부 같은데." 오베가 말했다.

"픽이나. 난 저 망할 놈을 죽일 거예요!"

"그렇겐 못 하지." 오베가 차갑게 말했다.

오베의 정신 나간 이웃이 위협적인 표정을 지었다.

"저 동물한테는 온갖 역겨운 질병에 광견병이나 뭐 그런 게 잔뜩 있다고요!"

오베는 고양이를 보았다. 그리고 금발 잡초를 보았다. 그가 고개를 끄덕였다.

"아마 당신도 그럴 거고. 하지만 우린 그거 때문에 당신한테 돌을 던지진 않잖아."

그녀의 아랫입술이 파르르 떨리기 시작했다. 그녀가 선글라스를 홱 올려 이마에 걸쳤다.

"당신이나 잘하시지!" 그녀가 화난 듯 목소리를 깔며 말했다.

오베는 고개를 끄덕였다. 똥개를 가리켰다. 똥개가 오베의 다리를 물려고 했지만 그가 발을 쿵 내리찍자 뒤로 물러섰다.

"이게 거주자 구역에 들어오려면 목줄을 매야 하는데." 오베가 차분히 말했다.

그녀가 염색한 머리를 뒤로 넘기며 코를 하도 세게 씩씩대기에 오베는 혹시나 콧물이 튀어나오면 어쩌나 하고 걱정을 했다.

"그럼 저건?!" 그녀는 고양이를 보며 분노를 터뜨렸다.

"그거야 당신 알 바 아니지." 오베가 대답했다.

그녀는 엄청난 우월감과 심각한 모욕을 동시에 느낀 사람처럼 그를 보았다.

똥개가 조용히 으르렁거리며 이빨을 드러냈다.

"자기가 이 동네 주인이나 뭐 그런 건 줄 아나, 정신 나간 아저씨?" 그녀가 말했다.

오베가 태연한 태도로 다시 똥개를 가리켰다.

"다음번에 저게 또 내 디딤돌에 오줌을 갈기면," 그가 조용히 말했다. "돌에다 전기를 통하게 해놓을 거야."

"우리 프린스는 당신네 역겨운 디딤돌 따위에 오줌 안 싸." 그녀가 그렇게 나불거리며 주먹을 불끈 쥔 채 두 걸음 앞으로 다가왔다.

오베는 움직이지 않았다. 그녀가 멈추었다. 과호흡 상태에 빠진 것 같았다.

그러다 그녀는 자기가 할 수 있는 한 상식적으로 행동하는 듯 분노를 가라앉히고 말했다.

"가자, 프린스." 그녀가 손짓을 하며 말했다. 그러더니 집게손가락을 오베에게 겨누며 말했다.

"앤더스에게 이 일 얘기할 거예요. 후회할 거야, 당신."

"당신네 앤더스에게 말 좀 전해주쇼. 내 방 건너편 창문에서 사타구니 좀 벌리지 말라고."

"미친 영감탱이." 그녀는 그렇게 내뱉고 주차 구역으로 갔다.

"그리고 그 친구 자동차 쓰레기라는 말도 전해주고!" 오베가 한 마디 더 얹었다.

여자는 그가 한 번도 본 적 없는 손짓을 했다. 무슨 뜻인지 짐작은 했지만 말이다. 그런 다음 그녀와 그 작고 초라한 똥개는 앤더스의 집 쪽으로 황급히 걸음을 옮겼다.

오베는 헛간으로 방향을 틀었다. 화단 모퉁이 디딤돌에 오줌이 사방팔방 튀어 있는 걸 확인했다. 오후에 더 중요한 일로 바쁘지만 않았다면 그놈의 똥개를 밟아주러 당장 달려갔을 것이다. 하지만 그의 마음을 사로잡는 건 다른 일들이었다. 그는 연장을 담아둔 헛간으로 가 해머드릴과 드릴에 끼우는 비트 한 상자를 꺼냈다.

그가 헛간에서 나왔을 때 고양이는 그를 보며 앉아 있었다.

"이제 가라." 오베가 말했다.

고양이는 움직이지 않았다. 오베가 체념하듯 고개를 흔들었다.

"이봐. 난 네 친구가 아냐."

고양이는 그대로 있었다. 오베가 팔을 휘저었다.

"젠장, 망할 놈의 고양이 같으니. 그 머저리 같은 계집이 너한테 돌을 던질 때 막아준 건 순전히 내가 길 건너 사는 그 똥개보다 널 조금 덜 싫어해서일 뿐이야. 무슨 대단한 업적 같은 게 아니라고. 너도 그건 확실히 알아둬."

고양이는 이 문제를 곰곰이 생각하는 듯 보였다. 오베가 길가를 가리켰다.

"가라고!"

고양이는 그 말에는 조금도 신경을 쓰지 않은 채 피 묻은 털을 핥았다. 고양이는 이게 마치 협상과 제안의 과정인 양 오베를 바라보았다. 그러다 천천히 일어나 터벅터벅 걸어 헛간 모퉁이를 돌아 사라졌다. 오베는 고양이를 쳐다보지도 않았다. 그는 집으로 곧장 들어가 문을 꽝 닫았다.

왜냐하면 이만하면 됐기 때문이다. 오베는 이제 죽을 것이다.

7
오베라는 남자가
고리를 걸 구멍을 뚫다

오베는 제일 좋은 바지와 외출용 셔츠로 갈아입었다. 가치 있는 예술 작품을 보호하기라도 하듯 마루에 보호용 비닐 시트도 깔아놓았다. 마루가 특별히 새것이기 때문은 아니었다(비록 사포로 닦은 지 2년도 안 되긴 했지만). 그는 사람이 목을 매달면 피를 많이 흘리지 않는다는 건 확실히 알았고, 먼지나 송곳밥을 걱정하지도 않았다. 발판을 걷어찼을 때 마루에 자국이 남을까봐서도 아니었다. 사실 그는 발판 다리에도 비닐 패드를 붙여놓긴 했다. 그래야 아무 자국도 안 남을 테니까. 오베가 조심스럽게 펼쳐놓은 현관과 거실, 그리고 부엌 대부분을 덮은 두터운 비닐 시트는 오베 때문이 아니었다.

그는 일이 있은 후에 수많은 인간들이 이곳을 바쁘게 돌아다닐 거라고 예상했다. 열성적이고 우쭐거리기 좋아하는 부동산 업자는 구급대원이 시체를 들고 나가기도 전에 집에 들이닥치려 할 것이었다. 그런 개자식들이 여기 들어와서는 오베의 마루를 신발로 긁어대겠지. 오베의 시체 위에서든 아니든. 그들이 그러 리라는 건 뻔할 뻔자였다.

그는 발판을 마루 한가운데 놓았다. 페인트를 최소한 일곱 번은 덧칠했던 물건이다. 오베의 아내는 원칙적으로 오베에게 여섯 달마다 한 번씩 집 안의 방 중 하나를 새로 칠하도록 했다. 좀더 정확히 말하자면, 그녀는 여섯 달마다 집 안 어딘가 한 곳의 색깔이 바뀌길 바랐다. 그녀가 오베에게 지겹도록 말하고 나면, 그는 그녀에게 이제 그만하는 게 어떻겠냐고 했다. 그러면 그녀는 업자를 불러 견적을 냈다. 그러고는 자기가 업자에게 이만큼은 줘야겠다고 했다. 그러면 오베는 페인트칠을 할 때 쓰는 발판을 가지러 갔다.

누군가를 잃게 되면 정말 별난 것들이 그리워진다. 아주 사소한 것들이. 미소, 잘 때 돌아눕는 방식, 심지어는 방을 새로 칠하는 것까지도.

오베는 드릴 비트가 든 상자를 가지러 갔다. 드릴로 구멍을 뚫을 때 사실상 가장 중요한 건 이것들이었다. 드릴이 아니라 드릴비트 말이다. 브레이크 패드나 뭐 그런 쓸데없는 걸 만지작거리는 대신 제대로 된 타이어를 차에 끼우는 게 중요하듯. 뭔가 '아는 사람'들은 그런 걸 알기 마련이다. 오베는 방 한가운데 서서 드릴 비트를 평가했다. 수술 도구를 응시하는 외과 의사처럼 오베의 눈이 치밀하게 드릴 비트들 위로 움직였다. 그가 하나를 골라 드릴에 끼운 뒤 방아쇠를 살짝 당겨 웽 소리가 나도록 작동시켰다. 고개를 내저으며 이 느낌이 아니라는 결론을 내린 뒤 다른 드릴 비트로 갈아 끼웠다. 그는 만족할 때까지 이 일을 네 번 반복했고, 그런 뒤 드릴을 마치 커다란 리볼버 권총처럼 흔들면서 거실을 가로질러 걸어갔다.

그는 마루 한가운데 서서 천장을 올려다보았다. 일을 시작하기 전에 치수를 정확히 재야 한다는 걸 깨달았다. 그래야 구멍이 정가운데 뚫릴 테니까. 오베가 생각하는 최악의 일은 사람들이 천장에 구멍을 뚫을 때 아무 데나 막 뚫는다는 것이다.

오베가 줄자를 가지고 왔다. 그는 만전을 기하기 위해 각 모퉁이에서부터 각각 두 번씩 줄자를 댄 다음 대각선이 교차하는 중앙에 점을 찍었다.

오베는 발판에서 내려왔다. 보호용 비닐이 있어야 할 곳에 제대로 깔렸는지 확인하기 위해 집을 돌아보았다. 사람들이 그를 밧줄에서 내리러 올 때 문을 부술 필요가 없도록 잠금도 풀어놓았다. 좋은 문이다. 몇 년은 더 갈 것이다.

오베는 정장 재킷을 입고 안주머니에 봉투가 잘 들어 있는지 확인했다. 마침내 그는 창가에 놓인 아내의 사진을 바깥으로 향하도록 돌려놓았다. 오베는 자기가 지금부터 하려는 일을 그녀가 보지 않았으면 했지만, 그렇다고 감히 사진을 바닥에 엎어놓을 수도 없었다. 오베의 아내는 그들 부부가 전망도 없는 장소에서 인생을 끝낼지도 모른다는 걱정이 들면 늘 끔찍하리만치 괴팍하게 굴었다. 그녀는 "뭔가 살아 움직이는 걸 봐야 한다"고 언제나 말했다. 그래서 그는 어쩌면 그 성가신 고양이가 다시 올지 모른다고 생각하면서 그녀를 헛간 쪽으로 돌려놓았다. 오베의 아내는 성가신 고양이를 좋아했다.

오베는 드릴을 가져온 뒤 고리를 들고 발판에 서서 구멍을 뚫기 시작했다. 처음 초인종이 울렸을 때는 자기가 잘못 들었으려니 하고 무시했다. 초인종이 다시 울리자 누군가 실제로 문 앞에서 초인종을 누르고 있다는 사실을 깨달았지만, 그렇기 때문에 더욱 무시했다.

세 번째로 초인종이 울리자 오베는 구멍을 뚫는 걸 멈추고 문을 노려보았다. 바깥에 누가 서 있든 정신력만으로 없애버릴 수 있다고 믿는 듯. 잘 안 됐다. 문제의 저 사람은 오베가 처음에 문을 열지 않았던 이유가 초인종 소리를 못 들어서였을 거고, 그 외에는 달리 이유가 없다고 생각하는 게 분명했다.

오베가 발판에서 내려와 거실에 깔아둔 비닐을 밟고 성큼성큼 현관으로 갔다. 방해받지 않고 자살하는 게 정말 이렇게까지 힘든 일인가?

"뭐요?" 오베가 문을 벌컥 열며 씨근거렸다.

멀대가 간발의 차로 커다란 머리를 뒤로 빼서 오베의 얼굴과 충돌하는 걸 피했다.

"안녕하세요!" 임산부의 활기찬 목소리가 남편 등 뒤에서 들려왔다. 비록 50센티미터 낮은 곳에서 들리긴 했지만.

오베가 그녀를 내려다보고, 다시 남편을 올려보았다. 멀대는 머뭇거리며 얼굴을 만져대느라 바빴다. 얼굴에 난 여드름들이 모두 제자리에 있는지 확인하기라도 하듯.

"좀 드셔보시라고 가져왔어요." 그녀가 사근사근한 목소리로 말하고는 오베의 품에 파란색 플라스틱 상자를 찔러 넣었다. 오베가 미심쩍은 표정을 지었다.

"비스킷이에요." 그녀가 격려하듯 말했다. 오베가 알겠다는 듯 고개를 천천히 끄덕였다.

"잘 차려입으셨네요." 그녀가 미소 지었다.

오베가 다시 고개를 끄덕였다. 그런 다음 셋 모두 그냥 선 채로 누군가 말을 꺼내길 기다렸다. 마침내 그녀가 멀대를 보며 체념하듯 고개를 저으며 말했다.

"저기, 자기야. 제발 얼굴 좀 조물거리지 말아줄래?" 그녀가 속삭이고는 남편을 옆으로 슬쩍 밀쳤다.

멀대가 눈을 들어 그녀의 시선을 마주하고는 고개를 끄덕였다. 그리고 오베를 보았다. 오베는 임산부를 보았다. 멀대는 상자를 가리키며 활짝 웃었다.

"아내가 이란 사람입니다. 이란 사람들은 어딜 가든 음식을 들고 다녀요."

오베가 그를 멍한 눈으로 쳐다보았다. 멀대는 더 망설이는 듯 보였다.

"어, 그래서…… 제가 이란 사람들이랑 잘 지내는 겁니다. 음식 만드는 걸 좋아하거든요. 그리고 저는…….." 그가 과하다 싶을 정도로 미소를 지으며 말을 꺼내더니 이내 침묵했다. 오베는 진짜로 관심 없다는 표정을 지었다.

"……먹는 걸 좋아하고요." 멀대가 말을 마쳤다.

그는 드럼이라도 칠 듯 손가락을 허공에 대고 두두두두 두드렸다. 하지만 그는 임신한 외국인 아내를 보고 나서 그게 신통찮은 생각이라는 결론을 내렸다.

"그래서?" 오베가 피곤한 듯 말했다.

그녀가 몸을 쭉 펴더니 배 위에 손을 올렸다.

"그냥 저희 소개를 하고 싶을 뿐이에요. 이제 이웃이잖아요."

오베가 짧고 간결하게 고개를 끄덕였다.

"그래. 잘 가요."

그가 문을 닫으려 했다. 그녀가 팔로 그를 막았다.

"트레일러를 후진시켜주신 것도 감사드리고 싶고요. 정말 친절하셨어요!"

오베가 끙 하는 소리를 냈다. 그는 어쩔 수 없이 문을 계속 열어두었다.

"고마워할 거 없소."

"아니에요. 정말 친절하셨는걸요." 그녀가 이의를 제기했다.

"내 말은 고마워할 일이 아니라는 거요. 다 큰 어른이면 스스로 트레일러를 뒤로 빼야지."

오베는 그렇게 대답하며 감사 인사에 딱히 감명 받지 않았다는 듯한 시선을 멀대에게 던졌는데, 그는 이게 모욕인지 아닌지 판단이 잘 안 선다는 표정으로 오베를 바라보았다. 오베는 그를 곤혹스런 상태에서 빠져나오도록 돕지 않겠다고 결정했다. 그는 돌아서서 다시 문을 닫으려 했다.

"제 이름은 파르바네예요!" 그녀가 문지방에 발을 걸쳐놓으며 말했다.

오베가 그녀의 발을 내려다보았다. 그리고 발 주인의 얼굴을 보았다. 마치 그녀가 방금 한 짓을 이해하는 게 힘들다는 듯.

"저는 패트릭이고요!" 멀대가 말했다.

오베도 파르바네도 그에게는 조금도 관심을 기울이지 않았다.

"언제나 이런 식으로 쌀쌀맞으세요?" 파르바네가 호기심 가득한 눈으로 물었다. 오베는 모욕을 당한 듯한 얼굴로 대답했다.

"난 쌀쌀맞지 않아."

"좀 그러신데요."

"아니라고!"

"아뇨, 아닌데요. 말씀하시는 게 죄다 포옹이에요. 진짜로." 그녀가 대답했다. 오베는 그녀가 포옹이 무슨 뜻인지 전혀 모르고 있다는 느낌을 받았다.

그는 잠시 뒤 문손잡이를 놓았다. 손에 든 비스킷 상자를 살폈다.

"그래, 아랍식 비스킷이군. 먹을 만하겠네." 오베가 중얼거렸다.

"이란식이에요." 그녀가 바로잡았다.

"뭐라고?"

"이란식이라고요. 아랍식이 아니라. 저는 이란에서 왔어요. 페르시아어를 쓰는 곳. 아시죠?" 그녀가 설명했다.

"웃기다고? 그 말 하나는 제대로 하네." 오베가 동의했다.*

그 말에 그녀가 웃자 오베가 방어 태세를 취했다. 탄산음료를 너무 빠르게 따르는 바람에 사방에 거품이 넘치기라도 하듯. 그녀의 그런 웃음은 이 집의 회색 시멘트와 정원의 회색 디딤돌들과 전혀 어울리지 않았다. 규칙과 규범을 따르길 거부하는 어수선하고 유해한 웃음이었다.

오베가 한 걸음 물러섰다. 문간에 붙여놓은 테이프가 발에 달라붙었다. 짜증을 내며 그걸 떼려 하다가 비닐 시트의 모서리가 같이 찢어졌다. 그는 다시 테이프와 비닐 시트를 같이 떼려 했고, 그러다 뒤로 비틀거리는 바람에 비닐을 더 잡아당기고 말았다. 그는 화가 난 채로 다시 몸의 균형을 잡았다. 여전히 문간에 서서 평정을 찾으려 애썼다. 문손잡이를 다시 잡고 멀대를 보며 화제를 빨리 바꾸려 했다.

"그래서, 당신은 뭐 하는 사람이고?"

멀대는 살짝 기가 눌린 듯 어깨를 으쓱하며 미소를 지었다.

---

* 페르시아어라는 뜻의 'Farsi'를 'farcical(웃기는, 터무니없는)'로 알아듣고 생긴 상황.

"저는 IT 컨설턴트입니다."

오베와 파르바네는 싱크로나이즈드 선수들에게서나 볼 수 있는 조직력을 선보이며 동시에 고개를 저었다. 오베는 잠시 그녀가 덜 싫어졌다. 비록 그 사실을 받아들이기는 무척 꺼림칙했지만.

멀대는 이 상황이 전혀 감이 안 오는 듯했다. 대신 그는 오베가 게릴라 전사의 자동 소총 AK-47처럼 꽉 잡고 있는 해머액션 드릴에 지대한 호기심을 보였다.

멀대는 일단 드릴을 꼼꼼히 살펴보고 나서 몸을 앞으로 수그려 집 안을 들여다보았다.

"뭘 하고 계신가요?"

오베는 손에 해머액션 드릴을 들고 서 있는 사람에게 "뭘 하고 계신가요?"라는 뻔한 질문을 한 사람을, 그에 맞는 눈빛으로 바라봐주었다.

"구멍을 뚫고 있었는데." 오베가 가차 없이 대답했다.

파르바네는 멀대를 보면서 두 눈을 굴렸다. 오베는 이 순간, 하마터면 그녀를 측은하게 여길 뻔했다. 그녀가 자발적으로 그녀의 부른 배 속에 멀대의 유전적 구성물을 키우고 있다는 사실만 아니었다면.

"아." 멀대가 고개를 끄덕이며 말했다. 그는 몸을 앞으로 굽혀 비닐 시트가 깨끗하게 깔린 거실 바닥을 들여다보았다.

그의 얼굴이 환해지더니 미소를 지으며 오베에게 말했다.

"이제 막 누굴 살해하려고 하시는 참인 것 같아요!"

오베는 조용히 그를 뚫어져라 보았다. 멀대는 좀 마지못한 듯 헛기침을 했다. "제 말은, 〈덱스터〉*의 에피소드 같단 거였어요." 아까보다는 덜 해맑은 미소를 띠며 그가 말했다. "TV 드라마요. 사람들을 죽이는 남자가 나오는……." 그의 목소리가 점점 작아졌다. 그러더니 구두코로 오베의 현관 앞 디딤돌에 난 틈 사이를 콕콕 쑤시기 시작했다.

오베는 고개를 가로저었다. 멀대가 방금 지껄인 게 누구보고 하는 소린지를 모르겠다.

"난 하던 일이 있어서." 오베는 파르바네에게 무뚝뚝하게 말하고는 문손잡이를 꽉 잡았다.

파르바네가 어떻게 좀 해보라는 듯 팔꿈치로 멀대의 옆구리를 쿡 찔렀다. 멀대는 용기를 그러모으려 애쓰는 듯 보였다. 그는 파르바네를 한 번 보고, 오베를 보았다. 온 세상 사람들이 곧 자신의 얼굴에 고무줄을 튕길 거란 사실을 알고 있는 사람의 표정으로.

"저, 실은 저희가 온 건 뭘 좀 빌릴 수 있을까 해서인데요……."

오베가 눈썹을 치켜 올렸다.

"'뭘'이 뭔데?"

멀대가 헛기침을 하며 말했다.

---

* Dexter. 연쇄살인자를 골라 살해하는 연쇄살인범을 다룬 미국 드라마.

"사다리요. 그리고 '에일린' 렌치하고요."

"'앨런' 렌치겠지?"

오베의 말에 파르바네가 고개를 끄덕였다. 멀대는 혼란스러운 것처럼 보였다.

"에일린 렌치 아닌가?"

"앨런 렌치야." 파르바네와 오베가 동시에 바로잡았다.

파르바네가 열성적으로 남편에게 고개를 끄덕이고는 승리에 차 오베를 보았다.

"이이는 에일린 렌치라고 하는 게 맞댔거든요!"

멀대가 알아들을 수 없는 소리를 웅얼거렸다.

"당신 딱 이렇게 말했잖아. '아 진짜. 에일린 렌치라니까!'"

파르바네가 야유했다. 멀대가 좀 의기소침해진 듯 보였다.

"절대 그렇게 말 안 했다."

"했거든요."

"안 했어!"

"했다고!"

"안 했다니까!"

오베의 고개가 잠을 방해하는 두 마리의 생쥐를 보는 커다란 개처럼 양쪽을 오갔다.

"당신 그랬어." 한쪽이 말했다.

"그거야 당신 생각이고." 다른 쪽이 말했다.

"다들 그렇게 말하지."

"다수결이 언제나 옳은 건 아니야."

"구글 찾아볼래?"

"좋아! 구글 찾아보자! 위키피디아도 보고!"

"전화기 줘봐."

"니꺼 써."

"아, 네. 안 들고 왔거든요, 바보팅아."

"거참 유감이네!"

오베는 그들의 애처로운 논쟁이 웅웅거리는 동안 그들을 쳐다보고만 있었다. 그들을 보고 있자니 서로 높은 음정으로 낑낑거리며 오작동하는 라디에이터 두 대가 떠올랐다.

"나 원 참." 오베가 투덜거렸다.

파르바네가 오베 생각에는 날벌레로 짐작되는 무언가를 흉내 내기 시작했다. 남편의 성질을 돋우기 위해 입술로 작게 윙윙거리는 소리를 내는 것이었다. 꽤 잘 먹히는 방법이었다. 멀대와 오베 둘 다에게.

오베는 포기했다. 그가 현관으로 들어갔다. 정장 재킷을 벗어 옷걸이에 걸고 드릴을 내려놓은 다음 나막신을 신고 나와 그들을 지나쳐 헛간으로 갔다. 두 사람 다 자기를 못 봤을 게 분명하다고 확신했다. 그가 사다리를 들고 돌아왔을 때도 둘은 여전히 말다툼을 하고 있었다.

"얼른 가서 도와드려, 패트릭!" 오베의 모습을 보고 파르바네가 소리쳤다.

멀대가 어설픈 자세로 그를 향해 몇 걸음 다가왔다. 오베는 만원 시내버스의 운전대를 잡은 장님을 바라보듯 그에게서 눈을 떼지 못했다. 그리고 그제야, 오베는 자기가 자리를 비운 사이에 다른 사람이 자기 사유 재산을 침범했다는 사실을 깨달았다.

동네 저 아래쪽에 사는 루네의 아내 아니타가 파르바네의 옆에 서서 이 광경을 즐거운 듯 바라보고 있었다. 오베는 그녀가 아무 짓도 안 하고 있다는 듯 행동하는 것이 자신이 보여줄 수 있는 유일한 반응이라고 생각했다. 그가 뭘 하든 그녀를 부추길 것이었기에. 그는 멀대에게 앨런 렌치들이 깔끔하게 정리되어 있는 원통형 케이스를 건넸다.

"오, 이거…… 많은 것 좀 봐." 멀대는 케이스를 응시하며 생각에 잠긴 채 중얼거렸다.

"무슨 사이즈를 찾는 거지?" 오베가 물었다.

멀대는 자기가 생각하는 것을 말하면서 침착성을 잃는 사람들이 으레 그러는 것처럼 오베를 바라보았다.

"그…… 보통 사이즈요?"

오베가 그를 오래, 아주 오래 바라보았다.

"이것들을 어디에 쓰려는 건데?" 마침내 오베가 말했다.

"이사 올 때 분리해서 가져왔던 이케아 옷장을 고치려고요. '에일린' 렌치를 어디다 뒀는지 잊어버렸거든요." 그가 한 점 부끄럼 없이 설명했다.

오베가 사다리를 보며 말했다. "그리고 옷장은 지붕에 있다,

이건가?"

멀대가 키득거리며 고개를 저었다. "아, 무슨 말씀이신지 알겠어요! 아뇨. 사다리는 위층 창문이 꽉 껴서 필요한 거예요. 안열린다고요." 그는 자기가 마지막 말을 덧붙이지 않으면 오베가 '꽉 낀다'는 단어에 담긴 뜻을 못 알아들을 것 같다는 듯 말했다.

"그래서 바깥에서 창문을 열려고?" 오베가 물었다.

멀대는 고개를 끄덕이고는 오베에게서 어설프게 사다리를 건네받았다.

오베는 그에게 뭔가 더 말할 것 같은 표정을 지었지만 이내 마음을 바꾸었다. 그는 파르바네에게 몸을 돌렸다.

"그럼 그쪽은 여기 왜 있는 거지?"

"정신적 지주거든요." 그녀가 재잘거렸다.

오베는 그 말을 전혀 납득하지 못한 듯했다. 멀대 역시 마찬가지였다.

오베의 시선이 마지못해 루네의 아내 쪽으로 향했다. 그녀는 여전히 거기 있었다. 그가 그녀를 마지막으로 본 지 몇 년이 넘었다. 혹은 오베가 그녀에게 눈길을 준 지 몇 년이 됐거나. 그녀는 과거의 사람이었다. 이제 사람들은 오베 몰래 모두 과거로 가버린 것 같았다.

"뭐죠?" 오베가 말했다.

루네의 아내는 온화하게 미소 지으며 등 뒤로 뒷짐을 졌다.

"오베, 방해하고 싶지는 않지만 우리 집 라디에이터 때문에요.

라디에이터로 열전달이 안 돼요."

그녀는 조심스럽게 말하고는 오베와 멀대와 파르바네에게 차례차례 미소 지었다. 파르바네와 멀대가 그녀에게 미소를 돌려주었다. 오베는 상처 난 자기 손목시계를 보았다.

"이 동네에는 더 이상 직업을 가진 사람이 없나?" 그가 물었다.

"저는 연금으로 사는걸요." 루네의 아내가 변명하듯 말했다.

"저는 출산휴가 중이에요." 파르바네가 자기 배를 자랑스레 쓰다듬었다.

"저는 IT 컨설턴트입니다!" 멀대가 자랑스럽게 말했다.

오베와 파르바네는 다시 한 번 동시에 고개를 흔드는 일을 해냈다. 루네의 부인이 다시 한 번 시도했다.

"라디에이터 쪽에 문제가 있는 것 같아요."

"증기는 빼봤소?" 오베가 말했다. 그녀는 고개를 흔들며 그게 무슨 말인지 궁금한 표정을 지었다.

"그거 때문이라고 생각하시는 거예요?"

오베가 눈을 굴리며 짜증을 냈다.

"오베!" 파르바네가 즉시 그에게 소리를 질렀다. 꼭 학생을 야단치는 여교사라도 되는 양. 오베가 그녀를 노려보았다. 그녀도 맞받아 노려보았다. "무례하게 구는 건 그만 두세요." 그녀가 명령했다.

"말했지. 난 무례한 사람이 아니라고!"

파르바네의 눈은 흔들리지 않았다. 오베는 끙 하는 소리를 내고는 현관으로 가서 섰다. 그는 이만하면 충분하지 않느냐고 생각했다. 그는 죽고 싶을 뿐이었다. 이 정신 나간 인간들은 왜 그걸 존중하지 못하는 건가?

파르바네가 루네 아내의 팔에 용기를 주듯 손을 얹었다.

"전 오베 씨가 라디에이터 문제를 도와줄 거라고 확신해요."

"그래주신다면 정말 감사할 거예요, 오베." 루네의 아내가 그 즉시 눈을 빛내며 말했다.

오베는 주머니에 두 손을 찔러 넣었다. 문지방에 느슨하게 붙은 비닐을 발로 찼다.

"당신네 남편은 자기 집에서 그런 일도 해결하지 못하나?"

루네의 아내가 비통한 듯 고개를 저었다.

"못해요. 아시겠지만 요즘 루네는 많이 아파요. 알츠하이머래요. 휠체어에만 앉아 있거든요. 그건 좀 힘든 일이라고요……."

오베가 알고 있다는 듯 고개를 슬쩍 끄덕였다. 매번 그 얘기를 어찌어찌 잊어버리는데도 루네의 아내가 수천 번씩 얘기를 꺼내며 그에게 상기시키기라도 한 듯.

"알아요, 알아." 그가 성마르게 말했다.

"가서 라디에이터에 공기 좀 넣어주세요, 네? 오베!" 파르바네가 말했다.

오베는 모질게 받아쳐버릴까 하는 듯 그녀를 노려봤지만, 그 대신 그냥 땅만 내려다보았다.

"그게 그렇게 힘든 부탁이에요?" 그녀가 오베를 뚫어질 듯 바라보며 배 위에 팔짱을 낀 채 계속 말했다. 오베는 고개를 저었다.

"라디에이터에 공기를 넣으면 안 돼요. 일단 증기를 빼고……
젠장."

그가 고개를 들어 그들을 대충 훑어보았다.

"전에 라디에이터 증기 빼본 적 없나?"

"없어요." 파르바네가 미동도 않고 말했다.

루네의 부인은 조금 초조하게 멀대를 보았다.

"저는 무슨 소린지 감도 안 잡히는데요." 그가 그녀에게 조용
히 말했다.

루네의 아내가 체념하듯 고개를 끄덕였다. 그리고 다시 오베
를 보았다.

"정말 큰 친절을 베푸시는 거예요, 오베. 너무 방해만 되지 않
는다면……."

오베는 그냥 제자리에 서서 문지방만 내려다보고 있었다.

"당신네가 주민 자치회에서 쿠데타를 획책하기 전에 이런 문
제를 예상했어야지." 그가 나지막이 말했다. 조심스럽게 기침을
하며 말하느라 중간에 계속 단어가 끊겼다.

"뭘 하기 전에요?" 파르바네가 물었다.

루네의 아내가 헛기침을 하며 대답했다.

"하지만 오베, 그건 쿠데타가 아니었어요."

"쿠데타 맞아." 오베가 짜증스럽게 말했다.

루네의 아내가 조금 당혹스러운 미소를 띠며 파르바네를 보

왔다.

"음, 루네와 오베가 이 동네에서 늘 사이좋게 지내왔던 건 아니에요. 루네는 아프기 전에 주민 자치회 회장이었답니다. 그 전에는 오베가 회장이었어요. 그러다 루네가 투표로 당선되었을 때 오베와 루네 사이에 약간의 언쟁이 있었어요. 대략 그렇게 말할 수가 있겠네요."

오베가 고개를 들어 말을 바로잡겠다는 듯 집게손가락을 그녀에게 겨누었다.

"쿠데타였어! 딱 그거였다고!"

루네의 아내가 파르바네에게 고개를 끄덕였다.

"그게요, 단지의 난방 시스템을 바꿔야 한다고 루네가 낸 안건에 대해 회의 전에 개표를 했어요. 그런데 오베의 생각은……."

"그래서 루네가 난방 시스템에 대해 대체 아는 게 뭔데, 응?" 오베가 흥분하여 소리를 질렀다. 하지만 파르바네의 표정을 보자 그 즉시 생각을 고쳐먹었고, 이 논쟁을 끝까지 할 필요가 없다는 결론을 내렸다.

루네의 아내가 고개를 끄덕였다.

"당신 말이 맞을지도 몰라요, 오베. 하지만 어쨌든 그이는 지금 무척 아프고…… 그러니 더는 중요한 문제도 아니잖아요." 그녀의 아랫입술이 살짝 떨렸다. 하지만 그녀는 곧 위엄 있게 자세를 바로잡은 다음 헛기침을 했다.

"관계 당국에서 그이를 나한테서 빼앗아 요양원에 집어넣겠다고 그랬어요." 그녀가 간신히 입을 열었다.

오베는 주머니에 다시 손을 찔러 넣은 다음 뒷걸음질 치며 단호하게 문지방을 넘어섰다. 그는 이 문제에 대해서는 들을 만큼 들었기 때문이었다.

그러는 동안 멀대는 주제를 바꿔서 분위기를 밝게 할 때가 됐다고 판단한 듯 보였다. 그가 오베의 현관 마룻바닥을 가리켰다.

"저건 뭔가요?"

오베가 몸을 돌려 비닐 시트가 느슨해진 곳을 통해 드러난 마룻바닥을 보았다.

"저건 무슨…… 타이어 자국을 내신 것 같은데요. 집 안에서 자전거나 뭐 그런 거 타세요?" 멀대가 말했다.

파르바네는 멀대의 시선을 방해하고자 한 걸음 더 물러서는 오베의 행동을 유심히 관찰했다.

"아무것도 아냐."

"하지만 저건 제가 보기엔……." 멀대가 혼란스러운 듯 말했다.

"오베의 부인인 소냐 거예요. 그녀는……." 루네의 아내가 부드러운 태도로 멀대의 말을 가로막았다. 하지만 그녀는 이 말만 겨우 했을 뿐이었다. 오베가 뒤이어 그녀의 말을 끊고는 두 눈에 고삐 풀린 듯한 분노를 품고 고개를 휙 돌렸기 때문이다.

"그만 됐어! 이제 좀 닥쳐!"

네 명 모두 똑같이 충격을 받아 입을 다물었다. 현관으로 들어가 쾅 하고 문을 닫는 내내 오베의 손이 부들부들 떨렸다.

그는 바깥에서 파르바네가 루네의 아내에게 부드러운 목소리로 '이게 다 어떻게 된 일인지' 묻는 걸 들었다. 그리고 루네의 아내가 초조한 듯 더듬거리면서 이렇게 외치는 걸 들었다. "아, 저는 집에 가는 게 좋겠어요. 오베의 부인에 관한 건…… 잊어버리세요. 나 같은 노망난 할멈과 얘기를 너무 많이 했네요……."

오베는 그녀가 부자연스럽게 웃고는 발을 질질 끌면서 할 수 있는 한 빨리 헛간 모퉁이를 돌아 사라지는 소리를 들었다. 잠시 뒤 임산부와 멀대도 떠났다.

오베의 집 현관에는 정적만이 남았다. 그는 현관 의자에 주저앉아 숨을 몰아쉬었다. 얼음물에 가슴까지 잠긴 채 서 있기라도 한 것처럼 손이 떨렸다. 가슴이 쿵쿵거렸다. 요즘 들어 더 심해졌다. 뒤집힌 어항 속 물고기처럼 한입 가득 숨을 쉬려고 버둥거려야 했다. 그의 회사 주치의는 그게 만성이라고, 흥분해서는 안 된다고 말했다. 말이야 쉽지.

"이제 집에 가서 쉬는 게 좋겠어요." 상사가 그렇게 말했다. "심장도 말썽이잖습니까." 그들은 그걸 '조기 은퇴'라고 표현했지만 '청산 작업'이 더 적절한 표현이었을 것이다. 오베는 한 세기의 3분의 1 동안 똑같은 일을 했다. 그게 그들이 오베를 정리한 까닭이었다.

오베는 자기가 얼마나 오랫동안 현관 앞에 앉아 있었는지 확신할 수 없었다. 심장이 너무 세게 뛰어서 머릿속이 쿵쿵 울리는 것 같았다. 현관문 바로 옆 벽에 오베와 소냐를 찍은 사진이 걸려 있다. 거의 40년 된 사진이었다. 그들이 스페인에서 버스 여행을 다니던 시절이었다. 그녀는 햇볕에 타 가무잡잡했고, 빨간 원피스를 입고 있었으며, 무척 행복해 보였다. 오베는 그녀의 손을 잡고 옆에 서 있었다. 그는 사진을 바라보며 한 시간은 앉아 있었을 것이다. 그녀를 그리며 상상하는 것 중에서 가장 간절한 건, 정말로 다시 하고 싶은 건 그녀의 손을 잡는 것이었다. 그녀는 자기 집게손가락을 접어 그의 손바닥 안쪽에 숨기는 버릇이 있었다. 그녀가 그럴 때면 세상 어떤 것도 불가능한 게 없다는 느낌이 들었다. 그리워할 수 있는 모든 것들 중에서, 그것이 가장 그리웠다.

그는 천천히 일어섰다. 거실로 들어갔다. 사다리 단을 밟아 올랐다. 마침내 드릴로 구멍을 뚫고 고리를 끼웠다.

그런 다음 사다리를 내려와 작업을 점검했다.

그는 현관으로 가 옷걸이에 걸려 있는 정장 재킷을 입었다. 안주머니에 봉투가 들어 있는 게 느껴졌다. 집 안의 불을 모두 껐다. 커피 잔은 씻어두었다. 거실에 고리도 걸었다. 다 했다.

그는 현관 옷걸이에서 밧줄을 내렸다. 마지막으로 한 번, 그녀의 코트를 손등으로 부드럽게 쓰다듬었다. 그리고 거실로 가 밧줄로 올가미를 만들고 고리에 건 다음 발판에 올라 머리를 올가미에 집어넣었다.

발판을 걷어찼다.

눈을 감았다. 올가미가 거대한 야생 동물의 이빨처럼 그의 목을 죄는 걸 느꼈다.

8
오베였던 남자와
아버지의 오래된 발자국 한 쌍

그녀는 운명을 믿었다. 어떤 인생행로를 걷든 간에 '애초에 예정되었던 대로 가게 된다'고 믿었다. 당연하게도 오베는 그녀가 이런 식의 이야기를 꺼낼 때마다 잘 들리지 않는 소리로 웅얼거리기 시작하면서 나사못이나 뭐 그런 것들을 주물럭거리느라 바쁘게 굴었다. 하지만 그녀의 말에 토를 단 적은 없었다. 아마 그녀에게 운명이란 '무언가'였을 텐데, 그건 오베의 관심사가 아니었다. 하지만 오베에게 운명이란 '누군가'였다.

열여섯에 고아가 되다니, 참으로 이상한 일이었다. 원래 가족을 대체할 자기 가정을 꾸릴 시간을 가져보기도 훨씬 전에 가족을 잃는다는 것. 그건 무척 독특한 종류의 고독이었다.

오베는 양심적이고 성실하게 철도 회사에서 2주간 할 일을 완수했다. 그리고 놀랍게도, 그는 자기가 그 일을 좋아한다는 사실을 깨달았다. 일을 한다는 것에는 모종의 자유가 있었다. 자신의 두 손으로 무언가를 움켜쥘 수 있었고 노력의 결과를 볼 수 있었다. 오베가 학교를 싫어한 건 아니었지만 그렇다고 학교가 중요하다고 생각하지도 않았다. 그는 수학을 좋아했고, 수학은 급우들보다 두 학년 정도 앞서 있었다. 다른 과목들은 솔직히 큰 흥미가 없었다.

하지만 이 일은 완전히 달랐다. 그에게 딱 들어맞았다.

근무 마지막 날, 마지막 교대 시간에 출근부를 찍자 그는 의기소침해졌다. 학교로 돌아가야 하기 때문이 아니라 이제 뭘 먹고 살아야 할지 알 수가 없다는 사실이 떠올라서였다. 물론 아버지는 여러 면에서 훌륭한 사람이었지만, 오베는 그가 무너져가는 집과 낡은 사브, 상처 난 손목시계 외에는 재산이라 할 만한 것을 딱히 남겨놓지 않았다는 사실을 인정해야 했다. 교회에서 나오는 구호품은 고려할 가치도 없었다. 신께서도 그 점은 똑똑히 알아두셔야 했다. 탈의실에 서 있는 동안 신이 가져간 만큼 자신의 몫도 남겨줘야 하는 거 아니냐고 중얼거렸다.

"당신이 엄마와 아빠를 꼭 데려가야만 했다면 빌어먹을 돈은 남겨놨어야지!" 그는 천장을 보며 소리쳤다.

그런 다음 오베는 짐을 싸서 나왔다. 신이나 다른 누군가가 그의 말을 듣고 있는지 아닌지 그는 전혀 몰랐다. 그저 오베가 탈의실 밖으로 나왔을 때, 한 남자가 상무이사 사무실 앞에 서서 그를 기다리고 있는 걸 보았다.

"오베?" 그가 물었다.

오베가 고개를 끄덕였다.

"이사님이 지난 이 주 동안 무척 잘해줬다고 감사를 표하고 싶어 하셔." 남자가 짧고 간결하게 말했다.

"고맙습니다." 오베는 그렇게 대답하고는 떠나려 했다. 남자가 오베의 팔을 잡았다. 오베가 멈췄다.

"이사님이 네가 여기 남아서 일을 계속 하는 데 관심이 있는지 알고 싶어 하시던데."

오베는 조용히 서서 남자를 바라보았다. 아마 이게 무슨 농담 같은 건가 확인하고 싶은 모양이었다. 그러다 천천히 고개를 끄덕였다. 오베가 몇 걸음 옮겼을 때 남자가 뒤에서 소리쳤다.

"이사님 말씀으론 네가 부친이랑 똑같다더라!"

오베는 돌아보지 않았다. 하지만 그는 걸어가며 등을 꼿꼿이 폈다.

그게 오베가 아버지의 낡은 부츠를 신게 된 연유였다. 그는 열심히 일했고, 결코 불평하지 않았으며, 앓아눕지도 않았다. 그와 같은 교대 조에 속한 조원들은 그가 말이 좀 없는 편이고 그에 더하여 살짝 별나다는 사실을 알아차렸다. 그는 일이 끝난 다음에 조원들과 같이 맥주를 마시고 싶어 하지 않았고 여자에도 흥미가 없어 보였는데, 그 사실만으로도 충분히 이상해 보였다. 하지만 그는 아버지와 판박이였고, 그래서 무슨 일에건 사람들에게 불평을 하지 않았다. 도움을 요청하면 그 일을 맡았고, 근무 교대를 부탁해도 별말 없이 해줬다. 시간이 지나자 사람들 모두 오베에게 한두 가지는 빚을 지게 됐다. 그래서 그들은 오베를 받아들였다.

그해 최악의 폭우가 쏟아지던 어느 날 밤, 철로를 오르내릴 때 쓰곤 했던 낡은 트럭이 마을 20킬로미터 밖에서 고장이 났을 때, 오베는 드라이버 하나와 거즈 테이프 반 통만 가지고 트럭을 수리해냈다. 그 뒤로 철로에서 일하는 사람들 사이에서 오베는 '괜찮은 녀석'으로 인정받았다.

저녁이면 그는 소시지와 감자를 데쳤고, 식사를 하는 동안 부엌 창을 통해 바깥을 멀거니 바라보았다. 그리고 다음 날 아침에는 일을 하러 나갔다. 그는 이런 일과가 좋았다. 늘 벌어질 일을 예상할 수 있어서 좋았다. 아버지가 죽고 난 뒤로, 그는 해야 할 일을 하는 사람들과 그렇지 않은 사람들 사이에 점점 더 차별을 두었다. 실천하는 사람과 말만 하는 사람들을 구별했다. 오베는 점점 더 말을 줄이고 점점 더 실천을 했다.

오베는 친구가 없었다. 반면 적도 거의 없었다. 톰을 제외하고는. 톰은 현장 주임으로 승진하고 나서부터 오베의 인생을 가능한 한 피곤하게 만들고자 갖은 애를 썼다. 그는 오베에게 가장 더럽고 힘든 일을 맡겼고, 소리를 질러댔으며, 아침 식사 때 발을 걸어 넘어뜨렸다. 객차를 점검하라며 보내놓고는 오베가 선로 위에 무방비하게 누워 있을 때 객차를 작동시켰다. 오베가 놀라 몸을 던져 간신히 빠져나오자 톰은 경멸하듯 웃으며 소리를 질렀다. "조심하라고, 안 그러면 네 아비처럼 될 테니까!"

하지만 오베는 고개를 숙인 채 입을 다물었다. 자기보다 두 배나 큰 사내에게 도전할 이유가 없었다. 그는 매일 출근하여 떳떳이 지냈다. 아버지도 그렇게 해서 잘 살았으니 오베도 그렇게 해야 했다. 오베의 동료들은 그의 진가를 알게 되었다. "말을 많이 안 하는 사람은 헛소리도 안 퍼뜨리지." 어느 날 오후 철로를 따라 내려가던 중 작업장 선배 중 하나가 그에게 말했다. 오베는 고개를 끄덕였다. 사람들은 어떤 건 이해하고, 어떤 건 이해하지 못했다.

마찬가지로 오베가 어느 날 이사의 사무실에서 한 행동을 이해하는 사람이 있었고, 그렇지 못하는 사람이 있었다.

오베 아버지의 장례식이 있고 나서 거의 2년이 다 되던 날이었다. 오베는 막 열여덟이 되었다. 톰이 객차에 떨어져 있던 돈을 훔치다 발각되었다. 오베를 제외하면 공식적으로 톰이 돈을 훔치는 걸 본 사람은 없었다. 돈이 사라졌을 때 객차에 있던 사람은 톰과 오베 둘뿐이었다. 이사 사무실에서 나온 진지한 남자가 톰과 오베에게 언제 사무실에 출석해야 하는지 설명하는 동안, 누구도 오베가 범인이라고는 생각하지 않았다. 물론 그는 범인이 아니었다.

오베는 사무실 바깥 복도에 있는 나무 의자에 앉아 기다렸다. 그는 사무실 문이 열리기 전 15분 동안 복도 바닥을 내려다보았다. 톰이 밖으로 나왔다. 어찌나 단호하게 주먹을 쥐고 있던지 피부에 핏기가 하나도 없었고 팔 아랫부분이 창백했다.

그는 계속 오베와 눈을 마주치려 애썼다. 오베는 사무실로 불려 들어갈 때까지 그저 바닥만 내려다봤다.

정장 차림에 훨씬 심각한 표정을 지은 남자들이 방 안에 이리저리 퍼져 있었다. 이사는 책상 뒤에서 앞뒤로 몸을 흔들고 있었다. 얼굴이 붉으락푸르락한 것으로 미루어 짐작건대 너무 화가 나서 가만히 있을 수가 없는 모양이었다.

"앉겠나, 오베?" 정장을 입은 남자 중 하나가 말했다.

그의 시선이 오베에게 닿았고, 오베는 그가 누군지 알아봤다. 아버지가 예전에 그의 자동차를 고쳤다. 파란색 오펠 만타.* 엔진이 컸다. 그는 오베에게 우호적인 미소를 짓고 나서 사무실 가운데 놓인 의자를 대충 가리켰다. 마치 지금 친구들 사이에 있으니 긴장 풀어도 된다는 사실을 알려주기라도 하듯.

오베는 고개를 저었다. 오펠 만타를 타는 남자가 알겠다는 듯 고개를 끄덕였다.

"자, 보자. 이건 그냥 형식적인 거야, 오베. 여기 있는 누구도 네가 돈을 훔쳤다고 생각하지 않아. 네가 할 일은 누가 그랬는지 우리에게 말해주는 거다."

오베는 바닥을 보았다. 30초가 흘렀다.

---

* The Opel Manta. 1970년에서 1988년 사이에 생산된 후륜 구동 스포츠 쿠페.

"오베?"

오베는 대답하지 않았다. 마침내 이사의 거친 목소리가 정적을 깼다. "질문에 대답해, 오베!"

오베는 말없이 서 있었다. 계속 바닥을 보면서. 정장을 입은 남자들의 표정이 확신에서 혼란으로 살짝 변했다.

"오베. 질문에 대답해야 한다는 건 알고 있겠지. 네가 돈을 훔쳤니?"

"아뇨." 오베가 차분한 목소리로 말했다.

"그럼 누가 그랬지?"

오베는 말없이 서 있었다.

"질문에 대답해!" 이사가 명령했다.

오베가 고개를 들고 자세를 꼿꼿이 했다.

"저는 다른 사람이 하는 행동을 일러바치는 사람이 아닙니다." 그가 말했다.

방 안이 침묵에 빠졌다. 최소 몇 분은 그랬음에 틀림없었다.

"너 알고는 있는 거냐, 오베? 만약 네가 우리에게 누가 그랬는지 말하지 않는다면, 그리고 만약 돈을 훔친 게 너라고 증언하는 목격자가 한둘이라도 나오면 우리는 네가 그랬다는 결론을 내려야 한다는 것 말이다." 이사가 말했다. 이제는 우호적인 태도가 아니었다.

오베는 고개를 끄덕였지만 더는 입을 열지 않았다. 이사가 그를 뜯어보았다. 마치 오베가 카드 게임에서 속임수를 쓰는 사람이기라도 하듯. 오베의 얼굴은 미동도 없었다. 이사가 엄격하게 고개를 끄덕였다.

"가도 좋다."

오베는 방을 나왔다.

톰은 15분 전에 이사 사무실에서 오베에게 책임을 덮어씌웠다. 그날 오후, 톰의 조에서 일하는 젊은 친구 둘이 와서 선배의 인정을 받는 후배가 되고픈 듯 열성적으로 오베가 돈을 훔치는 걸 두 눈으로 똑똑히 봤다고 주장했다. 만약 오베가 톰을 지목했다면 말이 서로 엇갈렸을 것이다. 하지만 이제 톰의 말과 오베의 침묵이 맞서는 형국이었다. 다음 날 아침 반장은 오베에게 사물함을 비우고 상무이사 사무실 앞에 가 있으라고 했다.

톰은 탈의실 문 밖에 기다리고 서 있다가 오베가 떠날 때 조롱을 퍼부었다.

"도둑놈." 톰이 야유했다.

오베는 눈을 들지 않고 그를 지나쳤다.

"도둑놈! 도둑놈! 도둑놈!" 오베에게 불리한 증언을 한 젊은 직원 중 하나가 탈의실이 떠나가라 즐겁게 노래를 부르다가 나이 든 조원에게 귓방망이를 얻어맞고는 조용해졌다.

"도둑놈!" 톰이 보란 듯 소리를 질렀다. 어찌나 크게 소리를 질렀던지 며칠이 지나도록 그 소리가 오베의 머리에서 울렸다.

오베는 뒤돌아보지 않고 저녁 공기 속으로 걸어 나갔다. 그는 심호흡을 했다. 그는 잔뜩 화가 나 있었지만, 그건 그들이 오베를 도둑이라 불러서가 아니었다. 그는 다른 사람들이 자길 뭐라 부르든 결코 개의치 않았다. 자신은 방금 아버지가 평생을 바쳤던 직장을 잃었다. 그로 인한 부끄러움이 그의 가슴속에서 새빨간 부지깽이처럼 타올랐다.

작업복을 꽉 붙든 채 마지막으로 사무실을 향해 걸어가는 동안 자기 인생을 돌이켜 생각할 수 있었다. 그는 여기서 일하는 게 좋았다. 제대로 된 작업을 하고 제대로 된 도구를 갖춘 진짜 직업. 그는 이런 상황에 경찰이 도둑에게 하는 조치들을 다 겪고 나면, 비슷한 종류의 직업을 얻을 수 있는 다른 곳으로 떠나봐야겠다고 결심했다. 멀리까지 가야 할지도 모른다고 그는 생각했다. 범죄 기록이 엷어지고 무의미해지려면 지리적으로 꽤나 멀리 떨어져 있을 필요가 있게 마련이다. 그는 자기가 여기서 지켜야 할 게 아무것도 없다는 사실을 깨달았다. 하지만 최소한 그는 고자질이나 하고 다니는 인간은 되지 않았다. 그는 혹시 그들이 다시 만날 경우, 아버지가 이 점을 참작해 오베가 실직한 걸 좀 더 관대하게 받아주길 희망했다.

꽉 끼는 검은색 스커트에 끝이 뾰족한 안경을 쓴 중년 여인 한 명이 나와 사무실로 들어가라고 말할 때까지, 오베는 복도의 나무 의자에 40분 가까이 앉아서 기다려야 했다. 그녀가 등 뒤에서 문을 닫았다. 오베는 여전히 작업복을 손에 든 채 방 안에 섰다. 상무 이사는 깍지 낀 손을 책상에 올려놓은 채 앉아 있었다. 두 남자는 각자가 박물관에 걸린 별나기 그지없는 그림이라도 되는 것처럼 서로를 오랫동안 관찰했다.

"돈을 훔친 건 톰이었지." 이사가 말했다. 질문이 아니라 짧은 긍정문으로.

오베는 대답하지 않았다. 이사가 고개를 끄덕였다.

"하지만 네 집안 남자들은 그런 걸 말하는 사람이 아니고."

역시 질문이 아니었다. 오베는 답변하지 않았다.

이사는 오베가 '네 집안 남자들'이라는 말에 살짝 허리를 꼿꼿이 폈다는 걸 알아차렸다.

이사가 다시 고개를 끄덕였다. 안경을 쓴 다음 서류를 훑어보더니 뭔가 쓰기 시작했다. 그 순간 오베가 방에서 나가기라도 한 것처럼. 오베가 그의 앞에서 정말 오랫동안 서 있었고, 이사가 자기 존재를 알고는 있는 건가 진지하게 의심하기 시작할 무렵 그가 고개를 들었다.

"할 말 있나?"

"남자는 행동으로 보여주기 때문에 남자인 겁니다. 말이 아니라요." 오베가 말했다.

이사가 놀라서 그를 보았다. 이 소년이 2년 전 이 철도 회사에서 일하기 시작한 이후로 사람들에게 한 말 중 가장 긴 문장이었다. 솔직히 말해 오베도 이 말이 어디서 나왔는지 몰랐다. 그저 그렇게 말해야 한다고 느꼈을 뿐이었다.

이사가 다시 서류로 고개를 숙였다. 거기 뭔가 썼다. 책상 위에서 서류 한 장을 오베 쪽으로 밀었다. 오베가 서명해야 할 곳을 가리켰다.

"이건 네가 자발적으로 일을 그만뒀다는 진술서다." 그가 말했다. 오베가 서명하고 몸을 일으켰다. 얼굴에 단호한 표정이 떠올라 있었다.

"들어오라고 하셔도 됩니다. 전 준비됐어요."

"누굴?" 이사가 물었다.

"경찰요." 그가 주먹을 꼭 쥔 채 말했다.

이사는 고개를 설레설레 젓고는 다시 서류를 뒤적였다.

"아무래도 서류가 이렇게 어질러져서 목격자 진술이 분실된 것 같은데."

오베는 이 말에 어떻게 반응해야 할지 몰라 무게 중심을 양 발로 번갈아가며 옮겼다. 이사가 그를 보지 않은 채 손을 흔들었다.

"이제 가봐도 된다."

오베가 돌아섰다. 복도로 나왔다. 문을 닫았다. 마음이 가벼워졌다. 막 정문까지 갔는데 처음에 오베를 들여보냈던 여자가 힘찬 걸음으로 다가와 그를 붙잡고는 저항할 시간도 주지 않고 그의 손에 서류를 밀어 넣었다.

"이사님께서 네가 장거리 열차 야간 청소부로 채용됐다는 걸 전달해주라고 하셨어. 현장 주임한테는 내일 아침에 말씀해두시겠대." 그녀가 단호하게 말했다.

오베가 그녀의 얼굴을 보고, 서류를 보았다. 그녀가 몸을 가까이 기울였다.

"이 얘기도 전해달라고 하셨어. 너는 아홉 살 때도 지갑을 훔치지 않았다고. 그러니 이제 와서 네가 뭔가 훔친다면 자기는 무척이나 당혹스러울 거라고. 성실한 남자의 아들을, 단지 그애가 원칙을 갖고 산다는 이유로 거리로 내쫓게 된다면 빌어먹게도 안타까운 일일 거라고 그러셨어."

그래서 오베는 쫓겨나는 대신 야간 청소원이 되었다. 만약 이일이 벌어지지 않았다면 그는 그날 아침 자기 조를 떠날 일이 결코 없었을 테고, 그녀를 보는 일도 일어나지 않았으리라. 그 빨간 구두와 금 브로치와 윤기 나는 갈색 머리도. 또한 남은 평생 동안 누군가 맨발로 그의 가슴속을 뛰어다니는 것 같은 느낌을 주게 될 그녀의 웃는 모습도 볼 일이 없었으리라.

그녀는 종종 "모든 길은 원래 당신이 하기로 예정된 일로 통하게 돼 있어요"라고 말했다. 그녀에게 그 '원래 당신이 하기로 예정된 것'은 아마도 '무엇'이었으리라.

하지만 오베에게 그건 '누군가'였다.

9
오베라는 남자가
라디에이터 증기를 빼다

뇌는 죽어가는 동안 더 빨리 기능한다고 한다. 마치 운동 에너지가 갑작스럽게 폭발하면서 뇌의 움직임이 가속화하는 바람에 외부 세계의 움직임이 슬로우 모션으로 인식되기라도 하듯.

그래서 오베는 많은 일들을 생각할 시간이 있었다.

주로 라디에이터에 대해.

모두가 알고 있듯, 일을 하는 데는 옳은 방법과 그른 방법이 있게 마련이다. 무척 오래 전 일이었고, 주민 자치회에서 어떤 중앙난방 시스템을 채택해야 하는지에 대한 논쟁이 벌어졌을 때 자신이 올바른 해결책이라 주장했던 게 뭐였는지 오베도 더 이상은 기억하지 못했지만, 루네의 접근법이 틀린 쪽이었다는 사실만큼은 똑똑히 기억했다.

하지만 그 일은 그저 중앙난방 시스템 문제가 아니었다. 루네와 오베는 40년 가까이 서로를 알고 지냈고, 그중 최소한 37년을 다투면서 보냈다.

솔직히 말해, 오베는 이 모든 게 어떻게 시작되었는지 기억하지 못했다. 이건 어디서 시작되었는지 정확히 기억해서 시시비비를 가리는 종류의 문제가 아니었다. 그보다는 사소한 의견의 불일치가 얼기설기 얽히다가 배반의 부비트랩이 설치된 말들을 내뱉고, 끝내는 예전 다툼에서 매설됐던 불발 지뢰들을 최소 네 개쯤 터뜨리지 않고서는 입 밖으로 말을 꺼낸다는 게 가당치도 않을 지경이 돼버린 논쟁이었다. 그저 앞으로 달리고, 달리고, 달려가기만 하는, 누군가 나가떨어질 때까지 달리는 논쟁.

정확히 말하자면 사실 자동차 문제는 아니었다. 하지만 어쨌거나 오베는 사브를 몰았다. 그리고 루네는 볼보를 몰았다. 그들 사이가 결국엔 꼬이리라는 건 누가 봐도 명확했다. 그래도 처음에 그들은 친구였다. 혹은, 최소한 오베와 루네 같은 남자들이 누군가와 친구가 될 수 있을 정도만큼은 친구였다. 그건 분명 대부분 그들의 아내 덕이었다. 네 명 모두 같은 날 이 동네에 이사를 왔고, 오베와 루네 같은 남자들과 결혼한 여자들답게 소냐와 아니타는 만난 그 즉시 절친이 되었다.

오베는 자기가 기억하는 한 처음 몇 년은 적어도 루네를 싫어하지 않았다는 사실을 떠올렸다. 그들은 주민 자치회의 설립 멤

버였고, 오베가 회장, 루네가 부회장이었다. 시의회에서 주택을 더 짓기 위해 오베와 루네의 집 뒤편 숲을 베어 넘기기 원했을 때 그들은 하나로 뭉쳤다. 물론 의회에서는 이 건설 계획이 루네와 오베가 입주하기 몇 년 전부터 정해진 것이라고 주장했지만, 그런 식의 논법은 루네와 오베에게는 씨알도 안 먹히는 소리였다. "전쟁이다, 개자식들아!" 루네가 전화기에 대고 그들에게 소리를 질렀다. 실제로 전쟁이었다. 끝없는 호소와 서한과 청원과 신문 투고. 1년 반 뒤 의회는 두 손을 들고 다른 곳에 주택을 짓기 시작했다.

그날 저녁 루네와 오베는 루네의 집 테라스에서 위스키를 한 잔씩 마셨다. 아내들은 그들이 승리에 대해 그다지 기뻐하는 듯 보이지 않는다고 지적했다. 사실 두 남자 모두 의회가 그렇게 빨리 포기를 해버린 데 대해 다소 실망해 있었다. 인생에서 가장 즐거웠던 18개월이었는데.

"자기 원칙을 걸고 싸울 준비가 된 사람들이 더 이상 세상에 없는 걸까?"

루네가 물었다.

"하나도 없지." 오베가 대답했다.

그런 뒤 그들은 싸울 가치가 없었던 적에게 건배를 했다.

물론 주민 자치회에서 쿠데타가 일어나기 훨씬 오래 전 일이었다. 루네가 BMW를 구입하기 전이기도 했고.

'머저리.' 루네가 BMW를 산 그날 오베는 그렇게 생각했다.

그리고 이토록 오랜 세월이 지난 오늘도. 정확히 말하자면 하루도 빠짐없이 매일.

"BMW 따위를 사는 인간하고 도대체 어떻게 합리적인 대화를 할 생각이 들겠냐고."

소냐가 어째서 그 두 남자가 더는 합리적인 대화를 나누지 않는지 궁금해할 때마다 오베는 그렇게 되묻곤 했다. 그러면 그 시점에 소냐는 눈을 굴리며 이렇게 투덜거리는 것 외에는 다른 방도가 없다는 사실을 깨닫곤 했다. "당신 구제불능이에요."

오베는 구제불능이 아니었다. 자기 생각엔. 그는 그저 보다 큰 견지에서 모종의 질서가 존재할 필요가 있다는 감을 갖고 있을 뿐이었다. 그는 모든 것이 교환 가능한 것인 양, 마치 헌신이 아무 가치가 없는 양 인생을 살아가서는 안 된다고 느꼈다. 오늘날에는 사람들이 물건을 너무 자주 바꾸는 나머지 물건이 오랫동안 유지되도록 하는 전문 기술이 불필요한 것으로 취급됐다. 누구도 품질에 더 이상 신경쓰지 않았다. 루네도, 다른 이웃도, 오베가 일했던 직장의 관리자들도. 이제는 모든 것이 전산화되어야 했다. 꽉 끼는 셔츠를 입은 컨설턴트들이 노트북의 뚜껑 여는 방법을 알아내기 전까지 아무도 집 한 채 지은 적 없었던 것처럼. 마치 그게 그 옛날 콜로세움과 기자의 피라미드를 세운 방법이기라도 했던 것처럼. 맙소사, 사람들은 1889년에 에펠탑을 세웠는데 이제는 휴대 전화를 재충전하기 위해 휴식 시간을 갖지 않고서는 1층짜리 집의 빌어먹을 도면 하나 못 그려냈다.

이 세상은 한 사람의 인생이 끝나기도 전에 그 사람이 구식이 되어버리는 곳이었다. 더 이상 누구에게도 무언가를 제대로 해낼 능력이 없다는 사실에 나라 전체가 기립 박수를 보내고 있는 상황이었다. 범속함을 거리낌 없이 찬양해댔다.

아무도 타이어를 갈아 끼우지 못했다. 전등 스위치 하나 설치 못했다. 바닥에 타일도 못 깔았다. 벽에 회반죽도 못 발랐다. 자기 세금 장부 하나 못 챙겼다. 왜 있어야 하는지에 대한 타당성을 잃어버린 형태의 지식들만 넘쳐났다. 한때 이런 이야기들을 루네와 했다. 그랬는데 루네는 가서 BMW를 샀다.

세상일에 정도가 있어야 한다고 믿는 게 구제불능인가? 오베는 그렇게 생각하지 않았다.

맞다. 오베는 루네와의 논쟁이 어떻게 시작되었는지 정확히 기억하지 못했다. 하지만 논쟁은 계속되었다. 논쟁은 라디에이터와, 중앙난방 시스템과, 주차 구역과, 베어야 하는 나무들과, 눈 청소와, 잔디 깎는 기계와, 루네의 집 연못에 놓은 쥐약으로 이어져 왔다. 그들은 35년이 넘도록 똑같이 생긴 집 뒤에 있는 똑같이 생긴 테라스를 서성거리며 울타리 너머로 서로를 의미심장하게 노려보았다. 그러나 약 1년 전 어느 날, 모든 게 끝났다. 루네가 병에 걸렸다. 그는 더 이상 집 밖으로 나오지 않았다. 오베는 그가 여전히 BMW를 갖고 있는지도 알지 못했다.

한편으로 그는 그 빌어먹을 영감탱이를 그리워했다.

흔히들 말하길 '뇌는 죽어갈 때 훨씬 빠른 속도로 돌아간다'고 한다. 찰나의 순간에도 수천 가지 생각을 할 수 있는 것이다. 다시 말해 오베에게는 발판을 걷어찬 다음 밧줄에 매달려 분노에 차 허우적거리다가 마루에 착륙할 때까지 생각할 시간이 많았던 셈이다. 그는 바닥에 등을 대고 누워, 여전히 천장에 매달려 있는 고리를 바라보느라 영원이라는 시간의 절반 정도를 썼다. 그러다 놀란 듯 밧줄을 자세히 확인했다. 밧줄은 가운데가 뚝 끊어져 두 개의 가닥이 되어 있었다.

이놈의 세상. 오베가 생각했다. 이젠 더 이상 밧줄도 제대로 만들지 못한단 말인가? 그는 화가 잔뜩 치밀어 오른 채 엉킨 다리를 바로잡으려고 애쓰면서 실컷 욕을 퍼부었다. 세상에, 어떻게 밧줄 하나 만드는 것도 실패할 수 있지? 뭘 어떻게 하면 밧줄을 잘못 만들 수 있냐고!

역시 더 이상 이 세상에 품질 따윈 존재하지 않는다고, 오베는 결론을 내렸다. 그는 자리에서 일어나 몸을 툭툭 털고는 집의 방들과 1층을 둘러봤다. 뺨이 화끈거리는데 그게 분노 때문인지 민망함 때문인지는 확실히 알 수 없었다.

그는 창문과 창문에 친 커튼을 보았다. 누가 자길 볼까봐 걱정이라도 되는 양.

참 빌어먹게도 전형적이지 않나, 라고 그는 생각했다. 이제 분별 있는 방식으로는 자살도 못 하는 세상이었다. 그는 끊어진 밧줄을 집어 들어 부엌 쓰레기통에 버렸다. 비닐 시트는 접어서 이케아 가방에 쑤셔 넣었다. 해머액션 드릴과 드릴 비트를 케이스에 챙겨 넣었다. 그런 다음 밖으로 나가 그것들을 전부 헛간에 도로 넣었다.

오베는 헛간 앞에 잠시 서 있다가 소냐가 항상 이곳을 깔끔하게 해두라는 잔소리를 어떻게 하곤 했는지 생각했다. 그는 항상 그걸 거부했었는데, 새로 빈 공간이 생기면 쓸데없는 물건들을 사서 채워 넣을 구실이 된다는 걸 알아서였다. 말끔히 정리하기엔 너무 늦었다는 사실을 그는 확인했다. 밖에서 쓸모없는 물건을 사들이고 싶어 하는 사람이 더 이상 집에 없으니까. 이제 정리해봤자 텅텅 빈 공간밖에는 안 남을 거였다. 오베는 빈 공간을 싫어했다.

그는 작업대로 가서 조정식 스패너와 작은 플라스틱 물통을 집었다. 그는 밖으로 나와 헛간 문을 잠그고 문손잡이를 세 번 당겼다. 그러고는 주택 사이로 난 좁은 보도를 따라 내려가다 마지막 집 우체통에서 길을 벗어난 다음 문으로 다가가 초인종을 눌렀다. 아니타가 문을 열었다. 오베는 말없이 그녀를 보았다. 그녀 뒤로 공허한 눈빛으로 창밖을 보며 휠체어에 앉아 있는 루네가 보였다. 최근 몇 년간 그가 해낸 일은 그게 전부인 것 같았다.

"그래, 그 라디에이터는 어디 있죠?"

오베가 투덜거리며 말했다. 아니타는 놀란 듯 살짝 미소를 짓더니 혼란과 희망이 뒤섞인 듯한 태도로 고개를 끄덕였다.

"오, 오베, 정말로 친절하세요. 만약 이게 너무 폐가 되지 않는다면⋯⋯."

　오베는 그녀가 말을 마치도록 놔두지 않기 위해 신발 벗을 새
도 없이 현관으로 들어갔다.

　"네, 뭐. 어차피 이 형편없는 하루는 진작 망쳤으니까요."

10
오베였던 남자와
오베가 지은 집

열여덟 살 생일이 지나고 일주일 뒤 오베는 면허 시험을 통과했고, 광고를 보고 나서 자신의 첫 차, 즉 파란색 사브 93을 사러 25킬로미터를 걸어갔다. 그는 차 값을 지불하기 위해 아버지의 낡은 사브 92를 팔았다. 솔직히 말해 그 차는 아버지의 차보다 약간 새것이긴 했지만 무척 낡은 사브 93이었다. 그래도 오베는 남자란 자기 차를 사기 전까지는 진정한 남자가 아니라고 느꼈다. 실제로 그랬다.

나라에 변화가 일어나던 시절이었다. 사람들은 이사를 하고 새로운 직업을 찾고 TV를 샀으며, 신문은 '중산층'에 대해 이야기하기 시작했다. 오베는 이 중산층이라는 게 뭔지는 잘 몰랐지만 자기가 거기에 속하지 않는다는 건 잘 알았다. 중산층들은 우뚝 선 벽과 섬세하게 손질된 잔디밭이 마련된 신축 주택 개발 단지로 이사 왔고, 오베는 부모님의 집이 개발 진행 중인 경로에 세워져 있다는 사실을 점점 더 또렷이 깨닫게 되었다. 이 중산층이라고 불리는 사람들이 좋아하지 않는 게 있다면, 그건 개발 경로를 가로막고 서 있는 모든 것이었다.

오베는 시의회로부터 '시 경계선 재획정'이라는 제목이 붙은 문서를 여러 통 받았다. 그는 편지 내용을 정확히 이해하지는 못했지만, 부모님의 집이 거리에 새로 지어진 집들의 틈바구니에서 어울리지 않는다는 사실은 이해했다. 시의회는 오베가 자신들에게 땅을 팔아야 한다고, 그래야 집을 헐고 그 자리에 다른 집을 지을 수 있다는 그들의 입장을 통지했다.

오베는 무엇 때문에 자기가 그걸 거절했는지 확실히 몰랐다. 시의회가 보낸 문서의 말투가 마음에 안 들어서였을 수도 있다. 혹은 그 집이 자기가 가족에게서 물려받은 전부라서 그랬는지도 모른다.

사정이야 어쨌든 간에, 그는 그날 저녁 자기 첫 차를 정원에 주차시켰고, 몇 시간 동안 운전석에 앉아 집을 응시했다. 집은 솔직히 말해 노후했다. 아버지의 전문 분야는 기계였지 건축이 아니었고, 오베라고 딱히 나을 건 없었다. 최근에 그는 부엌과 부엌에 바로 연결된 작은 방만 사용했고, 1층 전체는 쥐들이 여흥을 즐기며 짓밟고 다니는 공터로 서서히 바뀌고 있었다. 그는 마치 자기가 끈기 있게 기다리기만 하면 집이 스스로를 수리할 거라고 기대하듯 차에 앉아서 집을 지켜보았다. 집은 정확히 두 개의 시(市) 당국의 경계선에, 지도상에서는 어느 쪽으로든 갈 수 있는 선 위에 위치해 있었다. 오베의 집은 숲 가장자리에 위치한 쇠락한 작은 마을의 변두리에 있었고, 바로 옆에는 양복을 입은 사람들이 가족을 데리고 이사를 오는, 반짝거리는 주거 단지가 있었다.

양복쟁이들은 소멸 예정인 거리의 마지막 집에 사는 외로운 청년을 좋아하지 않았다. 양복쟁이의 아이들은 오베의 집 주변에서 노는 게 금지되었다. 양복쟁이들은 자신의 집 부근에 다른 양복쟁이들이 사는 걸 선호했고, 오베는 그 점을 이해하게 되었다. 물론 그는 그 점에 대해 딱히 불만은 없었다. 하지만 그들은 오베의 동네로 이사 온 사람들이었다. 다른 곳이 아니라.

그리하여, 몇 년 만에 처음으로 심장을 빨리 뛰게 만드는 기묘한 반항심이 꽉 찬 상태로 오베는 시의회에 집을 팔지 않기로 결정했다. 그는 정반대로 굴기로 했다. 수리하기로.

물론 어떻게 해야 할지는 전혀 몰랐다. 그는 냄비를 만들 때 사용된 열장이음*에 대해서도 몰랐다. 그의 근무 시간이 새로 개편되면서 낮 시간이 완전히 자유로워졌고, 그 길로 근처의 건설 현장으로 가서 일자리에 지원했다. 그는 이곳이 건축에 대해 배울 수 있는 최적의 장소라고 생각했고, 어쨌거나 잠을 많이 잘

---

* a dovetail(joint). 건축이나 목공에서 한 부재에는 주먹장을 내고 다른 부재에는 주먹장 구멍을 파서 물리게 하는 길이이음. 이음 부분이 새 꼬리처럼 생겼다.

필요도 못 느꼈다. 작업반장은 그에게 제안할 수 있는 건 막노동 밖에 없다고 말했다. 오베는 받아들였다.

그는 밤에는 도시 바깥의 남쪽으로 향하는 철로에서 쓰레기를 주웠다. 그리고 세 시간 정도 잠을 자고 남은 시간은 골조를 오르락내리락하고 단단한 모자를 쓴 사람들이 건축 기술에 대해 이야기하는 걸 듣는 데 사용했다. 일주일에 하루를 쉬었는데, 그때는 혼자 열여덟 시간씩 땀을 뻘뻘 흘리며 시멘트 자루와 나무 들보를 끌고 왔다 갔다 했다. 사브와 손목시계를 제외하고 그의 부모가 그에게 남겨준 유일한 유산을 부수는 동시에 새로 지었다. 오베의 근육은 튼실해졌다. 그는 일을 빨리 배웠다.

건설 현장의 작업반장은 이 열심히 일하는 청년을 마음에 들어했고, 어느 금요일 오후 오베에게 버려진 판자들 한 무더기를 줬다. 갈라지는 바람에 소각할 예정이었던 맞춤 목재였다.

"내가 어쩌다 한눈을 팔았는데 그때 마침 네가 필요한 자재가 제 발로 사라지면, 네가 그걸 태워버렸다고 쳐주마." 작업반장은 그렇게 말했다.

건설 현장에 오베가 집을 짓고 있다는 소문이 퍼지자 몇몇 선배들이 가끔 오베에게 그 일에 대해 물어봤다. 오베가 거실 벽을 뚝딱 만들었을 때, 앞니가 흔들거리고 강단 있는 체구를 가진 동료 한 명은 오베에게 애초부터 잘 아는 것도 없는 이 머저리를 좀 보라며 20분 동안 떠들고 나서 하중을 견디는 한도 계산법을 가르쳐주었다. 오베가 부엌에 마루를 깔았을 때, 한쪽 새끼손가락이 없는 육중한 체격의 동료는 오베더러 멍청이라고 서른여섯 번 불러재낀 다음에 치수를 제대로 재는 법을 알려주었다.

어느 날 오후, 오베는 근무를 마치고 집에 갈 준비를 하다가 옷 옆에 중고 도구들로 가득 찬 조그만 공구 상자가 놓여 있는 걸 발견했다. 상자에는 간단한 문구가 적힌 쪽지가 딸려 있었다. '애송이에게.'

집이 천천히 모양을 갖췄다. 하나하나 나사가 박히고 차례차 례 바닥재가 깔렸다. 물론 아무도 그 모습을 보지 못했지만 다른 사람이 꼭 볼 필요는 없었다. 작업이 잘 된다는 것만으로도 충분한 보상이었다. 오베의 아버지가 늘 그렇게 말했듯.

그는 이웃들과 할 수 있는 한 거리를 뒀다. 그는 그들이 자길 좋아하지 않는다는 걸 알았고, 그들에게 책잡힐 구실을 더 줘야 할 이유도 알지 못했다. 예외가 있다면 바로 옆집에 사는 노인과 그의 아내가 유일했다. 노인은 동네 전체에서 넥타이를 매지 않은 유일한 사람이었다.

오베는 아버지가 죽고 나서 하루걸러 하루마다 꼬박꼬박 새 들에게 먹이를 줬다. 어느 날 아침 딱 한 번 그걸 잊어버렸다. 다음 날 아침 그가 전날 빼먹은 부분을 만회하고자 나왔을 때, 하마터면 그는 새 먹이통 아래 울타리에서 그 노인과 거의 정면으로 충돌할 뻔했다. 나이 든 이웃이 그에게 모욕적인 시선을 던졌다. 노인의 손에는 새 먹이가 들려 있었다. 그들은 서로에게 한 마디도 하지 않았다. 오베는 고개만 끄덕였고, 노인도 살짝 고개를 끄덕였다. 오베는 집으로 돌아갔고, 그때 이후로 자기가 먹이를 줘야 할 날을 어기지 않겠다고 다짐했다.

그들은 결코 대화를 나누지 않았다. 하지만 어느 날 아침 노인이 현관 계단에 발을 디뎠을 때, 오베가 노인의 집 울타리를 칠하고 있었다. 그 일을 다 마치고 나서는 다른 쪽 울타리도 칠했다. 노인은 그에 대해 아무 말도 하지 않았지만, 그날 저녁 오베가 부엌 창가를 지나칠 때 그들은 서로에게 고개를 끄덕였다. 다음 날 오베의 현관 계단에 집에서 구운 사과파이가 놓여 있었다. 오베는 어머니가 죽은 뒤 집에서 만든 사과파이를 먹어본 적이 없었다.

오베는 시의회로부터 더 많은 통지서를 받았다. 그들의 말투는 점점 더 협박조로 변해갔고, 그가 아직도 자기들과 재산 매각 계약을 맺지 않았다는 사실을 불만스러워했다. 마침내 오베는 봉투를 뜯지도 않고 통지서를 버리기 시작했다. 만약 그들이 아버지의 집을 원한다면 여기 와서 빼앗을 수 있을 것이다. 톰이 아주 오래 전 그에게서 지갑을 빼앗으려 했던 것과 똑같은 방식으로.

며칠 뒤 아침, 오베는 이웃집 옆을 지나치다가 노인이 조그만 소년과 함께 새에게 먹이를 주는 모습을 봤다. 노인의 손자구나, 오베는 알아차렸다. 그는 침실 창문으로 몰래 그들을 지켜보았다. 노인과 소년은 낮은 목소리로, 마치 뭔가 대단한 비밀을 공유하고 있는 사람들처럼 이야기를 나눴다. 그 광경은 오베에게 무언가를 떠올리게 했다.

그날 밤 오베는 사브에서 저녁을 먹었다.

몇 주 뒤 오베는 집에 마지막 못을 박았고, 태양이 지평선 위로 떠올랐을 때 군청색 바지에 손을 찔러넣은 채 서서 자랑스러운 마음으로 자기가 해놓은 걸 살폈다.

그는 자기가 주택을 좋아한다는 사실을 발견했다. 아마도 그것들이 이해할 수 있는 존재라서 그랬으리라. 주택은 계산할 수 있었고 종이에 그릴 수 있었다. 방수 처리를 해놓으면 물이 새지 않았고, 튼튼하게 지어놓으면 무너지지 않았다. 주택은 공정했다. 공을 들인 만큼 값어치를 했다. 안타깝게도, 사람보다 나았다.

그렇게 시간이 흘렀다. 오베는 일하러 나갔다가 집으로 돌아와서 소시지와 감자를 먹었다. 친구가 없었지만 결코 외롭다고 느끼지 않았다. 그러던 어느 일요일, 오베가 판자를 옮기고 있는데 둥근 얼굴에 몸에 안 맞는 옷을 입은 쾌활한 인상의 남자 하나가 문간에 나타났다. 남자의 이마에서 땀이 흘렀고, 그는 오베에게 혹시 시원한 물 한 잔 있느냐고 물었다. 오베는 남자의 부탁을 거절할 이유가 없었고, 남자가 문간에서 물을 마시는 동안 그들 사이에 짧은 대화가 오갔다. 대화가 오갔다기보다는, 둥근 얼굴의 남자가 거의 혼자서 말했다. 그 남자가 주택에 지대한 관심을 갖고 있다는 사실이 밝혀졌다. 그도 마을의 다른 곳에서 자기 집을 짓고 있는 게 분명했다. 어찌어찌해서 둥근 얼굴의 남자는 오베의 부엌에서 커피 한 잔을 얻어마실 수 있게 되었다. 확실히 오베는 이런 뻔뻔스러운 행동에 익숙하지 않았지만, 집짓기에 대해 한 시간 남짓 대화를 나누다보니 부엌에서 때때로 손님과 같이 있는 게 그리 불쾌한 일은 아니라는 사실을 받아들이게 되었다.

남자는 떠나기 전 지나가는 말투로 오베의 집이 보험에 들어 있는지 물었다. 오베는 그 문제를 심각하게 생각해본 적이 없다고 솔직히 답했다. 그의 아버지는 보험 증서에 대해 그리 큰 관심이 없었다.

둥근 얼굴의 쾌활한 남자는 경악에 차서 오베에게 만약 이 집에 무슨 일이라도 벌어진다면 그거야말로 틀림없이 대참사가 될 것이라고 설명했다. 그가 늘어놓는 수많은 훈계를 주의 깊게 듣고 나서, 오베는 그의 말에 동의하지 않을 수 없다고 느꼈다. 그는 지금껏 그 문제를 깊이 생각해본 적이 없었다. 그렇게 생각하자 자기가 좀 바보스럽게 느껴졌다.

그런 다음 남자는 오베에게 전화를 써도 되는지 물었다. 오베는 괜찮다고 했다. 그가 이 더운 여름날 낯선 이에게 베풀어준 오베의 환대에 감동하여 답례할 방법을 찾아냈다는 사실이 밝혀졌다. 알고 보니 이 남자는 보험 회사에서 일하고 있었고, 오베에게 최상의 보험 견적서를 마련해줄 연줄이 있었던 것이다.

오베는 처음에는 미심쩍어했다. 그는 남자가 자격증이 있는지 다시 물었고, 그러자 그는 기꺼이 했던 말을 또 했다. 그러고 나서 오베는 괜찮은 가격을 협상하는 데 상당한 시간을 썼다.

"아주 터프한 사업가구나." 둥근 얼굴의 남자가 웃었다. 오베는 그 말을 듣자 뜻밖에도 자부심을 느꼈다. 터프한 사업가. 남자는 시계를 흘끗 보고는 오베에게 고맙다고 한 뒤 이제 진짜로 가 봐야겠다고 했다. 그는 떠나면서 오베에게 전화번호가 적힌 명함을 건네주었고, 다음에 다시 들러 커피를 마시며 주택 개조에 대해 더 이야기하고 싶다고 했다. 누군가 오베에게 친구가 되고 싶다는 소망을 내비친 건 그게 처음이었다.

오베는 둥근 얼굴의 남자에게 1년 치 보험료를 현금으로 지불했다. 그들은 악수를 했다.

둥근 얼굴의 남자는 다시는 그에게 연락하지 않았다. 한 번은 오베가 그에게 전화를 걸려고 해봤지만 아무도 받지 않았다. 그는 이내 찌르는 듯한 실망감을 느꼈지만 이 문제에 대해 다시 생각하지 않기로 했다. 최소한 다른 보험사의 외판원이 방문했을 때 아무런 양심의 가책 없이 이미 보험에 가입을 했다고 말할 수는 있었다. 그거면 됐다.

오베는 계속 이웃들을 피했다. 그는 그들과 아무 문제도 일으키고 싶지 않았다. 그러자 그 대신 안타깝게도 문제가 오베를 찾아 나서기로 결정한 것 같았다. 몇 주 뒤 집수리가 끝났고, 양복 입은 이웃 중 한 명이 강도를 당했다. 비교적 짧은 시간 동안 일어난 두 건의 강도질 중 두 번째였다. 다음 날 아침 일찍 양복쟁이들이 한데 모여 부실한 집에 사는, 이 일과 관련돼 있음에 틀림없는 젊은 건달에 대해 신중하게 토의를 했다. 그들은 오베가 '집 개조에 드는 돈을 전부 어디서 구했는지' 오베보다 더 잘 아는 것 같았다. 그날 저녁 누군가 오베의 집 문에 다음과 같이 적힌 쪽지를 꽂았다. '좋은 말로 할 때 여기서 떠나시오!' 다음 날 밤에는 창문으로 돌이 날아왔다. 오베는 돌을 집어 들고 유리를 갈아 끼웠다. 그는 양복쟁이들과 결코 맞서지 않았다. 그럴 이유도 없었다. 하지만 이사할 생각도 없었다.

다음 날 아침 일찍, 오베는 연기 냄새에 눈을 떴다.

오베는 즉시 침대에서 빠져나왔다. 머릿속에 맨 처음 떠오른 건 돌을 던진 사람이 누구였건 간에 그의 계획이 아직 끝난 게 아니었다는 사실이다. 계단을 내려가면서 그는 본능적으로 망치를 손에 쥐었다. 오베가 폭력적인 남자라서가 아니었다. 하지만 이 순간만큼은 확신할 수 없었다.

정면 베란다에 발을 디뎠을 때 그는 속바지만 입고 있었다. 지난 몇 달간 건축 자재들을 끌고 다니면서 오베는 자기도 모르는 새 인상적인 근육을 가진 청년이 되었다. 헐벗은 상체에 오른손 주먹에 망치를 꽉 쥐고 휘두르는 그의 모습이 나타나자 길에 모인 사람들은 순간적으로 화재에서 눈을 떼어 그를 보았고, 본능적으로 한 발짝 뒤로 물러섰다.

그리고 그때 오베는 불이 난 게 자기 집이 아니라는 사실을 깨달았다. 불은 옆집에서 난 것이었다.

양복쟁이들은 길에 서서 헤드라이트를 들여다보는 사슴들처럼 화재를 멀거니 바라보고만 있었다. 이웃집 노인이 연기 속에서 빠져나왔고, 아내는 그의 팔에 기대어 있었다. 그녀는 끔찍할 정도로 기침을 했다. 노인이 아내를 양복쟁이의 부인들 중 한 명에게 넘기고는 다시 불길로 돌아갔다. 양복쟁이들 여럿이 노인에게 소리를 지르며 화재 현장을 떠나라고 했다. "너무 늦었어요! 소방관들을 기다려요!"라고 그들이 소리쳤다. 노인은 듣지 않았다. 그가 불바다 안으로 발을 내디디려는데 불붙은 자재가 문지방으로 떨어졌다.

오베는 자기 집 문 앞에 서서 불어오는 바람을 정면으로 맞으며 사방으로 흩어진 불덩어리들로 인해 자기 집과 이웃집 사이의 마른 풀밭에 불이 붙은 것을 보았다. 잡아늘려진 것처럼 길고 긴 몇 초 동안 그는 자기가 할 수 있는 최선을 다해 이 상황을 어림해보았다. 만약 지금 호스로 물을 뿌리기 위해 뛰쳐나가지 않는다면 그의 집도 몇 분 안에 화마에 휩싸일 것이다. 그는 노인이 넘어진 책장을 밀고 집 안으로 들어가려 애쓰는 모습을 보았다. 양복쟁이들은 노인의 이름을 부르며 그를 멈추려 하고 있었지만, 노인의 아내는 다른 사람의 이름을 울부짖고 있었다.

손자 이름.

오베는 불씨가 풀밭을 따라 길을 내며 다가오는 모습을 보면서 뒤꿈치에 무게를 실었다. 솔직히 말해 그는 자기가 뭘 하고 싶은 것인지에 대해서는 깊이 생각하지 않았겠지만, 그의 아버지라면 어떻게 했을지에 대해서는 충분히 생각했으리라. 그런 생각이 뿌리를 내리고 나니 선택의 여지가 많지 않았다.

그는 투덜거리고, 짜증을 내며, 자기 집을 마지막으로 한 번 돌아보면서 이걸 짓는 데 얼마나 많은 시간이 들었는지 본능적으로 계산을 했다. 그러고는 불길을 향해 달려갔다.

집은 두텁고 끈적거리는 연기로 꽉 차 있어서 근처에만 가도 삽으로 얼굴을 얻어맞은 것 같았다. 노인은 넘어진 책장을 옮기려 분투하고 있었다. 책장이 문을 막고 있었다. 오베는 책장이 마치 종이로 만들어진 것이라도 되는 듯 옆으로 던져버린 뒤 계단으로 올라가는 길을 뚫었다. 그들이 새벽빛 속에 다시 나타났을 때, 노인은 검댕으로 덮인 팔에 소년을 안고 있었다. 오베는 가슴과 팔에 길쭉한 상처를 입은 채 피를 흘리고 있었다.

구경꾼들은 혼란에 빠져 소리를 지르며 이리저리 뛰어다닐 뿐이었다. 사이렌 소리가 공기를 꿰뚫었다. 제복을 입은 소방관들이 그들을 둘러쌌다. 여전히 속바지 차림에 폐가 따끔거리는 걸 느끼며, 오베는 첫 번째 불꽃이 자기 집을 기어오르는 광경을 봤다. 그는 잔디를 가로질러 뛰어갔지만 이내 소방관들에게 제지당했다. 별안간 그들이 사방을 둘러쌌다.

그리고 오베를 집에 못 들어가게 막았다.

하얀 셔츠를 입은, 오베가 이해한 바로는 일종의 소방대장으로 보이는 남자가 그의 앞에 다리를 쩍 벌리고 서서 오베가 자기 집의 불을 끄도록 놔둘 수는 없다고 설명했다. 너무 위험해서라고 그랬다. 그런 뒤 안타깝게도 소방관들 역시 관계당국에서 적법한 허가가 내려올 때까지는 불을 끌 수가 없다고 설명했다.

오베의 집이 정확히 시 경계선 위에 놓여 있었기 때문에, 지휘 센터에서 무전기로 승인을 해주어야만 그들이 진화 작업에 나설 수 있다는 것이었다. 허가가 나고 서류에 도장이 찍혀야 한다고 했다.

"규칙은 규칙이니까요." 오베가 항의하자 하얀 셔츠를 입은 남자가 단조로운 목소리로 설명했다.

오베는 몸부림을 치며 거기서 벗어난 뒤 분노에 차 호스를 향해 달려갔다. 하지만 헛된 일이었다. 소방관들이 이제 다 끝났다는 신호를 보냈다. 불길이 이미 집을 삼켜버렸다.

오베는 정원에 서서 무력함과 슬픔에 휩싸인 채 집이 불타는 광경을 지켜보았다.

몇 시간 뒤 그가 공중전화로 보험 회사에 전화를 걸었을 때, 그는 보험 회사가 둥근 얼굴을 한 활기찬 남자에 대해서는 들어본 적도 없다는 사실을 알았다. 집에 대한 보험 증서는 아무 효력이 없었다. 전화를 받은 보험 회사 여자가 짜증스럽게 한숨을 쉬고는, 사기꾼들이 종종 집집마다 방문해서 자기들이 보험 회사 사람이라 주장한다고 설명하면서, 최소한 오베가 그에게 현금을 건네지는 않았기를 바란다고 했다.

오베는 전화를 끊고, 바지 주머니 속에서 주먹을 꽉 쥐었다.

11

오베라는 남자와
사다리에서 떨어지지 않고서는
창문도 못 여는 멀대

┌────────────────┐
└────────────────┘

6시 15분 전. 올해의 진짜 첫눈이 단잠에 빠진 이층집들 위로 차가운 담요처럼 내려앉았다. 오베는 재킷의 단추를 끄르고 여느 때와 다름없이 시찰을 위해 밖으로 나갔다. 놀라움과 불만이 섞인 채로, 그는 고양이가 문밖 눈 속에 앉아 있는 걸 보았다. 밤새 거기 앉아 있었지 싶다.

오베는 고양이를 놀래서 쫓아내려고 현관문을 일부러 세게 쾅 닫았다. 아무래도 이 고양이는 겁대가리가 없는 게 분명했다. 놀라기는커녕 그냥 눈 위에 앉아 혀로 배를 핥았다. 조금도 개의치 않은 채. 오베는 고양이 주제에 이런 태도를 보이는 게 마음에 안 들었다. 그는 고개를 흔들고는 땅바닥에 자기 발을 턱하니 디뎠다. 고양이는 오베를 흘끗 보더니 정말 무관심한 태도로 다시 자기 몸을 핥았다. 오베가 고양이에게 팔을 휘둘렀다. 고양이는 꼼짝도 하지 않았다.

"여긴 사유지야!" 오베가 말했다.

고양이가 여전히 오베를 아는 척도 안 하고 있자, 오베는 인내심을 잃고 몸을 홱 비틀면서 자기 나막신을 고양이 쪽으로 걷어차 날렸다. 돌이켜봤을 때 이게 고의가 아니었다고 맹세할 수는 없었다. 그의 아내가 만약 이 장면을 봤다면 불같이 화를 냈을 것이다. 당연히 그랬으리라.

고의였건 아니었건 어쨌거나 별 차이는 없었다. 나막신이 부드러운 포물선을 그리며 날아가 목표한 지점보다 왼쪽으로 1미터 50센티미터 정도 더 가더니 헛간 벽에 맞아 툭 튕겨 나와 눈 위로 떨어졌다. 고양이는 태연한 표정으로 나막신을 본 다음 오베를 보았다.

마침내 고양이가 자리에서 일어서서는 오베의 헛간 모퉁이를 돌아 어슬렁어슬렁 사라졌다.

오베는 양말만 신은 채 나막신을 가지러 눈밭을 가로질렀다. 그가 나막신을 노려보았다. 마치 나막신이 제대로 목표를 향해 가지 못했다는 사실에 대해 스스로 부끄러워해야 한다는 듯. 그런 다음 신을 신고 시찰에 나섰다.

그가 오늘 죽는다는 사실이 기물 파손범들이 무제한 자유를 누릴 수 있다는 뜻은 아니었다.

그는 시찰을 마치고 집에 돌아와 눈을 헤치고 나아가 헛간 문을 열었다. 백유* 냄새와 곰팡내가 났다. 헛간이라면 응당 그래야 하듯. 그는 사브의 여름용 타이어를 지나 분류되지 않은 나사못들이 들어 있는 병을 치웠다. 백유와 브러시가 들어 있는 통을 치지 않도록 조심하면서 작업대를 슬쩍 비켜 지나갔다. 정원 의자와 공 모양의 바비큐 그릴을 옆으로 옮겼다. 테두리가 둥근 렌치를 치우고 마침내 눈삽을 휙 집어 들었다. 손에 무게가 느껴졌다. 양손 검을 들었을 때 이 정도 느낌이 오지 않을까 싶었다. 조용히 서서 삽을 꼼꼼히 살펴보았다.

삽을 들고 헛간 밖으로 나왔을 때, 고양이가 집 오른쪽에 다시 앉아 있었다. 오베는 그 뻔뻔함에 놀라 고양이를 쏘아보았다. 털이 뚝뚝 녹아 내렸다. 아니면 털에 묻은 눈이 녹고 있거나. 그 생물체에는 털이 난 부분보다 털이 빠져 휑한 부분이 더 많았다. 한쪽 눈에 코까지 이어지는 길쭉한 흉터가 나 있었다. 고양이에게 목숨이 아홉 개 있다면 이 녀석은 최소한 일곱 번째나 여덟 번째 목숨을 쓰면서 살고 있는 게 분명해 보였다.

"꺼져." 오베가 말했다.

고양이가 오베를 재는 듯한 눈길로 빤히 쳐다보았다. 마치 취업 면접에서 결정권자 쪽 책상에 앉아 있기라도 한 것처럼.

오베가 삽을 잡고 눈을 퍼서 고양이에게 뿌리자 고양이는 펄쩍 뛰며 피한 뒤 화가 난 듯 그를 노려보았다. 입에 들어간 눈을

---

white spirit, 석유를 증류하여 만든 투명 액체. 휘발성이 있어 주로 페인트 희석제로 쓰인다.

뱉어내고 코를 씩씩거렸다. 그러고는 돌아서서 오베의 헛간 모퉁이를 돌아 다시 터벅터벅 걸어갔다.

오베가 삽을 눈에 푹 찔러 넣었다. 집과 헛간 사이의 디딤돌에 쌓인 눈을 깨끗이 치우는 데 15분이 걸렸다. 그는 조심스럽게 작업했다. 모서리까지 반듯하게 똑바른 길을 냈다. 사람들은 더 이상 그런 식으로 눈을 치우지 않았다. 이제는 그냥 길만 뚫었다. 분무식 제설기나 뭐 그런 것들을 사용해서. 눈을 사방에 뿌려대는 건 구식 방법으로도 충분한데. 마치 앞으로 돌진하는 것이야말로 삶에서 유일하게 중요한 것이었던 양 그럴 수 있는데.

작업을 마친 다음 그는 좁은 길 위에 쌓인 눈더미에 꽂아두었던 삽에 잠시 몸을 기댔다. 몸의 중심을 잡고 나서 여전히 잠들어 있는 주택들 위로 태양이 떠오르는 걸 보았다. 그는 거의 밤새도록 깨어 있었다. 어떻게 죽을지 생각하면서. 여러 가지 방법들을 분명히 해두기 위해 도면에다 표까지 그렸다. 각 방법의 장단점을 신중히 재어본 끝에, 그는 자기가 오늘 쓸 방법이 별로 좋지 않은 대안들 중 최선일 수밖에 없다는 사실을 받아들였다. 그는 사브 기어를 중립으로 놔둘 경우 이 일이 끝난 뒤에도 딱히 납득할 만한 이유 없이 비싼 석유를 낭비하게 되리라는 사실이 마음에 안 들었지만, 그건 이 일을 수행하기 위해서는 받아들일 수밖에 없는 요인이었다.

그는 삽을 헛간에 돌려놓고 집으로 들어갔다. 군청색 정장을 다시 입었다. 이 일이 모두 끝날 때쯤엔 얼룩이 지고 악취가 나겠지만 오베는 자기가 그곳에 도착하고 나면 아내도 그걸 받아들일 수밖에 없으리라고 판단을 내렸다.

그는 아침을 먹고 라디오를 들었다. 설거지를 하고 식탁 위를 말끔히 닦았다. 그런 다음 집 안을 돌며 라디에이터를 점검했다. 불을 모두 껐다. 커피 여과기 플러그가 뽑혀 있는지 점검했다. 정장 위에 파란색 재킷을 입고 나막신을 신은 뒤 헛간으로 돌아가서는 둘둘 말린 긴 플라스틱 튜브를 들고 나왔다. 헛간 문과 현관문을 잠그고 각 문손잡이를 세 번씩 당겼다. 그리고 보도를 따라 내려왔다.

흰색 스코다* 한 대가 왼쪽에서 불시에 나타나 덮치려는 바람에 오베는 하마터면 헛간 옆에 쌓인 눈무더기 위로 쓰러질 뻔했다. 그는 자동차를 쫓아 길을 따라 내려가면서 주먹을 흔들었다.

"표지판도 못 읽냐, 빌어먹을 머저리야!" 그가 고함쳤다.

한 손에 담배를 든 호리호리한 운전자는 그 말을 들은 것처럼 보였다. 스코다가 자전거 보관소 옆을 지나칠 때 그들의 눈이 사이드 윈도를 통해 마주쳤다. 남자는 오베를 똑바로 보다가 창문을 내리고는 관심 없다는 듯 눈썹을 치켜 올렸다.

"자동차 진입 금지라고!" 오베가 똑같은 내용이 적혀 있는 표지판을 가리키며 반복했다. 그는 주먹을 꽉 쥔 채 스코다 쪽으로 걸어갔다.

---

* Skoda. 체코의 자동차 브랜드.

남자는 왼팔을 창밖으로 늘어뜨리고는 느긋하게 담뱃재를 떨었다. 푸른 눈은 미동도 없었다. 그는 울타리 뒤에 있는 동물을 바라보듯 오베를 보았다. 공격성 따위는 조금도 없었다. 완전히 무관심한 태도였다. 마치 오베를 물걸레로 닦아내버릴 수 있는 무언가로 여기기라도 하듯.

"표지판 좀 읽으……." 오베가 가까이 다가가며 거칠게 말했지만, 남자는 이미 차창을 올리고 난 뒤였다.

오베가 스코다에 대고 소리를 질렀지만 남자는 그를 무시했다. 대답은커녕 심지어 타이어 소리도 내지 않고 자리를 떴다. 차고 쪽으로 차를 몰다가 도로 쪽으로 나가버렸다. 오베의 손짓은 고장 난 가로등만큼도 중요하지 않았다는 듯.

오베는 그 자리에 붙박인 듯 서 있었다. 어찌나 흥분했는지 주먹이 파르르 떨렸다. 스코다가 사라지자 그는 몸을 돌려 주택들 사이로 발걸음을 옮겼는데 너무 서두른 나머지 자기 발에 걸려 넘어질 뻔했다. 루네와 아니타의 집 밖, 흰색 스코다가 주차했던 것이 분명한 자리에 담배꽁초 두 개비가 떨어져 있었다. 오베는 고도의 범죄 사건에 대한 실마리라도 되는 양 꽁초를 주웠다.

"안녕하세요, 오베." 그는 아니타가 뒤에서 그를 조심스럽게 부르는 소리를 들었다.

오베가 그녀 쪽으로 몸을 돌렸다. 그녀는 회색 카디건을 두른 채 계단에 서 있었다. 자기 몸을 지탱하려 애쓰는 모습이 마치 두 손으로 젖은 비누를 꽉 쥐고 있는 것 같았다.

"네, 네. 안녕하세요." 오베가 대답했다.

"시의회에서 온 사람이에요." 그녀가 스코다가 사라진 쪽으로 고개를 끄덕이며 말했다.

"이 구역은 자동차 진입 금지인데." 오베가 말했다.

그녀는 조심스럽게 다시 고개를 끄덕였다.

"자기 말로는 집 앞까지 차를 몰고 들어올 수 있는 특별 허가를 시의회 쪽에서 받았대요."

"그 자식은 아무 빌어먹을 허……." 오베가 입을 열었다가 멈추고는 턱밑까지 차올랐던 말들을 잡아뺐다.

아니타의 입술이 떨리고 있었다.

"그 사람들이 루네를 제게서 뺏어가려 해요." 그녀가 말했다.

오베는 말없이 고개를 끄덕였다. 손에는 여전히 플라스틱 튜브를 들고 있었다. 반대편 손은 주먹을 꽉 쥔 채 주머니에 찔러 넣었다. 그는 잠시 뭐라 말할지 생각하다가 고개를 떨구고는 몸을 돌려 떠났다. 몇 미터 정도 걷고 나서야 그는 자기가 주머니에 담배꽁초를 넣어뒀다는 사실을 깨달았지만, 이제 와서 그걸 갖고 뭘 하기엔 너무 늦었다.

금발 잡초가 길에 서 있었다. 똥개가 오베의 모습을 보자마자 신경질적으로 짖어대기 시작했다. 금발과 똥개 뒤로 집 대문이 열려 있었고, 오베는 그들이 앤더스로 알려진 작자를 기다리며 서 있다고 짐작했다. 똥개 입에 털 같은 게 묻어 있었다. 개 주인은 만족스러운 미소를 짓고 있었다. 오베가 지나가는 동안 그녀를 빤히 응시했지만 그녀는 눈을 돌리지 않았다. 그녀의 미소가 더 커졌다. 마치 오베가 내는 돈으로 미소를 짓고 있기라도 한 것처럼.

오베가 자기 집과, 멀대와 임산부의 집 사이를 지나갈 때 멀대가 문간에 서 있는 게 보였다.

"안녕하세요, 오베!" 그가 얼빠진 듯 소리쳤다.

오베는 자기 사다리가 멀대의 집에 기대 서 있는 걸 보았다. 멀대가 활기차게 손을 흔들었다. 오늘은 분명 일찍 일어난 모양이었다. 아니면 최소한 일찍 일어나는 게 IT 컨설턴트들 사이에서는 표준일지도. 오베는 그가 끝이 뭉툭한 은제 식사용 나이프를 손에 들고 있는 걸 보았다. 아무래도 저걸 사용해서 위층 창문을 열 심산인 것 같았다. 오베의 사다리는 높이 쌓인 눈 무더기 속에 비스듬한 각도로 꽂혀 있었는데, 멀대가 곧 오르려 하는 게 분명했다.

"좋은 하루 되세요!"

"그래, 그래." 오베는 터덜터덜 걸어가며 고개도 안 돌리고 대답했다.

똥개는 앤더스의 집 밖에서 사납게 짖고 있었다. 오베가 곁눈으로 보니 금발 잡초는 그가 걷는 방향으로 신랄한 미소를 날리며 여전히 서 있었다. 오베는 그게 거슬렸다. 이유는 알 수 없지만 뼛속까지 심기가 불편했다.

주택들 사이를 걸어 자전거 보관소를 지나 차고로 가면서, 그는 내키지 않지만 자기가 고양이를 찾으러 돌아다니고 있다는 사실을 인정했다. 하지만 고양이는 아무 데도 보이지 않았다.

그는 차고 문을 열고 사브의 차 문도 연 다음 주머니에 손을 찔러 넣은 채 30분이 넘도록 거기 서 있었다. 그는 자기가 왜 이러고 있는지 잘 알 수 없었다. 그냥 이러는 게 그 일을 시작하기 전에 요구되는 일종의 신성한 침묵 같다는 느낌을 받았다.

그는 이 일의 결과로 사브가 심각하게 더러워지지 않을까 생각해봤다. 아무래도 그럴 것 같았다. 안타깝고 부끄럽지만 그 점에 대해 할 수 있는 게 별로 없다는 사실을 깨달았다. 그는 타이어 상태를 보기 위해 타이어를 두어 번 발로 찼다. 타이어 상태는 좋았다. 정말 좋았다. 그는 마지막으로 타이어를 차고 나서 최소한 겨울을 세 번은 더 날 수 있겠다고 평가를 내렸다. 그러자 재킷 안주머니에 넣어둔 유서가 갑자기 떠올랐다. 자기가 여름용 타이어에 대한 지시 사항을 잊지 않고 남겨놨는지 확인하기 위해 유서를 꺼냈다. 해놨다. '사브+부속물' 항목 밑에 있었다. '헛간에 여름용 타이어 있음'이라고 적어놓고 나서 제아무리 바보 천치라도 끝이 둥근 볼트를 트렁크 어디에서 찾을 수 있는지에 대해 분명히 적어놓았다. 오베는 유서를 접어 봉투에 넣은 뒤 도로 재킷 안주머니에 넣었다.

그는 어깨너머로 주차 구역을 흘끗 보았다. 그 망할 고양이가 신경 쓰여서는 절대 아니었다. 그는 고양이에게 별일이 없길 바랐다. 만약 무슨 일이 생긴다면 오베의 아내가 그에게 불벼락을 내릴 테니까. 그는 그 점은 확실히 알았다. 그는 그저 그 망할 고양이 때문에 욕먹고 싶지는 않은 것이다. 그뿐이었다.

멀리서 구급차의 사이렌 소리가 다가오는 게 들렸지만 그는 거기에 거의 주의를 기울이지 않았다. 그냥 운전석으로 들어가 시동을 걸었다. 뒤쪽 자동식 창문을 5센티미터 정도 열었다. 차 밖으로 나왔다. 차고 문을 닫았다. 플라스틱 튜브를 배기구에 연결한 뒤 꽉 묶었다. 배기가스가 튜브의 반대쪽 끝으로 천천히 흘러나오는 걸 확인했다. 그런 다음 튜브 끝을 뒤창의 열린 틈으로 집어넣었다. 차에 올라탄 뒤 차 문을 닫았다. 사이드미러를 조정했다. 라디오 버튼을 앞뒤로 돌리며 채널을 맞췄다. 좌석에 등을 기대고 눈을 감았다. 두터운 배기가스가 차고와 자기 폐를 1제곱센티미터씩 채우는 걸 느꼈다.

인생이 이리 될 줄은 몰랐다. 열심히 일해서 모기지도 갚고 세금도 내고 의무도 다했다. 결혼도 했다. 비가 오나 눈이 오나 죽음이 우리를 갈라놓을 때까지 함께하자고, 서로 그렇게 동의하지 않았던가? 오베는 그랬다고 분명히 기억했다. 그녀가 먼저 죽는 쪽이 될 줄은 몰랐다. 그들이 얘기하던 건 그의 죽음이었다. 그게 빌어먹을 이치에 맞지 않은가 말이다. 응? 안 그런가?

오베는 누가 차고 문을 두드리는 소리를 들었다. 무시했다. 바지의 주름진 부분을 폈다. 백미러에 비친 자기 모습을 보았다. 넥타이를 매야 했는지 걱정됐다. 그녀는 항상 그가 넥타이를 매는 걸 좋아했다. 그럴 때는 그가 세상에서 제일 잘생긴 남자인 양 바라보았다. 그녀가 지금도 자기를 그렇게 볼지 궁금했다. 저 세상에서 만났을 때 실업자에다가 더러운 양복을 입었다고 그녀가 자기를 부끄러워하면 어쩌나. 컴퓨터 때문에 자기가 갖고 있던 지식이 변변찮은 것으로 판명 나는 바람에 천천히 물러나지도 못한, 자기 직업을 유지 못한 머저리라고 생각할까. 예전에 그랬던 것처럼, 여전히 자기를 의지할 수 있는 남자로 봐줄까? 책임감을 갖고 일하고, 필요하다면 온수기도 고칠 수 있는 남자로. 이 세상에서 아무 쓸모없는 노인네에 불과한데도 자기를 똑같이 좋아해줄까?

차고 문을 두드리는 소리가 점점 더 격렬해졌다. 오베는 불쾌한 눈길로 차고 문을 보았다. 문 두드리는 소리가 더 커졌다. 오베는 더는 못 참겠다고 생각했다.

"적당히 좀 해!" 오베가 소리를 질렀다. 사브의 문을 벌컥 여는 바람에 플라스틱 튜브가 차창 틈에서 빠져 콘크리트 바닥에 떨어졌다. 짙은 배기가스가 사방으로 쏟아져 나왔.

오베가 문으로 다가섰을 때 반대편에 서 있던 외국인 임산부는 지금쯤은 문에 너무 가까이 붙어 있으면 안 된다는 사실을 깨달았어야 했으리라. 하지만 오베가 문을 거칠게 열어젖혔을 때 문에 얼굴이 정면으로 부딪치는 걸 피할 도리가 없었다.

오베는 그녀를 보고 얼어붙었다. 그녀는 코를 쥐고 있었다. 방금 차고 문에 코를 얻어맞았다는 게 분명히 드러나는 표정으로 그를 보고 있었다. 배기가스가 차 밖으로 짙은 구름처럼 새어나와고 차고의 절반이 두터운 독성 안개로 뒤덮였다.

"나는…… 빌어먹을, 당신이 조…… 문이 열릴 때는 조심해야지." 오베가 겨우 말했다.

"뭐 하고 계시는 거예요?" 임산부가 입술을 꽉 깨물고 공회전 중인 사브와 바닥에 놓인 플라스틱 튜브에서 나오는 배기가스를 보며 말했다.

"나……? 아무것도 안 해." 오베가 화를 내며 말했다. 차라리 차고 문을 다시 닫는 게 낫겠다 싶은 표정으로.

파르바네의 콧구멍에 진하고 붉은 방울이 맺혔다. 그녀는 한 손으로는 얼굴을 가리고 다른 손은 오베에게 흔들었다.

"저 병원까지 좀 태워주세요." 그녀가 고개를 뒤로 젖히며 말했다.

오베가 미심쩍은 표정을 지었다. "뭐가 어째? 진정 좀 해요. 겨우 코피잖아."

그녀는 오베 짐작에 페르시아어로 들리는 말로 욕설을 내뱉고는 엄지와 집게손가락으로 콧날을 꽉 쥐었다. 그러고 나서 짜증난 듯 고개를 저었다. 핏방울이 그녀의 재킷에 온통 튀었다.

"코피 때문이 아니고요!"

오베는 좀 혼란스러웠다. 주머니에 손을 찔러 넣었다.

"코피 때문이 아니라고요, 그러니까."

그녀가 신음하듯 말했다.

"패트릭이 사다리에서 떨어졌어요."

그녀가 고개를 뒤로 다시 젖혀서 오베는 그녀의 턱 밑에 대고 말하는 꼴이 되었다.

"패트릭이 누군데?" 오베가 턱에게 물었다.

"제 남편요." 턱이 대답했다.

"그 멀대?" 오베가 물었다.

"맞아요, 그 멀대." 턱이 말했다.

"사다리에서 떨어졌다고?" 오베가 확인했다.

"네. 창문을 열다가요."

"그렇군. 참으로 빌어먹게도 놀랄 일이네. 멀리서도 아주 잘 보였겠어……."

턱이 사라지고 커다란 갈색 눈이 다시 나타났다.

그 눈은 전혀 즐거워 보이지 않았다.

"우리가 지금 이런 문제 따위를 가지고 토론해야 하나요?"

오베는 조금 곤혹스러워서 머리를 긁었다.

"아니 뭐 그런 건 아닌데…… 당신이 직접 운전할 수는 없나? 당신들이 저번에 타고 온 그 쪼끄만 일제 재봉틀 있잖아?" 그는 반항하려 해봤다.

"저는 운전면허가 없어요." 입술에 묻은 피를 닦으며 그녀가 대답했다.

"운전면허가 없다니, 무슨 소리야?" 그녀가 한 말이 정말로 불가해한 소리라는 듯 오베가 물었다.

그녀가 인내심을 잃고 다시 한숨을 쉬었다.

"저기요, 제가 운전면허가 없다고요. 그게 전부라고요. 뭐 문제 있어요?"

"당신 몇 살이요?" 이제는 거의 넋이 나간 채 오베가 물었다.

"서른 살이요." 그녀가 조바심을 내며 말했다.

"서른! 그런데 면허가 없다고? 당신 뭐 문제 있는 사람이야?"

그녀는 신음 소리를 내뱉으며 한 손으로는 코를 잡은 채 오베의 면전에서 짜증스럽게 손가락을 튕겨 딱딱 소리를 냈다.

"집중 좀 하세요, 오베! 병원! 우릴 병원에 데려다주셔야 한다고요!"

오베의 얼굴이 부아가 난 듯 일그러졌다.

"'우리'라니, 그게 무슨 소리야? 당신이 결혼한 남자가 사다리에서 안 떨어지고는 창문도 못 여는 사람이라면 구급차를 불러야지······."

"이미 불렀어요! 그이는 병원에 갔다고요. 그런데 구급차에 제가 들어갈 자리가 없었어요. 눈 때문에 택시에는 전부 사람이 탔고 버스는 사방에서 진창에 빠져 있고요!"

그녀의 한쪽 뺨 위에서 핏줄기가 이리저리 갈라지며 아래로 흘렀다. 오베는 턱을 너무 세게 다문 나머지 이빨을 갈기 시작했다.

"빌어먹을 버스를 믿을 수는 없지. 버스 기사들은 노상 취해 있다고." 그가 조용히 말했다. 누군가 그의 비스듬히 기울어진 턱을 봤다면 진짜 하고 싶은 말을 셔츠 깃 안쪽에 감추려 애쓰고 있다는 걸 알았을 것이다.

그녀는 자기가 '버스'라는 단어를 언급하자마자 오베의 기분이 바뀌었다는 사실을 눈치챘다. 아닐지도 모르지만. 어쨌거나 그녀는 이 문제를 어떻게든 매듭짓겠다는 듯 고개를 끄덕였다.

"맞아요. 그러니 우릴 태워주셔야 해요."

오베는 용기를 내어 그녀에게 위협적으로 손가락질을 해보려 했다. 그러나 실망스럽게도, 그는 그게 자기가 바라는 것만큼 확신에 찬 행동이 아니라는 느낌이 들었다.

"'해야 한다' 따위는 여기 없어. 난 빌어먹을 운송 서비스 따위가 아니라고!" 마침내 그가 겨우 입을 열었다.

하지만 그녀는 엄지와 검지로 콧등을 더 세게 쥘 뿐이었다. 그리고는 고개를 끄덕였다. 방금 그가 했던 말은 못 들은 걸로 해주겠다는 듯. 그녀는 차고와 점점 더 짙어지며 천장까지 차오르는 배기가스를 내뿜고 있는 플라스틱 튜브를 보며 짜증스럽게 손을 흔들었다.

"이 문제로 더 난리법석을 피울 시간이 없어요. 준비되면 출발해요. 저는 가서 애들을 데려올게요."

"애들?" 오베가 소리를 질렀지만 아무런 대답도 듣지 못했다.

그녀는 이미 유유자적하게 자리를 뜬 뒤였다. 커다랗게 임신한 배를 감당하기엔 턱없이 작아 보이는 조그만 발로 자전거 보관소 모퉁이를 돌아 이층집이 있는 쪽으로 내려갔다.

오베는 그 자리에 멍하니 서 있었다. 마치 그녀를 붙잡은 다음 사실은 오베에게 아직 할 말이 더 남았다는 것을 그녀에게 전해 줄 누군가를 기다리듯. 하지만 아무도 그러지 않았다. 그는 벨트에 주먹을 찔러 넣은 뒤 바닥에 떨어진 튜브를 흘끗 보았다. 사람들이 자기에게서 빌려간 사다리 위에서 버티질 못한다면, 그건 사실 그의 책임이 아니었다. 그게 오베의 생각이다.

하지만 그는 당연하게도, 아내가 만약 여기 있었다면 이런 상황에서 뭐라고 했을지 생각하는 걸 회피할 수가 없었다. 역시 당연하게도, 그녀의 반응을 상상하는 게 그리 어렵지가 않았다. 슬프게도.

한참 후 마침내 그는 차로 다가가 튜브를 신발로 눌러 배기구에서 뽑아냈다. 사브에 타서 사이드미러를 확인했다. 기어를 1단으로 넣은 뒤 차고에서 빠져나왔다. 그 외국인 임산부를 어떻게 병원까지 데려가야 할지 특별히 신경 쓰고 있는 건 아니었다. 하지만 만약 오베가 이 세상에서 마지막으로 한 일이 임산부에게 코피를 흘리게 한 다음 버스를 타도록 내버려둔 거라면 아내가 잔소리를 그치지 않으리라는 건 잘 알았다.

게다가 어쨌거나 이왕 석유를 다 쓰게 될 거라면 그녀를 병원까지 옮겨줬다가 돌아오는 편이 나았다. '그러면 날 평화롭게 놔두겠지.' 오베는 생각했다.

하지만 그녀는 당연히 그러지 않을 것이다.

12
오베였던 남자와
그만하면 충분했던 어느 하루

사람들은 오베와 오베의 아내가 밤과 낮 같다고 늘 말했다. 오베는 당연하게도 자기가 밤 쪽이라는 걸 잘 알았다. 그게 그에게 중요한 문제는 아니었다. 반면 누군가 그런 말을 할 때 오베의 아내는 항상 재미있어했는데, 왜냐하면 그럴 때마다 낄낄 웃으면서 사람들이 오베를 밤이라고 생각하는 건 그가 태양 쪽으로 가기에는 너무 못돼먹어서라고 지적할 수 있었기 때문이었다.

그는 그녀가 왜 자기를 택했는지 결코 이해하지 못했다. 그녀는 음악이나 책이나 이상한 단어 같은 추상적인 것들을 사랑했다. 오베는 손에 쥘 수 있는 것들로만 채워진 남자였다. 그는 드라이버와 기름 여과기를 좋아했다. 그는 손을 주머니에 찔러 넣은 채 인생을 살아갔다. 그녀는 춤을 췄다.

"모든 어둠을 쫓아버리는 데는 빛줄기 하나면 돼요." 언젠가 그가 어째서 늘 그렇게 명랑하게 살아가려 하느냐고 그녀에게 물었을 때, 그녀는 그렇게 말했다.

그녀가 읽는 책 중 하나에 프란체스코인가 하는 수도사가 그렇게 써놓은 게 분명했다.

"날 속이면 안 돼요, 여보." 그녀가 쾌활한 미소를 지으며 그의 커다란 품으로 파고들었다. "아무도 안 볼 때 당신의 내면은 춤을 추고 있어요, 오베. 그리고 저는 그 점 때문에 언제까지고 당신을 사랑할 거예요. 당신이 그걸 좋아하건 좋아하지 않건 간에."

오베는 그녀가 무슨 말을 하는지 결코 제대로 헤아리지 못했다. 그는 춤을 춰본 역사가 없었다. 춤이란 너무 무계획적이고 어지러워 보이는 것이었다. 그는 직선과 명료한 결정을 좋아했다. 그게 그가 늘 수학을 좋아하는 이유였다. 수학에는 정답 아니면 오답만 있었다. 수업 중에 '네 입장을 토론해보자'며 사기를 치려 드는 히피 같은 과목들과는 달랐다. 마치 누가 긴 단어를 더 많이 아는지 점검하는 게 결론을 내리는 방법이기라도 한 것인 양. 오베는 옳은 건 옳은 것이고 틀린 건 틀린 것이길 원했다.

그는 몇몇 사람들이 자기를 인간에 대한 믿음이 없는 심술궂은 영감탱이일 뿐이라고 생각한다는 사실을 잘 알았다. 하지만 솔직히 말해 그건 그들이 오베에게 사람을 다른 식으로 볼 이유를 제시하지 않았기 때문이었다.

살다보면 자신이 어떤 종류의 인간이 될지 결정을 내릴 때가 오게 마련이다. 다른 사람이 기어오르게 놔두는 사람이 될 것인가, 그렇지 않은 사람이 될 것인가 하는 때가.

오베는 화재가 일어난 뒤 밤마다 사브에서 잠을 잤다. 첫날 아침에는 잿더미와 폐허 사이에서 청소를 했다. 둘째 날 아침에는 이 일이 결코 저절로 해결되지 않으리라는 사실을 받아들여야 했다. 집은 사라졌다. 그가 노력해서 일궈낸 모든 게 사라졌다.

셋째 날 아침 소방대장과 똑같은 종류의 하얀 셔츠를 입은 남자 둘이 나타났다. 그들은 문간에 서 있었고, 그들 눈앞에 놓인 폐허를 보면서도 아무 감정도 들지 않는 게 분명했다. 자기들 이름도 밝히지 않았다. 그저 그들이 소속된 기관 이름만 댔다. 마치 모선에서 보낸 로봇들이기라도 하듯.

"네게 통지서를 보냈었는데." 하얀 셔츠를 입은 남자 중 하나가 오베에 대한 서류철을 손에 쥔 채 말했다.

"아주 많이." 다른 하얀 셔츠가 그렇게 말하고는 수첩에 뭔가 적었다.

"그런데 답이 없었지." 첫 번째 하얀 셔츠가 개를 꾸짖기라도 하듯 말했다.

오베는 그냥 반항적인 태도로 서 있었다.

"무척 안타깝구나, 이 일은." 두 번째 셔츠가 한때 오베의 집이었던 무언가를 보며 살짝 고개를 끄덕였다.

오베가 고개를 끄덕였다.

"소방서 말로는 화재가 악의 없는 전기 장치 결함으로 일어났다고 하던데." 첫 번째 셔츠가 손에 든 서류를 가리키며 로봇처럼 말을 이었다.

오베는 그가 '악의 없는'이라는 단어를 사용하자 절로 반발심이 들었다.

"우리가 통지서를 보냈지." 두 번째 셔츠가 수첩을 흔들며 말했다.

"시 경계를 새로 획정하고 있다고."

"네 집이 지어진 땅에는 새 건물들이 많이 들어설 예정이다."

"네 집이 있었던 땅에는, 이지." 짝꿍이 그 말을 수정했다. "시의회에서는 네 땅을 시가에 맞춰 기꺼이 구입할 거고." 첫 번째 셔츠가 말했다.

"그리고…… 시가는 이제 여기 더 이상 집이 없다는 사실을 감안해서 정해지는 거지." 두 번째 셔츠가 그 점을 분명히 했다.

오베는 서류를 건네받고 읽기 시작했다.

"선택의 여지가 별로 없어." 첫 번째 셔츠가 말했다.

"네 선택보다는 시의회 쪽 선택의 여지가 별로 없지." 두 번째 셔츠가 말했다.

첫 번째 셔츠가 더는 기다릴 수 없다는 듯 서류 위 '서명'이라 적힌 부분에 대고 자기 펜을 톡톡 두드렸다.

오베는 문간에 서서 조용히 서류를 읽었다. 가슴에 통증이 느껴졌다. 그 통증이 무엇을 뜻하는 것이었는지, 그는 아주 오랜 시간이 지난 후에야 이해했다.

미움이었다.

그는 하얀 셔츠를 입은 남자들이 미웠다. 그는 누군가를 이렇게 미워한 기억이 없었지만, 지금은 미움이 그의 내면에 불타는 공처럼 자리 잡고 있었다. 오베의 부모님이 이 집을 샀다. 오베는 여기서 자랐다. 이 집에서 걷는 법을 배웠다. 아버지는 여기서 사브의 엔진에 대해 알아야 할 모든 걸 가르쳐주었다. 그 모든 시절이 지나고 나서, 시 당국에 있는 사람들이 여기에 다른 걸 지어야 한다고 결정을 내렸다. 얼굴이 둥근 남자가 보험이 아닌 보험을 팔았다. 하얀 셔츠를 입은 남자가 오베가 불을 끄는 걸 막았고, 이제 또 다른 하얀 셔츠의 사나이들이 여기 서서 '시가'에 대해 떠들고 있었다.

하지만 오베는 사실 선택의 여지가 없었다. 그는 해가 다 뜰 때까지 여기 서 있을 수도 있었겠지만, 그런다고 상황을 바꿀 수는 없었다.

그래서 그는 서류에 서명했다. 꽉 쥔 주먹을 주머니에 찔러넣은 채.

* * *

그는 한때 부모의 집이 서 있던 작은 땅을 떠났고, 결코 돌아보지 않았다. 마을에 사는 노부인에게서 작은 방을 하나 임대했다. 종일 벽을 보며 앉아 외롭게 낮을 보냈다. 저녁에는 일을 하러 나갔다. 열차 객실을 청소했다. 그날 아침 그와 다른 일꾼들은 평소 쓰던 탈의실을 사용하지 말라는 공지를 들었고, 새 작업복을 가지러 본사로 돌아가야 했다.

오베는 복도를 걸어가던 중 톰을 만났다. 오베가 객차에서 돈을 훔친 도둑으로 몰린 뒤 첫 만남이었다. 톰이 분별력이 있는 인간이었다면 시선을 피했으리라. 아니면 그런 사건이 안 일어났던 척하려고 노력했어야 했다. 하지만 톰은 그렇게 분별 있는 남자가 아니었다.

"이야, 이거 꼬마 도둑 아냐!" 그가 호전적인 미소를 지으며 외쳤다.

오베는 대답하지 않았다. 그냥 지나쳐 가려 했지만 톰과 몰려다니는 젊은 직원 중 하나가 팔꿈치로 그를 세게 찔렀다. 오베가 고개를 들었다. 젊은 직원이 그에게 경멸스런 웃음을 날리고 있었다.

"지갑들 꽉 쥐고 있어. 여기 도둑이 있거든!" 톰이 어찌나 크게 소리를 질렀는지 그의 목소리가 복도에 쩌렁쩌렁 울렸다.

오베는 한 손으로 팔에 끼고 있던 옷더미를 꽉 잡았다. 하지만 다른 손은 주머니에 찔러 넣은 채 주먹을 꽉 쥐었다. 그는 빈 탈의실로 들어갔다. 낡고 더러운 작업복을 벗고 아버지의 상처 난 손목시계를 끌러 벤치 위에 놓아뒀다.

그가 샤워를 하려고 돌아섰을 때, 톰이 문간에 서 있었다.

"화재 얘긴 들었다." 그가 말했다. 오베는 톰이 자기가 대답하길 바라고 있다는 사실을 알 수 있었다.

"네 애비가 무척이나 자랑스러워하시겠어! 자기 집을 홀랑 태워먹은 쓸모없는 놈이라도 말이지!"

샤워실로 걸어들어오며 톰이 소리쳤다.

오베는 젊은 직원들이 한꺼번에 웃는 소리를 들었다. 그는 눈을 감고 벽에 이마를 댄 채 그의 위로 쏟아져 내리는 뜨거운 물을 맞았다. 20분도 넘게 그렇게 서 있었다. 그가 지금까지 했던 것 중 가장 긴 샤워였다.

그가 나왔을 때, 아버지의 시계가 사라지고 없었다. 오베는 옷들을 올려놓은 탈의실 벤치 위에 서서 바닥을 내려다보고 라커를 샅샅이 수색했다.

살다보면 자신이 어떤 남자가 될지를 결정하는 때가 온다. 다른 사람들이 자기를 짓밟게 놔두는 인간이 되느냐, 그렇지 않느냐를 결정하는 때가.

어쩌면 그때는 톰이 객차에서 도둑질을 했다고 오베를 비난했을 때였는지 모른다. 어쩌면 가짜 보험 외판원이 나타났을 때였는지도 모른다. 어쩌면 화재가 났을 때였는지도 모른다. 혹은 하얀 셔츠가 나타났을 때였을 수도 있다. 혹은 바로 지금이 그때인지도 몰랐다. 마치 누군가 지금 막 오베의 마음속에서 퓨즈를 제거한 것 같았다. 어두운 그림자가 점점 그의 눈을 덮었다. 그는 벌거벗은 채 탄력 있는 근육에서 물을 뚝뚝 떨어뜨리며 탈의실 밖으로 걸어 나왔다. 복도 끝에 있는 현장 주임용 탈의실로 가서는 문을 발로 차서 연 뒤 놀란 사람들이 가로막는 걸 뚫고 앞으로 나아갔다. 톰은 맨 끝 거울 앞에 서서 덥수룩한 턱수염을 깎고 있었다. 오베가 그의 어깨를 잡고 고함을 질렀다. 어찌나 크게 소리를 질렀는지 철판으로 덮인 벽이 쩌렁쩌렁 울렸다.

"내 시계 내놔!"

톰은 얼굴에 우월감을 드러내며 오베의 얼굴을 내려다보았다. 그의 거무스름한 체구가 그림자처럼 오베 위에 드리워졌다.

"나한테 없어, 네 빌어먹을……."

"내놓으라고!"

톰이 말을 끝맺기도 전에 오베가 포효했다. 그 목소리가 어찌나 분노에 차 있던지 탈의실에 있던 다른 사람들은 자기 라커에 찰싹 달라붙어 오베를 보고만 있었다.

잠시 뒤 오베가 톰의 손에서 재킷을 빼앗았다. 톰이 반항할 생각도 못 할 정도로 강한 힘이었다. 톰은 오베가 재킷 안주머니에서 시계를 꺼내는 동안 벌 받는 아이처럼 꼼짝도 못 하고 그냥 서 있었다.

그런 다음 오베가 톰을 쳤다. 딱 한 번 때렸다. 그거면 충분했다. 톰은 눅눅한 밀가루 마대처럼 주저앉았다. 톰의 육중한 몸이 바닥에 쓰러졌을 때쯤, 오베는 이미 몸을 돌려 떠난 뒤였다.

모든 남자들에게는 자기가 어떤 남자가 되고 싶은지를 선택할 때가 온다. 그런 이야기를 들은 적 없다면, 남자에 대해 모르는 것이다.

톰은 병원에 실려 갔다. 사람들이 계속 어떻게 된 거냐고 물었지만 톰은 눈만 깜박이면서 '미끄러지는 바람에' 생긴 일이라고 우물거렸다. 참으로 이상하게도, 그때 탈의실에 있었던 사람들 중 누구도 무슨 일이 벌어졌는지 기억하지 못했다.

그게 오베가 톰을 본 마지막이었다. 그리고 오베가 다른 사람이 자길 속여먹도록 놔두는 건 이것으로 끝이라고 정한 순간이기도 했다.

그는 야간 청소 일은 계속했지만 건설 현장 일은 그만뒀다. 그는 더 이상 지을 집이 없었고, 어쨌거나 그때쯤에는 건설에 대해 워낙 많이 배운지라 안전모를 쓴 남자들도 그에게 더 이상 가르칠 게 없었다.

건설 현장 사람들이 작별 선물로 그에게 공구 상자를 줬다. 이번에는 새 제품이었다. '애송이에게. 오래 갈 집을 세울 때 도움이 될 거다.' 그들이 쓴 쪽지에는 그렇게 적혀 있었다.

오베는 당장 그걸 쓸 일이 없었지만 며칠 동안 별 목적도 없이 들고 다녔다. 마침내 오베에게 방을 임대한 노부인이 그 모습을 긍휼히 여기어 집 주변에 그가 수선할 만한 게 있는지 찾기 시작했다. 그게 양쪽 모두에게 더 평화로운 길이었다.

그해 말 오베는 육군에 자원했다. 그는 모든 체력 테스트에서 최고점을 받았다. 신병 모집 장교는 곰처럼 힘이 세 보이는 이 말없는 젊은이를 좋아했고, 직업 군인 경력을 쌓아보지 않겠냐고 강권했다. 오베는 그게 괜찮은 소리처럼 들렸다. 육군 병사들은 제복을 입었고 명령을 따랐다. 다들 자기가 뭘 하는지 알았다. 모두들 제 역할이 있었다. 물건들은 제자리에 놓여 있었다. 오베는 자기가 군인으로서 꽤나 소질이 있다고 느꼈다. 사실 의무적인 건강 진단을 받으러 계단을 내려가는 동안, 그는 몇 년 만에 처음으로 마음이 가벼웠다. 마치 갑작스레 목적을 부여받은 사람처럼. 삶의 목표, 존재의 가치. 그런 것들.

그의 기쁨은 채 10분도 가지 못했다.

신병 모집 장교는 건강 진단이 '그저 형식적인 절차'라고 말했다. 하지만 오베의 가슴에 청진기를 갖다 댔을 때 들려서는 안 될 소리가 들렸다. 그는 도시에 있는 의사에게 보내졌다. 일주일 뒤 그는 자신이 희귀한 선천성 심장 질환을 가졌다는 사실을 통보받았다. 그는 군복무에서 면제되었다. 오베는 탄원하고 저항했다. 편지를 썼다. 뭔가 실수가 있었으리라는 희망을 품고 다른 의사를 세 명이나 만났다. 아무 소용없었다.

"규칙은 규칙입니다." 오베가 결정을 뒤집어달라고 마지막으로 육군 행정실에 갔을 때 하얀 셔츠를 입은 남자가 말했다. 오베는 너무 실망한 나머지 버스조차 기다릴 기분이 나지 않아서 기차역까지 내내 걸어갔다. 그는 아버지가 죽은 후 그 어느 때보다 낙심한 채 대합실에 앉아 있었다.

몇 달 뒤 그는 자신과 결혼할 운명의 여자와 함께 그 대합실을 다시 걷게 될 것이었다. 물론 그 당시는 이 사실을 전혀 몰랐다.

그는 철도 회사의 야간 청소부라는 직업으로 돌아갔다. 예전보다 훨씬 더 말수가 줄었다. 그에게 방을 임대해준 노부인이 그의 우울한 얼굴에 질린 나머지 근처의 차고 하나를 빌릴 수 있도록 손을 써주었다. 어쨌거나 그 소년에게는 자기가 매일 주물럭거릴 수 있는 자동차가 있지 않느냐고 그녀가 말했다. 어쩌면 그걸로 즐겁게 지낼 수 있지 않을까?

다음 날 아침 오베는 차고에서 사브를 전부 분해했다. 모든 부품을 청소한 뒤 다시 결합했다. 자기가 그걸 할 수 있는지 알고 싶었다. 뭔가 할 일이 필요하기도 했다. 그는 작업을 모두 마친 뒤 그 사브를 팔아 이익을 남겼고, 더 새것 티가 나는 걸 빼고는 전과 동일한 사브 93을 구입했다. 차를 사고 나서 그가 맨 처음 한 건 차를 산산이 분해하는 것이었다. 자기가 그걸 해낼 수 있는지 알고 싶어서였다. 그는 할 수 있었다.

그는 이런 식으로 세월을 보냈다. 천천히, 체계적으로. 그러다 어느 날 아침 그녀를 보았다. 그녀는 갈색 머리에 푸른 눈을 가졌고, 빨간 구두를 신고 머리에 커다란 노란색 핀을 끼웠다.

이제 더 이상 오베에게 평온하고 조용한 시절은 없었다.

13
오베라는 남자와
베포라는 광대

"오베는 웃겨." 세 살짜리 여자애가 즐겁게 킬킬거렸다.

"그래." 일곱 살짜리가 딱히 큰 인상을 받지 않은 듯 무심히 중얼거리면서 동생의 손을 잡고 다 자란 걸음으로 병원 입구를 향해 걸었다.

자매의 어머니는 오베에게 뭐라고 하려다가 그럴 시간이 별로 없다고 결정을 내린 것 같았다. 그녀는 어기적거리며 병원 입구 쪽으로 걸었다. 한 손을 볼록 나온 배에 얹은 것이 마치 아이가 탈출이라도 할까봐 신경 쓰는 것처럼 보였다.

오베는 뒤에서 발을 질질 끌며 따라갔다. 그는 파르바네가 '그냥 돈을 내고 논쟁을 끝내는 게 훨씬 쉬울 거'라고 생각한다는 점에 대해 개의치 않았다. 왜냐하면 이건 원칙 문제니까. 병원에 주차할 때 주차 요금을 내야 하는 이유를 물었다고 해서 주차 요원이 오베에게 딱지를 끊을 권리가 어디 있나? 그런다고 오베가 주차 요원에게 "당신은 짝퉁 경찰일 뿐이야!"라고 고래고래 소리 지르는 걸 멈출 남자는 아니었다. 그 문제에 대해서는 더 이상 할 말이 없었다.

사람들은 병원에 죽으러 간다. 오베는 그걸 안다. 국가가 사람이 하는 일마다 죄다 돈을 걸으려 하는 건 살아 있을 때만 해도 충분하지 않은가. 사람들이 죽으러 갈 때도 주차 요금을 걸으려드는 건 오베 생각엔 도를 지나친 것이었다. 그는 이 점을 주차 요원에게 누누이 설명했다. 바로 그때 주차 요원이 그에게 장부를 휘두르기 시작했다. 또한 바로 그때 파르바네가 자기가 기꺼이 요금을 내겠다고 화를 터뜨리기 시작했다. 마치 돈을 지불하느냐 마느냐가 이 토론의 핵심이기라도 한 것처럼.

여자들은 원칙이란 게 없는 것 같았다.

그는 앞에 가는 일곱 살 여자애가 자기 옷에서 배기가스 냄새가 난다고 불평하는 소리를 들었다. 가는 내내 사브의 창문을 열어뒀는데도 가스 냄새를 완전히 빼지 못했다. 애들 엄마는 오베에게 차고에서 정말로 뭘 하고 있었냐고 물었지만, 오베는 타일 바닥 위로 욕조를 옮기려 할 때 나는 것과 비슷한 소리를 내는 것으로 대답을 대신할 뿐이었다. 물론 세 살짜리에게 자동차 창문을 모두 열어놓은 채 운전을 할 수 있다는 건 인생 최고의 모험이었다. 비록 바깥 기온은 영하였지만. 반면 일곱 살짜리는 스카프에 얼굴을 파묻고 훨씬 회의적인 감정을 분출했다. 그녀는 오베가 좌석에 '더러운 것들'을 안 묻도록 한답시고 깔아놓은 신문지에 엉덩이가 미끄러지는 바람에 내내 짜증을 냈다. 오베는 앞좌석에도 신문지를 깔아뒀지만 애엄마는 자리에 앉기 전에 그걸 잡아채 뺐다. 오베로서는 이 짓이 무척이나 불쾌하게 여겨졌지만 간신히 아무 말도 안 할 수 있었다. 대신 그는 병원까지 가는 내내 그녀의 배를 계속 흘끗거렸다. 좌석 커버에 별안간 양수라도 흘릴까봐 신경 쓰여 죽겠다는 듯.

"여기서 가만히 있어." 파르바네가 병원 대기실에서 딸들에게 말했다.

유리로 된 벽과 소독약 냄새나는 벤치가 그들을 둘러싸고 있었다. 하얀 제복에 색색의 슬리퍼를 신은 간호사들이 돌아다니고 노인들이 허약한 보행기에 의지해 자기 몸을 질질 끌며 복도를 오갔다. 바닥에는 A입구의 2번 승강기가 고장 났으니 114병동 방문객들은 C입구의 1번 승강기로 가라고 알리는 표지판이 서 있었다. 그 표지판 아래에는 C입구의 1번 승강기가 고장 났으니 114병동 방문객들은 A입구의 2번 승강기로 가라는 안내문이 붙어 있었다. 그 안내문 밑에 세 번째 안내문이 있었는데, 거기에는 114병동이 수리 중이라 폐쇄되었다고 나와 있었다. 그 세 번째 안내문 밑에 광대 사진이 하나 붙어 있었다. 베포라는 이름의 병원 광대가 오늘 아픈 아이들을 위해 방문할 것이라는 사실을 사람들에게 전하는 안내문이었다.

"오베 아저씨 지금 어디 가셨니?" 파르바네가 분통을 터뜨린다.

"화장실 간 것 같은데요." 일곱 살짜리가 웅얼거렸다.

"가앙대!" 세 살배기가 해맑게 표지판을 가리키며 말했다.

"여기서는 화장실 가는 데도 돈을 내야 하는 거 알아?" 오베가 못 믿겠다는 듯 외쳤다.

파르바네가 몸을 돌려 오베에게 피곤에 찌든 얼굴을 했다.

"잔돈 필요하세요?"

오베는 화난 듯 보였다.

"내가 왜 잔돈이 필요한데?"

"화장실 가신다면서요?"

"난 화장실 갈 필요 없어."

"하지만 방금 뭐라고……." 그녀는 말을 꺼내다 입을 다물고는 고개를 저었다. "아니에요, 됐어요. 주차 시간 얼마나 끊으셨어요?" 그녀가 물었다.

"10분."

그녀가 신음했다.

"일을 보는 데 10분은 더 걸릴 거라는 걸 이해 못 하세요?"

"그럼 10분 안에 나가서 주차 요금 징수기에 돈을 더 넣으면 되지." 오베는 그게 당연한 거 아니냐는 듯 말했다.

"그냥 좀 더 돈을 내서 일을 덜 번거롭게 할 수도 있잖아요?" 그녀는 그렇게 묻고는 질문이 입에서 튀어나가자마자 그냥 묻지 말걸 싶은 표정을 지었다.

"그게 바로 그들이 원하는 거니까! 그놈들이 우리가 쓰지도 않은 시간에 대한 요금으로 떼돈을 벌게는 못 하지!"

"뭐, 이 문제에 대해 저는 힘이 없으니까……." 파르바네가 한숨을 쉬며 이마를 짚었다.

그녀는 딸들을 보았다.

"엄마가 아빠 상태 보고 올 동안 오베 아저씨랑 같이 여기 얌전히 있을 거지, 응?"

"네, 네." 일곱 살짜리가 부루퉁하게 고개를 끄덕였다.

"그럼요오오오!" 세 살짜리가 신나게 부르짖었다.

"뭐라?" 오베가 속삭였다.

파르바네가 일어섰다.

"'오베 아저씨랑 같이'가 무슨 뜻이지? 당신 지금 어디 가려고?" 오베에게는 경악스럽게도, 임산부는 그의 목소리에 담긴 당혹스러움의 수준을 인식하지 못하는 듯 보였다.

"여기 앉아서 애들 좀 봐주셔야 한다고요." 그녀는 퉁명스럽게 말하고는 오베가 이의를 더 제기하기도 전에 복도를 걸어 사라졌다.

오베는 그 자리에 서서 그녀를 보았다. 마치 그녀가 급히 돌아와 그냥 농담해본 거였다고 소리치길 기다리기라도 하듯. 하지만 그녀는 그러지 않았다. 그래서 오베는 여자애들에게로 몸을 돌렸다. 다음 순간 그는 마치 그애들 눈에 탁상 램프를 비추며 살인이 일어났던 시각에 어디 있었는지 심문이라도 시작할 것 같은 표정을 지었다.

"책!" 세 살짜리가 엄마가 사라지자마자 소리를 빽 지르더니 온갖 장난감과 게임과 그림책이 진정한 혼돈을 이루고 있는 대합실 구석으로 달려갔다.

오베는 고개를 끄덕이며 이 세 살배기는 혼자 두어도 알아서 잘 놀 것 같다는 사실을 확인하고는 일곱 살짜리에게로 관심을 돌렸다.

"좋아, 그럼 너는 어떠냐?"

"내가 뭐요?" 그녀가 울분에 차 반격했다.

"먹을 게 필요하다거나 쉬를 싸러 가야 한다거나 뭐 그런 거 없느냐는 거다."

아이는 마치 오베가 자기에게 맥주나 담배를 권하기라도 한 것처럼 그를 보았다.

"저는 거진 여덟 살 됐거든요! 화장실엔 혼자 갈 수 있거든요!"

오베가 퉁명스레 팔을 휘휘 저었다.

"알았다, 알았어. 물어봐서 퍽이나 미안하다."

"으음." 그녀가 씩씩거렸다.

"맹세하써요!" 세 살배기가 다시 나타나 소리를 지르더니 오베의 다리 아래를 왔다 갔다 뛰어다녔다.

그는 문법적으로 문제가 많은 이 조그만 자연재해를 미심쩍은 눈으로 주의 깊게 보았다. 세 살배기가 고개를 들고 만면에 활짝 미소를 띠웠다.

"읽어줘!" 세 살배기가 흥분하여 그에게 명령했다. 들고 있던 책을 너무 쑥 내민 나머지 오베는 하마터면 넘어질 뻔했다.

오베는 마치 그 책이 나이지리아의 왕자가 '정말 돈이 되는 투자처'를 갖고 있는데 '중요한 일을 처리하기' 위해 오베의 계좌 번호만 있으면 된다고 주장하는 행운의 편지라도 되는 양 책을 바라보았다.

"읽어줘!" 세 살배기는 다시 명령을 내리고는 대기실 벤치를 놀랄 만큼 민첩하게 올랐다.

오베는 내키지 않는 듯 1미터 떨어져 앉았다. 세 살배기는 못 참겠다는 듯 한숨을 쉬더니 시야에서 사라졌다가 몇 초 뒤 오베의 팔 아래로 머리를 불쑥 내밀고는 자기 팔을 그의 무릎에 기대어 몸을 받친 뒤 코를 책 속 색색의 그림에 콕 박았다.

"옛날 옛날에 작은 기차가 있었습니다." 오베가 세금 계산서를 낭독하는 사람만큼의 열성을 보이며 책을 읽었다. 페이지를 넘겼다. 세 살배기가 페이지를 넘기려는 걸 막고 다시 같은 곳으로 돌아갔다. 일곱 살짜리가 피곤한 듯 고개를 저었다.

"그 페이지에서 무슨 일이 벌어지고 있는지도 설명해줘야 해요. 성대모사로."

오베가 일곱 살짜리를 보았다.

"그게 무슨 빌어……."

그가 말을 하다 말고 헛기침을 했다.

"무슨 목소릴 내야 하는데?" 그가 고쳐 말했다.

"요정 목소리요." 일곱 살짜리가 대답했다.

"맹세해써요." 세 살배기가 기쁨에 차 발표했다.

"안 그랬어." 오베가 말했다.

"그랬어." 세 살배기가 말했다.

"우린 아무 빌어…… 아무 목소리도 흉내 안 낼 거야!"

"아저씨 이야기 책 읽는 데 서투르신가봐요." 일곱 살짜리가 지적했다.

"니들은 사람 말 듣는 데 서투른가보다." 오베가 받아쳤다.

"아저씨는 사람들에게 말하는 데 서투른가보고요!"

오베는 아무 감정 없는 표정으로 책을 보았다.

"이 책 뭐 이런 똥…… 말도 안 되는 게 있어? 말하는 기차? 자동차는 없는 거야?"

"그 대신 아마 정신 나간 노인네들 이야기가 있을걸요." 일곱 살짜리가 웅얼거렸다.

"난 '노인네' 아니다." 오베가 쉿 소리를 내며 말했다.

"가앙대!" 세 살배기가 신나서 소리쳤다.

"난 광대도 아냐!" 그가 소리 질렀다.

일곱 살짜리가 오베를 보며 눈을 굴렸다. 그애 엄마가 오베한테 눈을 굴리는 것과 크게 다르지 않은 방식으로.

"아저씨 얘기한 거 아니에요. 저 광대 보고 한 소리예요."

오베가 눈을 들어 아주 제대로 광대처럼 차려입은 남자의 모습을 보았다. 광대가 대기실 문간에 서 있었다.

얼굴에는 엄청 크고 바보스러운 미소를 짓고 있었다.

"가아아앙대다." 세 살배기가 울부짖으며 벤치에서 콩콩 뛰고, 오베는 그 모습을 보며 이 꼬마가 약에 취한 게 틀림없다고 확신했다.

그는 그런 병에 대해서 들은 적이 있었다. 그런 애들은 주의력 결핍 행동 장애를 앓고 있고, 암페타민을 처방받아 복용한다.

"여기 이 꼬마 아가씨는 누구지? 아무래도 마술 쇼를 보고 싶은 모양인가보네?"

광대는 세 살배기를 거들며 그렇게 소리치고는 빨간색 커다란 신발 한 쌍을 신은 채 술 취한 사슴처럼 철벅철벅 걸어다녔다. 오베는 그 신발을 보며, 오직 철저하게 무의미한 인간들은 제대로 된 직업을 얻기보다 저딴 걸 걸치고 다니길 원한다는 사실을 다시 한 번 확인했다.

광대가 즐거운 얼굴로 오베를 보았다.

"이 아저씨가 오 크로나짜리 동전을 갖고 계시겠지요, 아마?"

"아니. 이 아저씨한테는 그런 거 없지, 아마." 오베가 대답했다.

광대가 놀란 얼굴을 했다. 광대 입장에서는 그리 성공적인 상황인 것 같지 않았다.

"하지만…… 저기요. 이건 마술 쇼거든요. 정말 동전 안 갖고 계신 거예요?"

광대가 훨씬 정상적인 목소리로 중얼거렸다. 꾸며놓은 차림새

와는 굉장히 대조되는 목소리였고, 이 머저리 광대의 뒤에 무척이나 평범한 머저리가 숨어 있다는 사실이 드러나는 목소리였다. 아마도 끽해야 스물다섯 살 정도일 것이다.

"저기요, 저는 병원에서 일하는 광대예요. 애들을 위한 거라고요. 돌려드릴게요."

"그냥 오 크로나 동전 줘요." 일곱 살짜리가 말했다.

"가앙대애애애!" 세 살배기가 소리 질렀다.

오베는 이 언어 장애 꼬맹이를 짜증스럽게 내려다보다 콧등에 주름을 잡았다.

"알았소." 그가 지갑에서 5크로나 동전을 꺼냈다.

그런 다음 광대를 손가락으로 가리켰다.

"돌려줘야 돼. 당장. 그걸로 주차 요금을 낼 거니까."

광대는 열심히 고개를 끄덕이고는 오베의 손에서 동전을 낚아챘다.

몇 분 뒤 파르바네가 복도를 걸어 돌아와 대기실로 갔다. 그녀는 제자리에 멈춰 서서 혼란스러운 얼굴로 대기실을 구석구석 살폈다.

"따님들 찾고 계신가요?" 뒤에서 간호사가 날카로운 어조로 물었다.

"네." 파르바네는 영문을 모른 채 대답했다.

"저기 있어요." 간호사가 감사 따위 딱히 바라지 않는다는 식으로 말하고는 주차장으로 이어지는 커다란 유리문 옆에 놓인 벤치를 가리켰다.

오베는 거기 앉아 있었다. 팔짱을 낀 채 무척 화가 난 표정으로.

오베 옆에는 일곱 살짜리가 앉아 지루해 죽겠다는 표정으로 천장을 올려다보고 있고, 다른 쪽 옆에는 세 살짜리가 한 달 내내 아침으로 아이스크림을 먹게 될 거라는 사실을 알게 된 것 같은 얼굴로 앉아 있었다. 벤치 양끝에는 병원 경비원 중에서도 특히 덩치가 큰 두 사람이 서 있는데, 둘 다 얼굴에 무척 험상궂은 표정을 띠고 있었다.

"이 애들이 당신 아이들인가요?" 경비 중 한 명이 물었다. 아침으로 아이스크림을 먹고 있는 사람의 표정은 절대 아니었다.

"네. 얘들이 무슨 짓을 했죠?" 파르바네가 거의 겁에 질린 채 물었다.

"애들은 아무 짓도 안 했습니다." 다른 경비가 오베를 적대적으로 보며 대답했다.

"나도 아무 짓 안 했어." 오베가 부루퉁해서 웅얼거렸다.

"오베가 가앙대 때렸어요!" 세 살배기가 좋아 죽겠다는 듯 킬킬거렸다.

"고자질쟁이." 오베가 말했다.

파르바네가 입을 딱 벌리고 그를 보았다. 뭐라고 말해야 할지 아무 생각이 안 났다.

"그 광대 아저씨 어쨌거나 마술은 서툴렀어요." 일곱 살짜리가 끙 하는 소리를 냈다.

"우리 이제 집에 가도 돼요?" 일곱 살짜리가 일어서며 물었다.

"어째서…… 잠깐만…… 무슨…… 무슨 광대?"

"가장대 베포." 세 살배기가 사려 깊게 고개를 끄덕이며 설명했다.

"마술을 보여주려고 했어요." 언니가 말했다.

"쓰레기 같은 마술이었지." 오베가 말했다.

"그러니까, 오베 아저씨의 오 크로나짜리 동전을 사라지게 하는 마술을 하려고 했어요." 일곱 살짜리가 부연설명을 했다.

"그래놓고 나한테 가짜 오 크로나짜리 동전을 주려고 했다고!" 오베가 불쑥 끼어들면서 경비원들에게 억울하다는 눈길을 보냈다. 마치 이거면 설명이 다 되는 거 아니냐는 듯.

"오베가 강대를 때려써요, 엄마." 세 살배기가 그게 자기 인생에서 일어난 최고의 사건인 것처럼 키득거렸다.

파르바네가 오베와, 세 살배기와, 일곱 살짜리와, 두 경비원을 오랫동안 바라보았다.

"저희는 남편 병문안을 온 거예요. 남편이 사고를 당했거든요. 이제 애들을 데려가서 아빠한테 인사시키려고 하는데요." 그녀가 경비원들에게 설명했다.

"아빠가 떨어졌어요!" 세 살배기가 말했다.

"좋습니다." 경비원 중 한 명이 말했다.

"하지만 이분께선 여기 계셔야 합니다." 다른 경비원이 오베를 가리키며 말했다.

"난 그 친구 안 때린 거나 다름없어. 그냥 쿡 찌른 것뿐이라고." 오베가 중얼거렸다. 그리고 만전을 기하기 위해 "빌어먹을 짝퉁 경찰들 같으니"라고 덧붙였다.

"솔직히 그 아저씨는 마술에 소질이 없었어요." 아버지 병문안을 떠나면서 일곱 살짜리가 오베 편을 들면서 팩팩거리는 말투로 얘기했다.

한 시간 뒤 그들은 오베의 차고로 돌아왔다. 파르바네는 멀대가 한쪽 팔과 다리에 기브스를 한 상태고 며칠은 병원에 있어야 한다고 오베에게 알려줬다. 그녀가 오베에게 그 얘길 했을 때, 오베는 웃음을 참느라고 입술을 꽉 깨물어야 했다. 그는 파르바네도 정확히 똑같은 짓을 하고 있다는 걸 느꼈다. 그가 좌석의 신문지를 정리할 때까지도 사브에서는 여전히 배기가스 냄새가 났다.

"저기요, 오베, 진짜로 제가 주차 요금을 내면 안 되는 거예요?" 파르바네가 말했다.

"이게 당신 차요?" 오베가 투덜거렸다.

"아뇨."

"그럼 된 거지." 그가 대답했다.

"하지만 제 잘못도 조금은 있는 것 같은데요." 그녀가 걱정스러운 듯 되풀이했다.

"당신이 주차 요금을 내면 안 돼. 시의회가 내야지. 그러니 그
건 빌어먹을 시의회 잘못인 거요." 오베는 그렇게 말하고 사브
문을 닫았다. "그리고 병원에 있는 그 짝퉁 경찰들 잘못이고." 그
가 덧붙였다. 다른 병원 방문객들 사이를 자유롭게 어슬렁거리
는 게 안심이 안 된다는 듯 자기를 벤치에서 꼼짝도 못하게 했
다는 사실 때문에 파르바네가 돌아와서 자길 데리고 집으로 갈
때까지 내내 화나 있었던 게 분명했다.

파르바네가 생각에 잠긴 채 오랫동안 오베를 보았다. 일곱 살
짜리는 기다리다 지쳐 주차 구역을 가로질러 자기 집 쪽으로 걸
어갔다. 세 살배기는 오베에게 환하게 미소 지었다.

"아저씨 웃겨요!" 세 살배기가 웃었다.

오베는 세 살배기를 보고는 바지 주머니에 손을 찔러 넣었다.

"음, 저기, 자기를 너무 못되게 보이려 하진 마세요."

세 살배기가 열심히 고개를 끄덕였다. 파르바네는 오베를 보
고, 차고 바닥에 있는 플라스틱 튜브를 보았다. 그리고 살짝 걱
정스러운 얼굴로 다시 오베를 보았다.

"사다리 치울 때 조금만 도와주시면 좋겠는데요……." 그녀가
무척 곰곰이 생각하는 듯한 태도로 말을 꺼냈다.

오베가 심란한 듯 아스팔트를 찼다.

"그리고 우리 집 라디에이터도 잘 안 돌아가는 것 같아요." 그
녀가 문득 생각난 듯 덧붙였다. "오셔서 좀 봐주실 수 있으면 좋

겠어요. 패트릭은 그런 걸 어떻게 만져야 할지 모르거든요, 아시다시피." 그녀는 그렇게 말하고 세 살배기의 손을 잡았다.

오베가 천천히 고개를 끄덕였다.

"모르겠지. 내 그럴 줄 알았지."

파르바네가 고개를 끄덕였다. 그러더니 갑자기 만족스러운 미소를 지었다. "오늘 밤 여자들을 얼어 죽게 할 수는 없겠죠, 오베, 그렇죠? 애들이 당신이 광대를 공격하는 광경을 봐야 했던 걸로 충분하잖아요, 안 그래요?"

오베가 그녀에게 언짢은 시선을 보냈다. 그는 말없이, 스스로에게 타협하듯, 그애들의 변변찮은 애비가 사다리에서 떨어지지 않고서는 창문 하나 열지 못한다는 이유로 자식들이 죽게 놔둘 수는 없다는 점을 인정했다. 만약 그가 어린이 살해범 자격을 새로 취득한 채 저세상에 도착할 경우 오베의 아내는 엄청난 양의 잔소리를 끓여 부을 것이다.

오베는 바닥에서 플라스틱 튜브를 집어 벽에 걸린 고리에 튜브를 걸었다. 열쇠로 사브 문을 잠갔다. 차고 문을 닫았다. 닫혔는지 확인하려고 문손잡이를 세 번 당겼다. 그런 다음 헛간으로 공구함을 가지러 갔다.

자살하기에는 내일도 오늘 못잖게 괜찮은 날이다.

14
오베였던 남자와 기차에 탄 여자

기차 창문을 통해 들어오는 햇살이 그녀가 앞머리에 꽂은 금빛 브로치에 몽롱하게 반사되었다. 6시 15분 전이었고, 오베는 방금 막 퇴근 도장을 찍고 나서 집으로 가는 기차를 타려던 참이었다. 하지만 그때 그는 풍성한 고동색 머리칼과 푸른 눈을 가진 그녀가 쾌활한 웃음을 터뜨리며 승강장에 앉아 있는 걸 보았다. 그는 기차에서 내렸다. 물론 그는 자기가 왜 그러는지 잘 몰랐다. 살면서 이렇게 즉흥적인 행동을 해본 적은 없었다. 하지만 그녀를 보자 마치 내면의 뭔가가 작동을 멈춘 것 같은 기분이 들었다.

그는 차장 중 한 명을 설득해서 여분의 바지와 셔츠를 빌렸다. 기차 청소부처럼 보이지 말아야 했다. 그런 다음 소녀 옆에 가서 앉았다. 그건 그가 지금까지 내린 것 중 최고의 결단이었다.

그는 무슨 말을 할지 몰랐다. 하지만 자리에 앉기도 전에 그녀가 활기차게 몸을 돌리고 따뜻하게 미소 지으며 "안녕하세요"라고 말했다. 그는 자기가 특별히 복잡한 생각을 하지 않고도 자연스럽게 "안녕하세요"라는 답례 인사를 할 줄 아는 사람이라는 사실을 깨달았다. 그녀는 오베가 자기 무릎에 쌓아놓은 책들을 보고 있다는 사실을 알아채고는 책을 살짝 기울여 제목을 읽을 수 있도록 해줬다. 오베는 제목 중 대략 절반 정도만 무슨 말인지 알아먹을 수 있었다.

"독서 좋아하시나봐요?" 그녀가 그에게 밝은 얼굴로 물었다.

오베는 살짝 불안한 마음으로 고개를 저었지만 그녀에게는 그 반응이 별로 신경 쓰이지 않는 듯했다. 그녀는 그냥 웃고는 자기는 세상 무엇보다 책을 사랑한다고 말하더니 자기 무릎에 있는 책들이 무슨 내용인지 하나하나 열심히 말해주기 시작했다. 그리고 오베는 자기가 남은 일생 동안 그녀가 좋아하는 것에 대해 그녀의 입으로 듣길 원한다는 사실을 깨달았다.

그는 그녀의 목소리만큼 굉장한 걸 들은 적이 없었다. 그녀는 거의 킥킥 웃음을 터뜨리기 직전에 있는 상태를 계속 유지하면서 말했다. 그녀가 깔깔거리며 웃는 걸 듣고 샴페인 거품이 웃을 줄 안다면 저런 소리가 날 거라고 오베는 생각했다. 그는 바보같고 못 배운 사람처럼 보이지 않으려면 어떻게 말을 해야 할지 잘 몰랐지만, 그건 그가 걱정했던 것보다는 덜 중요한 문제로 밝혀졌다.

그녀는 말하는 걸 좋아했고 오베는 조용히 있는 걸 좋아했다. 돌이켜보면, 오베는 사람들이 서로 사이가 좋다고 말할 때 그들이 뜻하는 게 바로 그런 게 아닌가 하고 생각했다.

여러 해가 흐른 뒤 그녀는 그날 객실에서 오베가 다가와 자기와 같이 앉았을 때 그가 무척 헷갈리는 사람이라 생각했다고 말했다. 온몸으로 퉁명스럽고 둔감한 티를 냈다고 했다. 하지만 어깨는 넓었고 팔근육은 늠름해서 셔츠 천을 팽팽하게 잡아 늘리고 있었다. 그리고 다정한 눈을 하고 있었다. 그녀가 말할 때 그는 들었고, 그녀는 그를 웃게 만드는 게 좋았다. 어쨌거나 학교까지 가는 길은 무척이나 지루했으므로 동행이 있는 건 기쁜 일이었다.

그녀는 교사가 되려고 공부하는 중이었다. 매일 기차를 타고 10~20킬로미터를 간 뒤 다른 기차로 갈아탄 다음 다시 버스를 탔다. 오베는 전혀 엉뚱한 방향으로 약 한 시간 반 동안 여행을 했다. 그들이 승강장에서 처음 마주치고, 나란히 앉아 가다가, 그녀가 버스를 타는 정류장에 서게 되고 나서야 그녀는 오베에게 여기서 뭘 하고 있느냐고 물었다. 그제야 오베는 자기가 군부대 막사에서 5~6킬로미터 떨어진 곳에 있다는 걸 알았다. 심장 문제만 아니었다면 있을 수도 있었던 곳. 자기가 왜 그러는지 깨닫기도 전에 말이 입에서 미끄러져 나왔다.

"저기서 군복무를 하고 있어요." 그가 막연한 태도로 손을 흔들며 말했다.

"그럼 돌아가는 기차에서도 볼 수 있겠네요. 저는 다섯 시에 집에 가거든요……."

오베는 할 말이 떠오르지 않았다. 물론 그는 군사 시설에 근무하는 사람이 다섯 시에 퇴근하지 않는다는 걸 잘 알았지만 그녀는 그 사실을 확실히 몰랐다. 그래서 그냥 어깨만 으쓱했다. 그녀는 버스를 타고 떠났다.

오베는 의심의 여지 없이, 지금 하는 생각이 다방면으로 터무니없다는 결론을 내렸다. 하지만 그 일을 하기 위해 할 일은 그리 많지 않았다. 그래서 그는 자기가 지금 서 있는 조그만 대학가에서 작은 중심가로 향하는 표지판을 찾아냈다. 그러고 나서 걷기 시작했다. 45분 뒤 그는 그 지역에 딱 하나 있는 양장점으로 가는 길을 물었고, 마침내 그곳을 찾아내서는 묵직한 걸음걸이로 들어가 셔츠를 펴고 바지를 다릴 수 있는지, 만약 그게 된다면 얼마나 걸릴지 물었다. "십 분 정도만 기다리시면 돼요"라는 대답이 돌아왔다.

"그럼 네 시에 다시 오겠습니다." 오베는 그렇게 말하고 가게를 떠났다. 그는 기차역으로 어슬렁어슬렁 돌아가 역 대합실 벤치에 자리를 잡았다. 3시 15분이 되자 그는 양장점으로 되돌아가 셔츠와 바지가 다려지는 동안 속옷 차림으로 직원용 화장실에 앉아서 기다린 뒤, 역으로 걸어가 그녀와 함께 기차를 잡아타고 그녀가 내리는 역까지 한 시간 반 걸려 돌아갔다. 그런 다음 다시 30분 동안 기차를 타고 자기가 내릴 역까지 갔다. 그는 다음 날에도 이 일을 되풀이했다. 그다음 날에도. 그다음 날 기차역 계산대에서 일하는 남자가 오베의 일과에 끼어들어서는 여기서 부랑자처럼 자면 안 된다는 사실을 주지시켰다. 잘 알지 않느냐면서. 오베는 그가 하는 말을 알아들었지만, 이 역에 오는 무척 중요한 여인 때문에 그렇다고 설명을 했다. 이 말을 듣자 매표소에서 일하는 남자가 고개를 슬쩍 끄덕이더니 그 뒤로 빈 수화물 취급소에서 잠을 잘 수 있도록 해줬다. 기차역 매표소에서 일하는 남자들도 사랑에 빠진 적이 있었던 것이다.

오베는 그 뒤로 석 달 동안 매일 똑같은 일을 했다. 마침내 그녀는 그가 자기를 저녁 식사에 초대하지 않는 것에 지쳐버리고 말았다. 그래서 대신 그녀가 자신을 직접 초대했다.

"내일 저녁 여덟 시에 여기서 기다릴게요. 정장을 입고 나오셔서 절 저녁 식사에 초대해주셨으면 좋겠네요." 그녀가 어느 금요일 저녁 기차에서 내리며 간단명료하게 말했다.

그리고 그렇게 됐다.

오베는 그녀를 만나기 전 어떻게 살아왔느냐는 질문을 한 번도 받은 적이 없었다. 하지만 누군가 물어봤다면, 그는 살아도 산 게 아니었다고 대답했으리라.

토요일 저녁 그는 아버지의 낡은 갈색 양복을 입었다. 어깨가꼈다. 그런 다음 노부인이 부탁한 나사못 두 개를 끼우러 집을 둘러보기 전 자기 방 간이 부엌에 놔뒀던 소시지 두 개와 감자 일곱 개를 먹었다.

"누구 만나?" 노부인이 계단에서 내려오는 그를 반기며 물었다. 그녀는 그가 양복을 입은 걸 처음 봤다. 오베는 무뚝뚝하게 고개를 끄덕였다.

"네." 그는 숨을 내쉰 건지 말을 한 건지 모르는 소리로 대답했다. 노부인은 고개를 끄덕인 뒤 입가에 떠오르는 미소를 감추려 했다.

"그렇게 쫙 빼입은 걸 보니 무척 특별한 사람인가봐." 그녀가 말했다.

오베는 다시 숨을 들이쉬고 짧게 고개를 끄덕였다. 그가 문간에 있는데 그녀가 부엌에서 소리쳤다.

"꽃 준비해, 오베!"

오베가 당황한 표정으로 칸막이 벽 뒤로 고개를 들이밀고 그녀를 보았다.

"그 아가씨 꽃 좋아할 거야." 그녀가 살짝 힘주어 말했다.

오베는 헛기침을 한 뒤 현관문을 닫았다.

그는 꽉 끼는 양복을 입고 잘 닦은 구두를 신은 채 15분도 넘게 기차역에서 그녀를 기다렸다. 그는 늦게 오는 사람들을 불신했다. "시간을 잘 지키는 사람을 믿을 수 없다면 다른 그 누구도 믿을 수 없지." 출근 카드를 든 사람들이 물방울이 똑똑 떨어지듯 3, 4분씩 늦게 들어오면서도 그게 중요한 문제가 아닌 양 굴

때마다 오베는 중얼거리곤 했다. 그들은 마치 열차 시간이 아침마다 자기들을 기다려줄 것처럼, 기차만 탈 수 있다면 조금 늦는 건 딱히 중요한 일도 아니라는 양 굴었다.

기차역에 서서 15분을 더 기다리는 동안 오베는 살짝 짜증이 났다. 짜증은 걱정으로 변했고, 그러고 나서 그는 소냐가 자기더러 만나자고 했을 때 실은 그냥 장난을 친 거라는 결론을 내렸다. 그는 사는 동안 이렇게 바보스러운 기분을 느낀 적이 없었다. 당연히 그녀는 그와 데이트할 생각이 없었다. 어쩌다 내 머리에 그런 생각을 집어넣었을까? 깨달음이 오자 굴욕감이 용암처럼 치밀어 올랐고, 그는 꽃다발을 쓰레기통에 버리고 뒤도 안 돌아보고 가버리려 했다.

나중에 그때를 돌이켜보았을 때, 그는 자기가 왜 거기서 계속 기다렸는지 잘 설명할 수 없었다. 아마 그런 상황이었음에도 불구하고 약속은 약속이라고 생각하지 않았나 싶다. 어쩌면 다른 이유도 있을 수 있었다. 딱 꼬집어 말하기는 좀 어렵지만. 물론 그때는 그걸 몰랐지만, 그는 훗날 자기 인생의 수많은 15분을 그녀를 기다리며 보낼 운명이었다. 그의 선친이 그 사실을 알았다면 사팔눈을 떴겠지만. 마침내 그녀가 꽃무늬가 그려진 긴 스커트를 입고, 오베로 하여금 자기 몸의 무게 중심을 오른발에서 왼발로 움직이게 할 정도로 새빨간 카디건 차림으로 나타났을 때, 오베는 시간 약속을 못 지키는 그녀의 무능함이 그렇게 중요한 문제는 아닐지도 모른다는 결론을 내렸다.

꽃집 여자가 오베에게 '원하시는 꽃이 무엇인지' 물었다. 그는 그녀에게 그게 좀 빌어먹을 질문이라고 퉁명스레 알려줬다. 결국 풀때기를 파는 쪽은 그녀고, 그걸 사는 쪽은 자기다. 그 반대가 아니지 않나. 여자는 그 말에 살짝 기분이 상한 듯 보였지만 꽃을 받는 분께서 좋아하는 색깔이 있는지 물었다. "분홍색." 오베가 확실하게 말했다. 몰랐는데도.

지금 그녀는 기차역 밖에서 그가 준 꽃다발을 가슴에 꼭 안은 채 기쁜 표정을 지으며 서 있었다. 그녀가 입은 붉은 카디건 때문에 나머지 세상은 회색 톤으로 보였다.

"정말 예뻐요." 그녀가 솔직담백하게 미소 지었고, 오베는 땅바닥을 내려다보며 발로 자갈을 찼다.

오베는 레스토랑을 그다지 좋아하지 않았다. 그는 사람들이 집에서도 밥을 먹을 수 있는데 왜 외식에 그렇게 돈을 써대는지 결코 이해하지 못했다. 그는 으리번쩍한 가구나 공들인 요리에도 큰 관심이 없었고, 자기가 대화 기술이 부족하다는 것도 잘 인식하고 있었다. 그는 온갖 경우를 대비해 최소한이나마 미리 식사를 해뒀다. 그러면 자기가 제일 싼 음식을 고르는 동안 그녀가 메뉴에서 원하는 걸 주문할 수 있을 거고, 돈도 댈 수 있었다. 게다가 뭘 좀 먹어두면 최소한 그녀가 그에게 뭔가 물었을 때 입에 음식이 꽉 차 대답하지 못하는 경우는 없을 것이었다. 그가 보기엔 썩 괜찮은 작전 같았다.

그녀가 주문을 하는 동안 웨이터가 싹싹하게 미소를 지었다.

오베는 그들이 레스토랑에 들어왔을 때 웨이터와 레스토랑 안의 다른 손님들 모두가 무슨 생각을 했을지 너무도 잘 알았다. 그녀는 오베에게 과분했다. 그게 그 사람들 생각이었다. 그는 자기가 무척 바보스럽게 느껴졌다. 그가 그들의 의견에 거의 전적으로 동의하기 때문이었다.

그녀는 자기가 하는 공부에 대해, 자기가 읽은 책과 관람한 영화에 대해 무척이나 즐겁게 이야기했다. 그녀가 오베를 볼 때면 그는 난생 처음으로 자기가 이 세상에서 유일한 남자가 된 것 같은 기분을 느꼈다. 오베는 이런 기분이 옳지 않다는 걸 알 만큼은, 또한 더 이상은 이렇게 앉아 있을 수 없다는 걸 깨달을 만큼은 정직한 사람이었다. 그는 헛기침을 하고 용기를 그러모아 그녀에게 진실을 털어놓았다. 군복무를 하지 않는다는 걸, 사실은 심장에 이상이 있는 청소부일 뿐이고, 거짓말을 한 것은 그녀와 같이 기차를 타는 게 정말 즐거워서라는 이유 말고는 없었다고. 그는 이 식사 자리가 그녀와 함께 하는 유일한 자리가 되리라 짐작했다. 그녀가 사기꾼과 식사를 할 정도로 가치 없는 사람이라고는 생각하지 않았다. 그는 이야기를 마친 뒤 냅킨을 테이블 위에 올려놓고 음식 값을 내기 위해 지갑을 꺼냈다.

"미안합니다." 그는 부끄러운 표정을 지으며 중얼거린 뒤 자기가 앉은 의자 다리를 툭 걷어찬 다음 거의 들리지도 않을 정도로 낮은 목소리로 덧붙였다. "당신이 바라보는 사람이 된다는 건 어떤 기분인지 알고 싶었을 뿐입니다." 그가 자리에서 일어서려는데 그녀가 테이블 너머에서 손을 뻗어 그의 팔을 잡았다.

"이렇게 말씀을 많이 하시는 건 처음 봐요." 그녀가 미소를 지었다.

그는 그렇다고 어떻게 사실이 바뀌느냐는 둥 하는 소리를 중얼거렸다. 그는 거짓말쟁이였다. 그녀가 다시 그에게 앉아달라고 했고, 그는 그녀의 말에 복종하여 의자에 풀썩 앉았다. 그녀는 화를 내지 않았다. 적어도 그가 생각한 방식으로는 아니었다. 그녀는 웃기 시작했다. 마침내 그녀는 그가 군복무를 하지 않는다는 사실을 알아채는 게 그리 어려운 일은 아니었다고 말했다. 왜냐하면 군복을 한 번도 입지 않았으니까.

"게다가 군인들이 주중 다섯 시에 퇴근하지 않는다는 건 다들 알잖아요."

그녀는 오베가 러시아 스파이마냥 도통 신중하질 않았다고 덧붙였다. 그녀는 그에게 나름 이유가 있을 거라는 결론에 도달했다. 그녀는 그가 자기 말을 듣는 태도가 좋았다고, 그녀를 웃기는 것도 좋았다고, 자기는 그거면 충분했다고 말했다.

그런 다음 그녀는 그에게 삶에서 정말로 원하는 게 뭐냐고, 만약 원하는 걸 고를 수 있다면 뭘 택하겠냐고 물었다. 그는 생각도 하지 않고 곧바로 집을 짓고 싶다고 대답했다. 집을 건설하고 싶다고, 도면을 그리고 싶다고, 부지에 집을 세울 수 있는 최적의 방법을 계산하고 싶다고 했다. 이번에 그녀는 그가 생각했던 것처럼 웃지 않았다. 그녀는 화를 냈다.

"그럼 왜 안 하는 거죠?" 그녀는 이유를 알아야겠다고 했다.

오베는 그 질문에 딱히 그럴싸한 대답을 내놓지 못했다.

월요일에 그녀가 토목 공사 자격증을 위한 통신 강좌 팸플릿을 들고 오베의 집으로 찾아왔다. 하숙집 노부인은 아름답고 젊은 여성이 자신감 넘치는 걸음걸이로 계단을 올라가는 모습을 보고 압도당했다. 나중에 그녀는 오베의 등을 톡톡 건드리고는 그 꽃이 아마 꽤나 쓸 만한 투자였나보다고 속삭였다. 오베는 동의할 수밖에 없었다.

오베가 자기 방에 왔을 때 그녀는 방 침대 위에 앉아 있었다. 오베는 문간에 부루퉁한 얼굴로 섰다. 주머니에 손을 찔러 넣은 채였다. 그녀가 그를 보더니 웃었다.

"우리 지금 연애하는 거예요?" 그녀가 물었다.

"어, 네." 그가 더듬더듬 대답했다. "그렇게 될 수 있을 것 같은데요."

그리고 그렇게 되었다.

그녀는 그에게 책자를 건넸다. 2년 과정으로, 오베가 집짓기에 대해 배운 그 모든 시간이 결국에는 그가 한때 생각했던 것처럼 쓸모없는 게 아니었다는 사실이 밝혀졌다. 아마 그는 전통적인 의미의 공부에 대해서라면 딱히 머리가 좋은 편이 아니었겠지만, 숫자를 이해했고 집을 이해했다. 공부가 그를 멀리 나아가게 했다. 그는 여섯 달 뒤 시험을 쳤다. 또 쳤다. 그리고 또 쳤다.

그런 다음 그는 주택 회사에 고용되었고 거기서 한 세기의 3분의 1을 근무했다. 열심히 일했고, 한 번도 앓아눕지 않았으며, 모기지를 갚고, 세금을 내고, 의무를 다했다. 최근 개발이 이루어진 숲 속 택지에 지어진 작은 이층집을 샀다. 그녀는 오베와 결혼하고 싶어 했고, 그래서 오베는 청혼했다. 그녀는 아이를 갖고 싶어 했고, 오베는 자기도 좋다고 했다. 그들이 이해한 바로는 아이들은 주택 단지에서 다른 아이들과 함께 살아야 했다.

40년이 채 안 되어 집 주변에는 더 이상 숲이 하나도 남지 않았다. 주택들뿐이었다. 어느 날 그녀는 병원에 누워 그의 손을 잡고는 걱정 말라고 했다. 다 잘 될 거라고 했다. 말이야 쉽다고 오베는 생각했다. 그의 가슴이 분노와 슬픔으로 고동쳤다. 하지만 그녀는 그저 "다 괜찮을 거예요, 여보"라고 속삭이며 그의 팔에 자기 팔을 기댈 뿐이었다. 그녀는 집게손가락으로 그의 손바닥을 부드럽게 눌렀다. 그리고 눈을 감은 뒤 죽었다.

오베는 그녀의 손을 몇 시간 동안 그대로 잡고 있었다. 병원 직원이 병실로 들어와 다정한 목소리와 조심스런 태도로 자기들이 그녀의 시신을 모셔가야 한다고 설명할 때까지. 오베는 자리에서 일어나 고개를 끄덕인 다음 장의사에게 가 서류를 챙겼다. 그녀는 일요일에 매장되었다. 그는 월요일에 출근했다.

누군가 묻는다면, 그는 그녀를 만나기 전까지 자기는 결코 살아 있던 게 아니었다고 말했을 것이다. 그녀가 죽은 뒤에도.

15
오베라는 남자와 연착된 기차

플렉시 유리 건너편에 있는 살짝 뚱뚱한 남자는 거꾸로 머리를 빗질해 올렸고 팔은 문신으로 덮여 있었다. 누군가 자기 머리에 마가린 한 통을 덕지덕지 바른 걸로는 모자라다는 듯 온 몸을 낙서로 뒤덮고 있는 것 같았다. 오베가 파악할 수 있는 한에서는 거기에는 제대로 된 주제가 없었다. 그저 수많은 무늬들뿐이었다. 저게 건전한 정신 상태를 가진 성인이 동의할 만한 것일까? 파자마처럼 생긴 팔을 달고 다니는 게?

"자동 발매기가 작동 안 해요." 오베가 그에게 알려줬다.

"안 해요?" 플렉시 유리 너머의 남자가 말했다.

"'안 해요?'가 무슨 소리요?"

"그러니까…… 물어보는 거예요. 작동 안 하냐고."

"방금 말했는데. 고장 났다고!"

플렉시 유리 건너편의 남자는 미심쩍은 얼굴을 했다. "현금카드에 문제가 있는 건 아니고요? 마그네틱 띠에 먼지가 묻었다거나." 그가 의문을 제기했다.

오베는 플렉시 유리 뒤의 남자가 방금 막 오베가 발기부전일 가능성을 제기한 것 같은 표정을 지었다. 플렉시 유리 뒤 남자가 침묵했다.

"자기 띠에는 먼지 안 묻었어. 확신해도 좋아요." 오베가 식식거렸다.

플렉시 유리 뒤의 남자가 고개를 끄덕였다. 그러다 마음을 바꿔 고개를 저었다. 그는 오베에게 발매기가 '아까까지는 잘 작동했다'는 점을 설명하려 노력했다. 오베는 물론 이 설명을 말도 안 되는 거라고 기각했다. 왜냐하면 지금은 고장이 나 있으니까. 플렉시 유리 뒤 남자는 오베에게 현금이 없는지 물었다. 오베는 그딴 빌어먹을 건 당신이 알 바 아니라 했다. 긴장된 침묵이 흘렀다.

마침내 플렉시 유리 뒤의 남자가 '자기가 카드를 좀 확인할 수 있겠냐'고 물었다. 오베는 마치 어두운 골목에서 그 남자를 만났는데 그가 자기더러 몸의 중요한 부위를 '좀 확인'하자고 물어보기라도 한 것 같은 얼굴을 했다.

"허튼 짓 하지 마."

오베가 창문 아래로 머뭇머뭇 카드를 밀어 넣으며 경고했다.

플렉시 유리 뒤 남자가 카드를 잡은 다음 그걸 자기 무릎에 거칠게 벅벅 문질렀다. 오베가 신문에서 '스키밍'*이라고 부르는 짓거리를 읽어본 적 없는 줄 아는 듯. 오베가 머저리인 줄 아는 듯.

"지금 무슨 짓을 하는 거야?" 오베가 울부짖으며 플렉시 유리창을 손바닥으로 팡 쳤다.

남자는 창문 아래로 카드를 밀어 돌려줬다.

"이제 해보세요." 그가 말했다.

오베는 30분 전에 안 되던 카드가 지금 될 리가 없다는 사실을 어느 멍청이가 이해를 못 하느냐고 생각했다. 오베가 플렉시 유리 뒤의 남자에게 이 점을 지적했다.

"네?" 남자가 말했다.

오베가 보란 듯 한숨을 푹 쉬었다. 플렉시 유리에서 눈을 떼지 않은 채 카드를 다시 받아들었다. 카드가 됐다.

"봐요!" 플렉시 유리 뒤 남자가 놀리듯 말했다.

오베는 카드가 자기를 감쪽같이 배신이라도 했다고 느끼는 듯 그걸 노려보고는 지갑에 넣었다.

"좋은 하루 되세요." 플렉시 유리 뒤 남자가 등 뒤에서 외쳤다.

"그거야 가봐야 알지." 오베가 중얼거렸다.

지난 20년간 오베가 실질적으로 만났던 모든 인간들은 그가 모든 걸 카드로 지불해야 한다고 진절머리 날 만큼 떠들어댔다.

---

* skimming. 카드 소지자의 허락 없이 카드상의 정보를 전자적으로 복사해 가는 부정행위.

하지만 오베에게는 현금이면 충분했다. 사실 현금은 수천 년 동안 인류에게 완벽하게 봉사해왔다. 오베는 은행도, 그들의 전자 기술도 믿지 않았다.

하지만 아내는 오베가 경고했음에도 불구하고 그런 카드 쪼가리 중 하나를 들고 다니겠다고 고집했다. 그리고 그녀가 죽고 나서 은행에서는 오베에게 그의 이름으로 된 새 카드를 한 장 달랑 보냈다. 아내의 계좌와 연결된 카드였다. 지난 6개월간 그 돈으로 아내의 무덤에 가져갈 꽃을 샀고, 이제 계좌에는 136크로나 54외레가 남았다. 오베는 자기가 이 돈을 안 쓰고 죽어버리면 은행 임원들의 주머니 속으로 사라지리라는 걸 무척 잘 알았다.

그런데 이제 오베가 그 망할 플라스틱 카드를 쓰려고 하니까 듣지를 않는 거였다. 가게에서 쓰려고 하니 추가 요금이 붙거나. 오베가 내내 옳았다는 사실이 입증된 것이다. 그는 아내를 만나자마자 이 얘기부터 할 거다. 그녀도 그 사실을 똑똑히 아는 편이 나았다.

그는 오늘 아침 태양이 지평선 위로 떠오르려 힘을 채 모으기도 한참 전에, 하물며 이웃들은 일어날 생각도 않고 있을 때 집에서 나왔다. 현관에서 기차 시간표를 꼼꼼히 연구했다. 그런 다음 집 안의 불을 모두 끄고 라디에이터 스위치도 모두 내린 뒤 현관문을 잠그고 나서 모든 지시 사항이 적힌 유서 봉투를 문 안쪽 현관매트에 남겨놓았다. 그는 집에 들어올 사람이 그걸 발견할 거라고 생각했다.

그는 눈삽을 갖고 와서 집 앞의 눈을 퍼낸 다음 삽을 다시 헛간에 집어넣었다. 헛간 문을 잠갔다. 오베가 조금 더 주의를 기울였다면, 주차 구역을 향해 걸음을 옮기기 시작했을 때 제법 커다란 고양이 모양의 구멍이 창고 바로 옆에 쌓인 눈 더미에 나 있었다는 걸 눈치 챘을 테다. 하지만 그는 더 중요한 생각에 마음을 쏟느라 그걸 보지 못했다.

최근의 경험으로 깨달은 바가 있어, 그는 사브를 타는 대신 걸어서 역까지 갔다. 이번에는 외국인 임산부도, 금발 잡초도, 루네의 아내도, 불량 로프도 오베의 아침을 망칠 기회가 없으리라. 그는 라디에이터도 손을 봐줬고, 물건도 빌려줬으며, 병원까지 실어다도 줬다. 이제 드디어 해야 할 일의 마무리를 지을 수 있게 되었다.

그는 다시 한 번 기차 시간표를 확인했다. 그는 늦는 게 싫었다. 지각은 계획을 망치고 모든 걸 꼬이게 했다. 그의 아내는 그 점이 정말 서툴렀다. 계획을 준수하는 것. 하지만 여자들은 언제나 그런 식이었다. 여자들이란 강력 접착제를 발라 계획표에 붙여놓아도 제대로 붙어 있지 못하는 존재들이라는 사실을 오베는 일찌감치 깨달았다. 오베는 어딘가로 차를 몰고 갈 때 일정과 계획을 짜고 어디서 주유를 하고 어디서 멈춰 커피를 마실지 결정했다. 이 모든 게 여행을 가능한 한 알차게 보내기 위함이었다. 그는 지도를 연구해서 각 여행지 사이의 구간을 이동하는 시간이 얼마나 걸리는지, 러시아워의 교통 체증을 어떻게 피해야 하는지, 내비게이션을 이용하는 사람들은 결코 잡아낼 수 없는 지름길로 가는 법을 정확히 추산해냈다. 오베는 언제나 분명한 여행 전략을 세웠다. 반면 아내는 언제나 '감이 오는 대로 가자'거나 '쉬엄쉬엄 가자'는 정신 나간 소리를 해댔다. 마치 다 큰 어른이면 어떻게든 도착하게 될 거라는 양. 그래놓고는 전화하는 걸 까먹거나 스카프 같은 걸 놓고 왔다. 아니면 방금 전에 챙긴 가방에 무슨 코트를 넣었는지도 몰랐다. 등등. 그녀는 식기건조대에서 커피 보온병을 챙기는 걸 늘 깜박했다. 그게 그녀가 챙기는 유일하게 중요한 물건이었는데. 여행 가방에 망할 코트만 네 벌이 들어있었지만 커피는 없었다. 마치 매 시간마다 주유소에 들러 거기서 파는 불에 그슬린 여우 오줌 같은 음료를 사 마시면 된다는 듯. 그러면 일정이 하염없이 밀렸다. 오베가 불만을 터뜨리면 그녀는 어딘가로 차를 타고 갈 때 시간 계획을 짜는 게 그렇게 중요한 일이냐고 늘 반박해야 했다. "어쨌거나 우리 급할 거 없잖아요." 그녀는 그렇게 말하곤 했다. 마치 그거야말로 진짜 중요한 문제라는 듯.

이제 오베는 역 승강장에 서서 손을 주머니에 찔러 넣고 있었다. 그는 정장 재킷을 입지 않고 있었다. 배기가스 때문에 얼룩도 너무 많이 지고 냄새도 너무 심하게 나서 그 꼴로 나타났다가는 아내가 뭐라고 한 마디 할 것 같다는 느낌이 들어서다. 그녀는 그가 지금 입고 있는 셔츠와 점퍼를 좋아하지는 않겠지만, 최소한 이 옷은 깨끗하고 상태도 좋았다. 현재 기온은 거의 영하

15도였다. 파란색 가을 재킷을 파란색 겨울 코트로 바꿔 입지 않았더니 추위가 옷 속으로 곧장 파고들었다. 역에 늦게 갈까봐 심란해서 그랬던 거라고 인정할 수밖에 없었다. 그는 역 2층에 갈 때는 어떤 차림을 하고 나타나야 하는지 제대로 생각해본 적이 없었다. 처음에는 깔끔하고 격식을 차려 입고 가야 한다고 생각했다. 아마도 혼동을 피하기 위해 사람들이 일종의 유니폼 같은 것을 입고 돌아다닐 것 같았다. 그곳엔 온갖 사람들이 다 있을 거라고 짐작했다. 예를 들면 옆 사람보다 특이하게 꾸미고 나온 외국인들. 짐작건대 그곳엔 분명 복장 관련 부서 같은 게 있어서 입은 옷에 따라 사람들을 정리할 수도 있을 것 같았다.

승강장은 거의 텅 비어 있었다. 선로 맞은편에 졸린 표정을 한 젊은이들이 커다란 백팩을 메고 서 있었는데, 오베는 백팩 안에 마약이 꽉 차 있을 거라 확신했다. 그 옆에 회색 정장에 검정색 오버코트를 걸친 40대 정도의 남자가 보였다. 그는 신문을 읽고 있었다. 거기서 약간 떨어진 곳에는 가슴에 주 의회 로고를 걸고 보라색 머리를 땋은 한창 때의 여자들이 잡담을 나누고 있다. 길쭉한 멘솔 담배를 연이어 피우고 있었다.

오베가 서 있는 쪽은 30대 중반으로 보이는, 작업복에 안전모를 쓴 세 명의 덩치 큰 시청 직원밖에는 아무도 없었다. 그들은 둥글게 모여서 바닥의 구멍을 들여다보고 있었다. 주변에는 비상 경계선을 아무렇게나 둘둘 쳐 세워 놓았다. 직원 중 하나는 세븐일레븐에서 사 온 커피잔을 들고 있었고, 다른 하나는 바나나를 먹고 있었으며, 세 번째 직원은 장갑도 안 벗은 채 휴대폰 버튼을 쿡쿡 누르고 있었다. 잘 안 되는 모양이었다. 구멍은 여전히 존재했다. 온 세상이 금융위기로 무너졌을 때 다들 퍽이나 놀랐지. 오베가 생각했다. 그때 사람들이 한 일은 땅에 생긴 구멍 주위에 모여 서서 바나나를 먹으며 하루 종일 구멍을 들여다보는 것보다 딱히 나은 게 없었다.

그는 시계를 확인했다. 1분 남았다. 그는 승강장 모서리에 선다. 한 발로 모서리 위에서 균형을 잡았다. 깊이가 1미터 50센티미터 정도일 거라고 가늠했다. 아니, 1미터 60센티미터쯤. 기차가 그의 생명을 거두어간다는 게 다소 상징적이고, 그는 이 사실이 딱히 마음에 들지는 않았다. 그는 기관사가 이 끔찍한 모습을 봐야 한다고 생각하지 않았다. 그런 이유로 그는 기차가 아주 가까이 접근했을 때 뛰기로 했다. 그러면 객차 맨 앞에 있는 커다란 앞 유리가 아니라 객차 모서리에 부딪혀 선로로 떨어질 것이다. 그는 기차가 오는 방향을 보며 천천히 숫자를 셌다. 타이밍이 아주 정확해야 한다고, 그는 다짐했다. 해가 막 떴다. 태양이 방금 막 횃불을 받은 어린아이처럼 그의 눈을 향해 집요하게 빛을 쏘았다.

바로 그때 그의 귀에 첫 번째 비명이 들렸다.

오베가 마침 고개를 들자 검정색 오버코트와 양복을 입은 남자가 신경 안정제를 과다 복용한 팬더처럼 몸을 앞뒤로 흔들기 시작했다. 양복을 입은 남자는 1, 2초 정도 그렇게 몸을 움직이다가 멍하니 위를 보았다. 그의 몸 전체가 일종의 신경성 경련에 휩싸였다. 팔을 발작적으로 떨었다. 그러다 마치 스틸사진이 연달아 움직이는 순간이기라도 한 듯, 신문이 남자의 손에서 떨어지고, 그가 정신을 잃더니, 혼합 시멘트를 담은 상자마냥 탁 하고 부딪치는 소리를 내며 선로 가장자리로 떨어졌다.

주 의회 로고를 가슴에 붙이고 줄담배를 피우던 여자들이 공포에 질려 새된 비명을 지르기 시작했다. 마약을 소지한 젊은이들이 선로를 보았다. 손이 백팩 끈에 단단히 말려 있었다. 안 그러면 자기들도 아래로 떨어질까 두렵기라도 한 듯. 오베는 반대편 승강장에 서서 짜증스럽게 시선을 옮겼다.

"아, 정말, 진짜." 마침내 오베가 씨근거리더니 선로로 뛰어 내려갔다. "와서 여기 좀 잡아!" 그가 백팩을 멘 청년 중 하나에게 소리쳤다. 얼이 빠진 젊은이가 승강장 가장자리로 슬금슬금 다가왔다. 오베는 체육관에는 발도 한 번 안 들여놓았지만 일평생을 두 팔에 모래주머니를 메고 다닌 사람에게서나 나올 것 같은 힘으로 양복 입은 남자를 들어올렸다. 그는 아우디를 몰고 형광빛으로 빛나는 조깅 바지를 입은 남자들 따위는 하지도 못할 방식으로 그 남자의 몸을 들어 백팩을 멘 청년에게 넘겼다.

"기차가 가는 길에 이 사람 놔두면 안 돼! 알아들어!?"

백팩을 멘 청년은 멍하니 고개를 끄덕이고는 젖 먹던 힘까지 끌어내서 양복 입은 남자의 몸을 승강장으로 끌어올렸다. 주 의회 로고를 단 여자들은 여전히 비명을 지르고 있었다. 마치 그러는 게 이런 상황에서 취할 수 있는 가장 건설적인 반응이라 믿고 있는 듯. 남자는 숨을 쉬는 것처럼 보이지만 오베는 승강장 아래 선로에 계속 서 있었다. 그는 기차가 다가오는 소리를 들었다. 그가 계획했던 대로는 되지 않았지만, 할 일을 해야 했다.

그는 주머니에 손을 찔러 넣은 채 선로 한가운데로 조용히 걸어가 기차의 전조등을 바라보았다. 그는 경고 호루라기가 무중호각(霧中號角)처럼 울리는 걸 들었다. 발밑에서 선로가 심하게 떨리는 걸 느꼈다. 마치 테스토스테론으로 충만한 황소가 그를 들이받으러 다가오는 것 같았다. 그가 숨을 내쉬었다. 전율과 울부짖음, 기차의 제동장치에서 울리는 냉랭한 비명으로 이루어진 지옥 한가운데에서, 그는 깊은 안도감을 느꼈다.

드디어.

오베에게, 뒤이은 그 순간은 시간 자체가 브레이크를 밟아 그의 주변 모든 것들이 느린 동작으로 흘러가기라도 하는 것처럼 길게 늘어났다. 폭발하는 것 같은 소리가 그의 귀에서 낮게 쉭쉭거리는 소리로 작게 줄어들고, 기차는 어찌나 천천히 접근하는지 마치 늙어빠진 황소 두 마리가 끌고 오는 것 같았다. 전조등 불빛이 절망에 빠져 그를 비췄다. 전조등 사이에 난 틈에 서 있었기 때문에 그는 눈이 부시지 않고, 그래서 기관사와 눈이 또렷하게 마주쳤다. 스무 살을 넘은 것 같지가 않다. 오베의 동료들이 '애송이'라고 불러댈 친구 중 하나.

오베가 애송이의 얼굴을 뚫어져라 보았다. 주머니 속에서 주먹을 꽉 쥐었다. 이제 자기가 막 하게 될 일에 대해 스스로를 책망하듯. 하지만 어쩔 수 없다고 그는 생각했다. 뭔가를 하는 데는 올바른 방법이 있다. 틀린 방법도 있고.

그래서 기차가 약 15미터 앞까지 다가왔을 때, 오베는 짜증스럽게 욕설을 내뱉더니 잠에서 깨어나 커피라도 가지러 가는 사람처럼 조용히 선로에서 비켜나 다시 승강장으로 펄쩍 뛰어 올라갔다.

기관사가 간신히 기차를 정지시키면서 기차는 오베와 나란히 섰다. 공포에 질린 애송이의 얼굴에 핏기가 싹 빠져나가 있었다. 눈물을 참고 있는 게 분명했다. 기관차의 창문을 통해 두 남자가 서로를 보았다. 마치 이제 막 무슨 묵시록의 사막 같은 곳에서 빠져나와서 자기들이 지구에 남은 최후의 인류가 아니라는 사실을 깨닫기라도 한 것처럼. 한쪽은 이 깨달음에 마음이 놓였다. 다른 한쪽은 실망했다.

기관차 안의 꼬마가 조심스럽게 고개를 끄덕였다. 오베는 체념을 담아 고개를 끄덕여 되받았다.

오베가 더 이상 살길 바라지 않는 거야 괜찮았다. 하지만 차창에 부딪혀 몸이 피떡이 되기 전 몇 초 동안 눈을 맞추는 바람에 당사자의 인생을 파멸시키는 남자라니, 젠장. 오베는 그런 남자는 아니다. 아버지도 소냐도 그를 용서하지 않을 것이다.

"괜찮습니까?" 안전모를 쓴 사람 중 한 명이 오베의 뒤에서 소리쳤다.

"조금만 늦었으면 가버릴 뻔했어요!" 다른 직원이 소리쳤다.

그들은 그를 바라보며 서 있었다. 방금 전에 구멍을 들여다보며 멀거니 서 있던 태도와는 확연히 달랐다. 마치 뭘 바라보는 게 그들이 가진 으뜸가는 능력인 양 바라보았다. 오베가 그 시선을 돌려줬다.

"그러니까, 일 초만 늦었어도요." 손에 여전히 바나나를 들고 있는 직원이 확언했다.

"아주 안 좋은 일이 생길 뻔했지요." 첫 번째 안전모가 키득거렸다.

"진짜 안 좋은 일 말이지." 다른 직원이 동의했다.

"사실 죽을 수도 있었어요." 세 번째 직원이 확언했다.

"당신 영웅이에요!"

"그 사람'들' 생명을 구했다고요!"

"그 사람. '그 사람' 생명을 구했지." 오베가 그들의 말을 바로잡았다. 그는 자기가 하는 말 속에서 소냐의 목소리를 들었다.

선로 위에서는 기차가 빨간색 비상등을 켠 채, 막 벽으로 돌진한 뚱뚱보처럼 삐끔대고 씨근댔다. 오베 짐작에 IT 컨설턴트와 여타 평판 나쁜 친구들임에 분명한 사람들이 우르르 몰려와 승강장 가까이에 서 있었다. 오베는 바지 주머니에 손을 찔러 넣었다.

"내 생각엔 당신네가 기차를 빌어먹게도 연착시키고 있는 것 같은데." 그는 그렇게 말하고는 승강장에 혼란스럽게 몰려 있는 사람들을 보며 무척 불만스러운 표정을 지었다.

"맞아요." 첫 번째 안전모가 말했다.

"그런 것 같네요." 다른 안전모가 말했다.

"아주아주 많이 연착됐지요." 세 번째 안전모가 동의했다.

오베가 녹슨 경첩이 달린 육중한 책상 같은 소리를 냈다. 그는 한 마디도 않고 그들 셋을 지나쳐 갔다.

"어디 가세요? 당신은 영웅이라고요!" 첫 번째 안전모가 놀라 소리쳤다.

"맞아요!" 두 번째 안전모가 소리쳤다.

"영웅!" 세 번째 안전모가 소리쳤다.

오베는 대답하지 않았다. 그는 플렉시 유리 뒤에 앉아 있는 남자를 지나쳐 눈 덮인 거리로 나와 집으로 걸어가기 시작했다.

마을이 외제차와 통계와 신용카드 빚과 기타 쓸모없는 것들과 더불어 잠에서 천천히 깨어났다. 이렇게 오늘 하루도 망쳤다고, 그는 쓸쓸하게 확인했다.

주차 구역 옆 자전거 보관소를 따라 걷던 중, 그는 하얀색 스코다가 아니타와 루네의 집 방향에서 나와 지나가는 걸 보았다. 안경을 쓴 완고한 표정의 여자가 조수석에 앉아 있었다. 그녀의 팔에 파일과 서류가 가득했다. 운전석에는 하얀 셔츠의 남자가 앉아 있었다. 오베는 자동차가 모퉁이를 돌면서 자기를 들이받을 뻔한 걸 길 밖으로 펄쩍 뛰어 피했다.

남자가 차창 너머에서 타고 있는 담배를 오베 쪽으로 들어올렸다. 얼굴에 우월감을 드러내는 미소가 반쯤 떠 있었다. 마치 오베가 거기 있는 게 잘못이지만 자기는 관대하게 그냥 지나가겠다는 듯.

"머저리!" 오베가 스코다 뒤에 대고 소리쳤지만 하얀 셔츠의 남자는 전혀 반응이 없는 듯했다.

오베는 차가 모퉁이를 돌아 사라지기 전 차량 번호를 외웠다.

"곧 당신 차례야, 늙다리 영감." 악의에 찬 여자의 목소리가 그의 뒤에서 씩씩댔다.

오베는 몸을 돌리며 본능적으로 주먹을 치켜들었다. 금발 잡초의 선글라스에 반사된 오베의 눈이 오베를 바라보고 있었다. 그녀는 팔에 그 망할 똥개를 끼고 있었다. 똥개가 으르렁댔다.

"저 사람들 사회복지 기관에서 나왔거든." 그녀가 도로 쪽으로 턱짓을 하며 야유했다.

오베는 주차 구역에 서서 얼간이 앤더스가 차고에서 아우디를 빼내는 모습을 보았다. 오베는 아우디에 파도 모양의 새 헤드라이트가 달려 있는 걸 알아챘다. 아마 밤중에 똥멍청이가 운전하는 차가 저기 오고 있다는 걸 모두에게 간파당할 생각으로 디자인된 것인가 싶었다.

"그게 당신 알 바인가?" 오베가 금발잡초에게 말했다.

그녀의 입술이 찡그리듯 말려들어갔다. 입술에 환경 폐기물과 신경 독소를 주입한 여자가 지을 법한 미소와 흡사했다.

"내 알 바지요. 왜냐하면 이번에 그 사람들이 요양원에 처넣는 게 길 맨 끝에 사는 빌어먹을 늙은이니까. 그다음엔 당신일 거고!"

그녀는 오베 옆 땅바닥에 침을 뱉고는 아우디 쪽으로 걸어갔다. 오베는 그녀를, 그녀의 가슴이 셔츠 안에서 부풀었다 가라앉는 걸 보았다. 아우디가 방향을 바꾸어 출발할 때 금발 잡초는 오베를 향해 가운뎃손가락을 들어 보였다. 오베의 머릿속에 본능적으로 떠오른 첫 번째 생각은 그들을 쫓아가서 저 독일제 철판 괴물을 찢어발겨 산산조각 내는 것이었다. 그 안에 있는 머저리, 잡초, 짖어대는 똥개, 그리고 파도 모양의 헤드라이트까지. 하지만 별안간 그는 숨이 가빠지는 걸 느꼈다. 눈밭을 전속력으로 달려오기라도 한 것처럼. 그는 몸을 앞으로 숙이고 손을 무릎에 얹고는 자기가 분노로 인해 숨을 헐떡이고 있고 심장이 달음박질치고 있다는 사실을 깨달았다.

몇 분 뒤 그는 몸을 폈다. 오른쪽 눈이 살짝 실룩거렸다. 아우디는 사라졌다. 오베는 몸을 돌려, 한 손을 가슴에 얹은 채 천천히 집으로 향했다.

집에 도착하고 나서 그는 헛간에 들렀다. 눈더미 속에 파인 고양이 모양의 구멍을 내려다보았다.

구멍 깊숙이 고양이가 있었다.

빌어먹을. 진작 발견할 수 있었는데.

16
오베였던 남자와 숲속의 트럭

뚱한 표정을 한, 슬퍼 보이는 푸른 눈동자를 가진 살짝 어설픈 근육질 소년이 기차에서 소녀 옆에 앉았던 그날 이전에, 그녀가 인생에서 무조건적으로 사랑했던 것은 딱 세 가지였다. 책, 아버지, 고양이.

그녀가 남자의 눈을 끈 게 그때가 처음이 아니었다는 건 분명한 사실이었다. 온갖 별의별 구혼자들이 접근했다. 큰 키에 검은 피부의 남자, 혹은 작은 금발 남자, 재미 좀 보려는 남자, 둔한 남자, 고상한 남자, 허풍떠는 남자, 잘생긴 남자, 탐욕스런 남자. 만약 그들이 숲 속 외딴 곳에 나무로 집을 짓고, 항상 권총 한두 자루를 들고 다니는 소냐 아버지에 대한 이야기를 듣고 설득당하지 않았다면 대개는 그녀에게 조금 더 치근거렸을 테다. 하지만 그들 중 누구도 기차에서 그 소년이 옆에 앉았을 때 그녀를 보는 방식으로, 마치 그녀가 세상에 단 하나밖에 없는 소녀인 양 소냐를 보지 않았다.

때때로, 특히 처음 몇 년 동안, 그녀의 여자 친구들은 그녀가 한 선택에 대해 의문을 가졌다. 그녀 주변의 사람들이 그녀에게 그 점을 계속 주지시키는 게 무척 중요한 일이라는 듯 굴었다시피, 소냐는 무척 아름다웠다. 더군다나 그녀는 웃기 좋아했고, 인생에 무슨 일이 일어나건 간에 그에 대해 긍정적인 관점을 갖는 사람이었다. 하지만 오베는, 음, 오베는 오베였다. 이 또한 그녀 주변 사람들이 계속해서 상기시킨 점이었다.

그들의 주장에 따르면 오베는 초등학교에 다닐 때부터 심술궂은 영감이었다. 그녀는 더 나은 사람을 만날 수도 있었다.

하지만 소냐에게 오베는 결코 뚱하지도 거북하지도 까칠하지도 않았다. 그녀에게 그는 첫 저녁 식사 테이블에 올라 있던 살짝 부스스한 분홍색 꽃이었다. 그는 아버지가 입던 갈색 정장이 살짝 꽉 끼는 넓쩍하고 슬픈 어깨였다. 그는 정의와, 페어플레이와, 근면한 노동과, 옳은 것이 옳은 것이 되어야 하는 세계를 확고하게 믿는 남자였다. 훈장이나 학위나 칭찬을 얻기 위해서가 아니라 그저 그래야 마땅하기 때문이었다. 이런 종류의 남자들은 이제 더 이상 그리 많이 나오지 않는다는 걸 소냐는 알았다. 그래서 그녀는 이 남자를 꼭 잡았다. 아마 그는 그녀에게 시도 써주지 않을 테고 사랑의 세레나데도 부르지 않을 것이며 비싼 선물을 들고 집에 찾아오지도 않을 테다. 하지만 다른 어떤 소년도 그녀가 말하는 동안 옆에 가만히 앉아 있는 게 좋다는 이유로 매일 몇 시간 동안 다른 방향으로 가지는 않았다.

그래서 그녀가 자기 넓적다리만큼이나 두꺼운 그의 팔을 잡고 그 부루퉁한 소년의 얼굴에 웃음꽃이 활짝 필 때까지 간질이면, 그건 마치 보석을 둘러싸고 있던 회반죽이 갈라지는 것 같은 일이었다. 이런 일이 일어날 때면 마치 소냐의 내면에서 무언가 노래를 부르기 시작하는 것 같았다. 그 순간 그 무언가는 온전히 소냐의 것이었다.

그녀는 그들이 저녁을 먹었던 첫날 밤, 그가 군복무 문제에 대해 거짓말을 했다고 털어놓은 일로는 화를 내지 않았다. 물론 그 뒤로 별의별 일로 셀 수도 없을 만큼 수없이 화를 내긴 했지만, 그날 밤은 아니었다.

"최고의 남자는 잘못에서 태어난다고 했어요. 나중에는 한 번도 잘못을 저지르지 않았을 경우보다 훨씬 더 나아진다고요." 그녀가 부드럽게 말했다.

"누가 그래요?" 오베는 그렇게 묻고는 자기 앞에 놓인 포크와 나이프와 숟가락을 바라보았다. 마치 누군가 "무기를 골라"라고 말했을 때 뚜껑이 열린 상자를 바라보는 사람처럼.

"셰익스피어요." 소냐가 말했다.

"그거 좋아요?" 오베가 물었다.

"환상적이에요." 소녀가 고개를 끄덕이며 웃었다.

"난 '그 사람과' 뭘 읽어본 적이 없어요." 오베가 식탁보를 향해 중얼거렸다.

"'그 사람이 쓴'이에요." 그녀가 바로잡고는 그의 손에 자기 손을 사랑스럽게 얹었다.

40년 가까이 함께 살면서, 소냐는 읽기와 쓰기를 배우는 데 어려움을 겪는 수백 명의 학생들을 가르쳤고, 그들에게 셰익스피어 전집을 읽혔다. 같은 기간 동안 그녀는 오베가 셰익스피어 희곡을 한 편이라도 읽도록 하는 데 결코 성공하지 못했다. 하지만 그들이 주택 단지로 이사하자마자 그는 몇 주 동안 내내 저녁마다 헛간에서 시간을 보냈다. 마침내 그가 작업을 마쳤을 때, 그녀가 본 것 중 가장 아름다운 책장들이 거실에 놓였다.

"책들을 어디에 보관은 해야 하잖아." 그는 그렇게 중얼거리고는 드라이버 끝으로 엄지손가락에 난 작은 상처를 콕콕 찔렀다.

그녀는 그의 품에 파고들며 사랑한다고 말했다.

그는 고개를 끄덕였다.

그녀는 그의 팔에 난 화상 자국에 대해 딱 한 번 물어본 적이 있었다.

그녀는 그가 부모님의 집을 잃게 된 정확한 상황을, 오베가 마지못해 밝히는 정황을 통해 제공받은 간단명료한 조각들을 한데 모아 파악해야 했다. 마침내 그녀는 그가 어쩌다 화상을 입었는지 알게 됐다. 그녀의 여자 친구 중 하나가 왜 그를 사랑하느냐고 물었을 때, 소냐는 대부분의 남자는 지옥 같은 불길에서 달아난다고, 하지만 오베 같은 남자는 그 안으로 뛰어든다고 대답했다.

오베는 소냐의 아버지를 손가락으로 꼽을 수 있을 정도로 봤다. 노인은 멀리 북쪽, 숲으로 들어가기 좋은 길목에 살았다. 마치 사람이 살 수 있는 곳에서 가능한 한 멀리 떨어진 장소가 여기라고 정하기 전에 이 나라의 모든 인구 중심지를 표시한 지도를 참고하기라도 한 듯했다.

소냐의 어머니는 소냐를 낳자마자 돌아가셨다. 아버지는 재혼하지 않았다.

"난 여자가 있어. 지금 집에 없다 뿐이지." 가끔 누군가 감히 그 질문을 던지면 그는 그렇게 툭 내뱉었다.

소냐는 식스스 폼 칼리지*에서 중등교사 시험공부─인문 전 과목에서 시험을 쳤다─를 시작했을 때 시내로 이사를 했다. 그녀가 아버지에게 같이 갔으면 좋겠다고 제안하자 아버지는 한없는 분노에 차서 그녀를 보았다. "거기서 뭘 하라고? 동네 사람들이라도 만나랴?" 그가 그르렁거렸다. 그는 늘 '동네 사람들'이라는 단어를 마치 욕설인 양 사용했다. 그래서 소냐는 아버지를 거기 놔뒀다. 그녀가 주말마다 방문하고 그가 한 달에 한 번 트럭

---

* sixth form college. 16세에서 19세 사이의 학생들이 다니는 대입 준비 학교.

을 몰고 가장 가까운 식료품점에 갈 때를 제외하고, 아버지의 유일한 동무는 어니스트였다.

어니스트는 세상에서 제일 큰 농장 고양이였다. 소녀가 꼬마였을 때, 그녀는 어니스트가 정말로 조랑말인 줄 알았다. 그는 내킬 때마다 아버지의 집에 찾아왔지만 거기서 살지는 않았다. 사실 어디 사는지는 누구도 몰랐다. 소녀는 고양이에게 어니스트 헤밍웨이에서 딴 어니스트라는 이름을 붙여줬다. 아버지는 책 문제로 골머리를 앓은 적이 한 번도 없었지만 당신의 딸이 다섯 살 때 자리에 앉아 신문을 읽었을 때, 그는 바보가 아니었으므로 신문을 가지고 뭔가 하려는 걸 피하고자 했다. "여자애는 저딴 똥덩어리를 읽으면 안 돼. 바보가 될 거야." 그는 그렇게 말하고는 그녀를 마을의 도서관으로 데려갔다. 늙은 사서는 그가 무슨 소리를 하는지는 정확히 몰랐지만, 그 소녀가 정말 두드러지게 지적이라는 데는 의심의 여지가 없었다.

매달 식료품점으로 가던 길은 매달 도서관까지 가는 길로 연장될 수밖에 없었다. 사서와 아버지는 그 점에 대해 더 이상의 토론을 할 필요를 느끼지 않고 합의를 보았다. 열두 살 생일이 지났을 때쯤, 소녀는 도서관에 있는 모든 책들을 최소 두 번씩 읽었다. 그녀는 『노인과 바다』를 좋아해서 얼마나 읽었는지도 모를 만큼 수없이 읽었다.

그래서 어니스트는 어니스트라 불리게 되었다. 누구도 그를 소유하지 않았다. 그는 말을 하지 못했지만 아버지와 낚시를 가는 걸 좋아했고, 아버지의 낚시 실력을 높이 평가했다. 그들은 집에 돌아오고 나면 수확물을 똑같이 분배하곤 했다.

소녀가 처음 오베를 숲 속의 나무집에 데려갔을 때, 오베와 그녀의 아버지는 침묵 속에서 마주앉아, 그녀가 문명인의 대화 형식을 조장해보려 애쓰는 동안 거의 한 시간이나 자기 음식만 내려다보았다. 두 남자 모두, 그들이 신경 쓰는 유일한 여자에게 이 자리가 중요하다는 사실을 제외하고는 자기가 거기서 하고 있는 일을 잘 이해하지 못했다. 두 남자 모두 이런 자리를 마련하자는 제안에 대해 끈덕지고 시끄럽게 반대했지만 성공하지 못했다.

소녀의 아버지는 애초부터 이 일에 부정적이었다. 그가 이 소년에 대해 아는 것이라고는 그가 시내에서 왔다는 것, 그리고 고양이를 별로 좋아하지 않는다고 소녀가 말했다는 사실밖에는 없었다. 그가 생각하기에 이 두 가지 특징만으로도 오베를 못미더운 사람으로 보기에는 충분한 이유였다.

오베 입장에서는 구직 면접을 보러 온 기분이었다. 그는 이런 종류의 일에 서툴렀다. 그래서 소녀가 말하고 있지 않을 때는 자기 딸을 잃고 싶지 않은 남자와, 자기가 그의 딸을 데려갈 남자로 간택되었다는 사실을 아직 완전히 이해하지 못한 남자 사이에서만 생길 수 있는 침묵이 방 안에 가득 찼다. 마침내 소녀가 오베에게 뭐라도 좀 말해보라는 뜻으로 그의 정강이를 발로 찼다. 오베가 접시에서 고개를 들자 그녀의 눈가에 분노의 경련이 이는 게 보였다. 그는 헛기침을 하고는 이 노인네에게 뭐라도 말할 거리라도 찾아볼 요량으로 자포자기하는 심정으로 주위를 둘러보았다. 왜냐하면 그게 오베가 배운 것이었기 때문이었다. 할 말이 아무것도 없으면 물어볼 거리를 찾아봐야 한다는 것. 사람들로 하여금 자기를 싫어한다는 걸 깜박하도록 하는 게 하나라도 있다면, 그때 바로 자신에 대해 이야기할 기회가 찾아온다는 것.

마침내 오베의 시선이 트럭에 가 닿았다. 노인의 집 부엌 창문을 통해 보였다.

"L10이네요, 그렇죠?" 그가 포크로 트럭을 가리키며 말했다.

"맞아." 노인이 접시를 내려다보며 말했다.

"사브에서 저 트럭을 만들지요." 오베가 고개를 짧게 끄덕이며 말했다.

"스카니아*야!" 노인이 오베를 쏘아보며 으르렁거렸다.

방 안이 다시 한 번, 여자의 연인과 그 여자의 아버지 사이에서만 생겨날 수 있는 침묵으로 뒤덮였다.

오베가 암울한 표정으로 접시를 내려다보았다. 소냐가 아버지의 정강이를 걷어찼다. 그녀의 아버지가 매섭게 그녀를 바라보았다. 그녀 눈가의 경련을 보기 전까지는. 그는 그리 멍청하지 않았고, 따라서 그다음에 벌어질 수도 있는 안 좋은 일을 피하는 법을 알았다. 그래서 그는 성난 듯 헛기침을 하고는 음식을 깨작

---

* Scania. 스웨덴의 자동차 회사.

거렸다.

"사브에서 소송을 걸어서 홀랑 다 털어버리는 바람에 공장을 매각했으니 이제 스카니아가 아니기는 하지." 그는 낮은 목소리로, 공격적인 어조를 조금 줄인 채 툴툴거린 다음 자기 딸의 신발에서 정강이를 살짝 멀리 뺐다.

소냐의 아버지는 항상 스카니아 트럭을 몰았다. 그는 왜 사람들이 다른 제품을 사는지 이해할 수 없었다. 그렇게 오랜 세월 소비자로 충성했는데 그들은 사브와 합병을 해버렸다. 그는 그 배신을 결코 용서하지 않았다.

오베는 사실 스카니아가 사브와 합병했을 때부터 그 회사에 무척 흥미를 가지고 있었다. 그는 감자를 씹으면서 창밖의 트럭을 생각에 잠겨 바라보았다.

"잘 움직이나요?" 그가 물었다.

"아니." 노인이 화난 듯 웅얼거리더니 접시로 시선을 돌렸다. "저 모델은 잘 안 굴러가. 제대로 만들질 않았어. 정비사 놈들은 저걸 고치는 데 전 재산의 반을 달래." 그는 마치 식탁 아래 앉아 있는 누군가에게 설명하듯 덧붙였다.

"괜찮으시다면 제가 좀 볼 수 있는데요." 별안간 오베가 열띤 얼굴로 말했다.

소냐의 기억에 그가 무언가에 대해 정말로 열의에 차 이야기한 첫 번째 순간이었다.

두 남자가 잠시 서로를 바라보았다. 소냐의 아버지가 고개를 끄덕였다. 오베도 퉁명스레 고개를 끄덕였다. 그런 다음 그들은 목적의식에 휩싸여 단호히 자리에서 일어섰다. 마치 이제 나가서 다른 남자를 죽이자고 막 합의한 것 같은 동작으로. 몇 분 뒤 소냐의 아버지가 지팡이에 기댄 채 부엌으로 돌아와 이젠 습관이 돼버린 불만족스러운 웅얼거림과 함께 의자에 몸을 파묻었다. 그는 자리에 앉아 조심스럽게 파이프를 채우고는 마침내 소스 냄비를 향해 고개를 끄덕이더니 한 마디 했다.

"괜찮군."

"고마워요, 아빠." 그녀가 웃었다.

"요리야 네가 했지. 내가 아니라." 그가 말했다.

"음식 때문에 고마운 게 아니고요." 그녀는 그렇게 대답하고는 접시를 치운 뒤 아버지의 이마에 다정하게 입을 맞췄다. 그때 그녀는 오베가 마당에 서 있는 트럭 보닛 밑으로 몸을 날리는 모습을 보았다.

그녀의 아버지는 아무 말도 하지 않고 조용히 씨근대며 자리에서 일어나서는 부엌에 놓여 있던 신문을 집어 들었다. 그리고 거실 안락의자 쪽으로 반쯤 가다가 걸음을 멈추고는 다소 결심이 서지 않은 듯 지팡이에 몸을 기대고 섰다.

"저 친구 낚시는 하냐?" 마침내 그가 그녀를 보지 않은 채 투덜거렸다.

"아닐걸요." 소냐가 대답했다.

"알았다. 그럼 배워야겠군." 마침내 그는 그렇게 툴툴대고는 파이프를 입에 물고 거실로 사라졌다.

소녀는 아버지가 누군가에게 그보다 더한 칭찬을 하는 걸 들은 적이 없었다.

17

오베라는 남자와
눈더미에 묻힌 골칫거리 고양이

"죽었어요?" 임신한 배가 허락하는 한 재빨리 내달려온 파르바네가 공포에 질려 묻고는 구멍을 들여다보며 서 있었다.

"난 수의사가 아뇨." 오베가 대답했다. 무뚝뚝한 말투는 아니다. 그저 정보를 전달하는 것처럼 말할 뿐이었다.

그는 이 여자가 어디 있다가 이렇게 매번 나타나는지 이해가 안 갔다. 인간은 이제 더 이상 자기 집 정원에서 눈더미에 생긴 고양이 모양의 구멍 옆에 조용하고 차분하게 서 있을 수 없는 걸까?

"꺼내야죠!" 그녀가 장갑으로 그의 어깨를 치면서 소리쳤다.

오베는 불쾌한 표정을 짓고는 주머니에 손을 더 깊이 찔러 넣었다. 그는 여전히 숨을 쉬는 게 조금 힘들었다.

"그럴 필요 전혀 없어요." 그가 말했다.

"세상에, 대체 왜 그래요?"

"난 고양이랑 그리 잘 지내는 사람도 아냐." 오베는 그렇게 말하고는 눈에 신발 뒤축을 푹 파묻었다.

하지만 그녀가 몸을 돌리며 그를 응시하자 조금 멀찍이 물러섰다.

"아마 자고 있을 거요." 그가 구멍을 들여다보며 의견을 내고는 재빨리 이렇게 덧붙였다. "아니라면 눈이 녹았을 때 나왔을 거 아뇨."

장갑이 다시 그의 옆을 지나가 날아가고, 그는 안전거리를 유지하기로 한 게 꽤 괜찮은 생각이었다는 사실을 확인했다.

하지만 다음 순간 그는 파르바네가 눈더미 안으로 뛰어들었다는 걸 알아차렸다. 그녀는 몇 초 뒤 꽁꽁 얼어붙은 작은 생명체를 그녀의 가는 팔에 안고 나왔다. 마치 갈가리 찢긴 스카프로 서투르게 포장한 네 개의 아이스캔디처럼 생겼다.

"문 열어요!" 그녀가 정말로 평정심을 잃고 소리를 빽 질렀다.

오베가 신발 밑창을 눈에 꾹꾹 눌러댔다. 그는 오늘 하루를 여자나 고양이를 집에 들이며 시작할 의도가 확실히 없었고, 그는 이 점을 그녀에게 분명히 밝혀뒀으면 좋겠다 싶었다. 하지만 그녀는 팔에 그 동물을 든 채 똑바로 다가와 단호히 걸음을 옮겼다. 그녀가 자기를 뚫고 가게 할지 지나가게 할지가 그가 자신의 반응 속도를 결정할 때 생각할 유일한 질문이었다. 오베는 이렇게 사람 말에 귀를 기울이지 않는 못돼먹은 여자를 경험한 적이 없었다. 다시 숨이 가빠지는 것 같았다. 그는 가슴을 움켜쥐고 싶은 충동과 싸웠다.

파르바네는 계속 나아갔다. 오베는 길을 비켰다. 그녀가 성큼성큼 지나갔다.

그녀 품에 안긴 고드름 달린 작은 꾸러미가 오베의 머릿속 기억의 흐름을 미처 멈추려 하기도 전에 집요하게 일깨웠다. 어니스트의 기억. 뚱뚱하고 멍청한 늙은 어니스트. 그토록 소냐의 사랑을 받았던, 그녀가 어니스트를 볼 때마다 5크로나짜리 동전이 그녀 가슴 위에서 통통 튀는 것을 볼 수 있을 정도로 사랑받았던 고양이.

"문 좀 열라고요!" 파르바네가 고함을 지르며 오베를 홱 돌아보았다. 목뼈에 손상을 입지 않았는지 걱정될 정도의 속도였다.

오베가 주머니에서 열쇠꾸러미를 꺼냈다. 팔의 통제력을 빼앗기기라도 한 듯. 그는 지금 자기가 하고 있는 일을 받아들이느라 힘들었다. 그의 머릿속 일부는 '싫어'라 소리를 지르고 있는 반면 그의 몸 나머지는 10대의 반항 같은 걸 하느라 분주했다.

"담요 좀 가져와요!" 파르바네가 명령을 내리고는 신발을 신은 채 문지방을 넘어 달렸다.

오베는 잠시 거기 서서 숨을 고른 뒤 그녀의 뒤를 천천히 따라갔다.

"뭐가 이렇게 추워요. 라디에이터 켜요!" 파르바네가 지금 이런 말을 하는 게 정말로 당연한 일이라는 듯 내뱉고는 고양이를 소파에 내려놓으면서 오베에게 초조하게 손짓했다.

"여기서 라디에이터를 켜는 일은 없을 거요." 오베가 단호하게 공표했다. 그는 거실 문간에 버티고 서서 만약 그가 그녀더러 고양이 밑에 최소한 신문지라도 깔라고 말한다면 그녀가 자기에게 또 장갑을 집어던질지 궁금해했다. 그녀가 그를 다시 돌아보자, 그는 그렇게 말하는 걸 관두기로 결정했다. 오베는 자기가 지금껏 이렇게 화가 난 여자를 본 적이 있는지 알 수가 없었다.

"위층에 담요가 있긴 한데." 별안간 복도 전등에 대한 관심이 무럭무럭 솟는 걸 느끼면서, 그녀의 시선을 피한 채 마침내 그가 말했다.

"그럼 가져와요!"

오베는 짐짓 꾸민 듯한 경멸스러운 목소리로 조용히 그녀가 한 말을 반복하는 것처럼 보였다. 하지만 그는 발걸음을 떼어 그녀의 장갑이 닿지 않을 거리를 재면서 조심스럽게 거실을 지나갔다.

계단을 오르내리는 내내 그는 이 동네에서 평화와 고요를 얻는 게 뭐 이리 젠장맞게도 힘든 거냐고 중얼거렸다. 그는 위층에 도착하여 걸음을 멈추고 심호흡을 좀 했다.

가슴의 통증은 가셨다. 심장이 다시 정상적으로 뛰었다. 가끔 일어나는 일이라 더는 이 문제로 스트레스를 받지는 않았다. 결국엔 늘 지나가니까. 그는 딱히 심장이 더 오래 뛰길 원하지도 않았다. 어느 쪽이건 그리 중요하질 않으니까.

그는 거실에서 들리는 목소리에 귀를 기울였다. 그는 자기 귀를 거의 믿을 수가 없었다. 그가 죽는 걸 꾸준히 방해하고 있다는 점을 고려할 때, 이 이웃들은 한 사람을 광기와 자살의 경계까지 몰고 가는 데 확실히 아무런 부끄러움이 없었다. 확실했다.

오베가 손에 담요를 들고 계단에서 내려올 때, 옆집의 과체중 청년이 거실 한가운데 서서 고양이와 파르바네를 호기심 어린 눈길로 바라보고 있었다.

"여, 안녕하세요!" 그가 활기차게 말하며 오베에게 손을 흔들었다.

그는 티셔츠 하나만 달랑 입고 있다. 밖에 눈이 쌓였는데도.

"오냐." 오베는 위층에 잠깐 다녀왔을 뿐인데 돌아와보니 자기가 무슨 민박집이라도 차린 것 같은 광경을 발견해서 소름이 오싹 끼친 채 말했다.

"누가 소리를 지르는 걸 들어서요. 여기서 다 쌔끈하게 돌아가는지 확인 차 왔어요." 그가 명랑하게 말하며 어깨를 으쓱하자 등에 있던 여분의 지방이 티셔츠에 깊은 주름을 만들었다.

파르바네는 오베의 손에서 담요를 낚아채고는 그걸로 고양이를 감싸기 시작했다.

"아저씨는 저렇게 쟤를 덥히지 않겠죠." 젊은이가 기분 좋게 말했다.

"끼어들지 마."

고양이 해동에 전문가는 아니겠지만 사람들이 자기 집에 쳐들어와서 이래라 저래라 명령을 내리는 데 대해 조금도 감사한 마음이 들지 않는 듯 오베가 말했다.

"조용히 해요, 오베!" 파르바네가 그렇게 말하고는 젊은이를 간청하듯 바라보았다. "이제 어째야 하죠? 얘 얼음장 같아요!"

"나한테 조용히 하라고 말하지 마." 오베가 웅얼거렸다.

"얘 죽을 거예요." 파르바네가 말했다.

"죽기는 개뿔, 그냥 좀 차게 식은 것뿐인데……." 오베가 이 상황에 대한 통제권을 다시 쥐려고 시도하며 말참견을 했다.

임산부가 검지를 오베의 입술 위에 올려 그를 조용히 하게 했다. 오베는 이 상황이 말도 안 되게 짜증난 표정이었다. 당장이라도 분노에 찬 피루엣*을 돌기라도 할 태세였다.

파르바네가 고양이를 끌어안고 있는 동안, 고양이는 보랏빛에서 하얀색으로 색깔이 변하기 시작했다. 오베는 자기가 이 사실을 제대로 알아차렸는지 조금 확신이 없는 듯 보였다. 그는 파르바네를 흘끗 보았다. 그런 다음 내키지 않는 태도로 뒷걸음질을 쳤다.

과체중 젊은이가 티셔츠를 벗었다.

"이게…… 뭐 어쩌자는…… 지금 뭐 하는 거야?" 오베가 더듬거렸다.

---

* pirouette. 발레에서 발끝으로 뱅뱅 도는 동작.

오베의 눈이 파르바네의 품에서 해동되며 바닥에 물을 똑똑 떨어뜨리고 있는 고양이에게서 거실 한가운데에 상반신을 벗은 채 서 있는 젊은이에게로 이동하며 파르르 떨렸다. 뚱보가 가슴을 부르르 떨자 떨림이 무릎까지 내려갔다. 꼭 녹았다가 다시 얼어붙은 커다란 아이스크림 통 같았다.

"여기, 저한테 걔 주세요." 젊은이가 태연하게 말하고는 나무 등걸처럼 두꺼운 두 팔을 파르바네 쪽으로 뻗었다.

그녀가 고양이를 건네자 그는 고양이를 자기의 거대한 품속에 가두고는 마치 거대한 고양이 스프링 롤이라도 만들 심산인 것처럼 고양이를 자기 가슴에 꼭 눌러 안았다.

"그나저나, 제 이름은 지미예요." 그가 파르바네에게 말하고 미소를 지었다.

"난 파르바네야." 파르바네가 말했다.

"이름 좋다." 지미가 말했다.

"고마워! '나비'라는 뜻이야." 파르바네가 미소를 지었다.

"멋져요!" 지미가 말했다.

"그 고양이 질식시킬 거지?" 오베가 말했다.

"마음 푹 놓으세요, 오베 아저씨." 지미가 말했다.

"내 보기에 그 고양이는 교살당하는 것보단 위엄 있게 얼어 죽는 쪽이 낫겠는데." 그는 지미에게 그렇게 말하고는 그의 팔에 눌린, 물이 뚝뚝 떨어지는 솜털 덩어리를 보며 고개를 끄덕였다.

지미가 사람 좋은 얼굴에 커다란 미소를 지었다.

"좀 진정하세요, 오베 아저씨. 뭐 우리 뚱땡이들에 대해서 하고 싶은 말씀 뭐든 하셔도 돼요. 하지만 누군가와 온기를 나누는 일 만큼은 우리에겐 식은 죽 먹기처럼 쉬운 일이랍니다!"

파르바네가 초조하게 지미의 올록볼록한 팔을 바라보며 손바닥을 고양이의 코에 살며시 갖다 댔다. 그녀의 얼굴이 밝아졌다.

"애 온기가 돌아오고 있어요."

그녀가 의기양양하게 오베에게 몸을 돌리며 외쳤다.

오베는 고개를 끄덕였다. 그는 막 그녀에게 빈정거리는 소리를 하려던 참이었다.

이제 그는 자기가 그 뉴스를 듣고 안심이 되었다는 사실을 거북한 기분으로 확인했다. 그는 TV 리모컨을 열심히 들여다보면서 이 감정에서 주의를 돌리고자 했다.

고양이가 신경 쓰여서가 아니었다. 소녀가 기뻐했을 것이기 때문이었다. 그뿐이었다.

"물 좀 데울게요." 파르바네가 말했다. 그러더니 쌀쌀맞은 태도로 오베 옆을 슥 지나가더니 어느새 부엌에 서서 선반 서랍을 잡아당겼다.

"대체 뭐야." 오베는 그렇게 중얼거리며 리모컨을 놓고는 급히 쫓아갔다.

그가 부엌으로 갔을 때, 파르바네는 바닥 한가운데서 꼼짝도 않은 채 조금 혼란스러운 얼굴로 손에 오베의 전기 주전자를 들고 있었다. 그녀는 거기서 일어난 일이 그녀에게 충격을 줬다는 사실을 방금 깨달았다는 양 조금 어쩔 줄 모르는 표정을 지었다.

오베는 이 여자가 할 말이 떨어진 모습을 처음 보았다. 부엌은 정리정돈이 되어 있는 상태지만 온통 먼지투성이였다.

부엌에는 커피 냄새가 배어 있었다. 틈 사이에는 먼지가 끼어 있고 사방에 오베의 아내가 쓰던 물건들이 있었다. 창가에는 조그만 장식품들이, 부엌 탁자에는 머리핀이, 냉장고에는 손으로 쓴 포스트잇 메모가 붙어 있었다.

부엌은 온통 고무바퀴자국 투성이였다. 누군가 자전거로 수천 번을 왕복한 것처럼. 요리기구와 부엌 조리대는 일반적인 높이보다 현저하게 낮았다.

부엌은 마치 아이용으로 만든 것 같았다. 파르바네는 이 부엌을 처음 본 사람들이 모두 그러는 방식으로 그것들을 보았다. 오베는 그런 반응에 익숙했다. 그는 사고 이후 직접 부엌을 개조했다. 물론 시의회는 지원을 거절했다.

파르바네는 말문이 막힌 듯 보였다.

오베는 그녀의 눈을 보지 않은 채 축 늘어진 그녀의 손에서 전기 주전자를 빼냈다. 그는 천천히 주전자에 물을 채우고 플러그를 끼웠다.

"몰랐어요, 오베." 그녀가 뉘우치며 속삭였다.

오베는 그녀에게 등을 돌린 채로 낮은 싱크대에 몸을 기댔다. 그녀가 다가와 그의 어깨에 부드럽게 손끝을 얹었다.

"죄송해요, 오베. 정말로. 먼저 물어보고 나서 부엌에 들어갔어야 했는데."

오베는 헛기침을 하고는 돌아보지 않은 채 고개를 끄덕였다. 그는 자신들이 얼마나 오래 거기 서 있었는지 몰랐다. 그녀는 그의 어깨에 그대로 맥없이 손을 올려놓았다. 그는 그걸 치우지 않기로 마음먹었다.

지미의 목소리가 침묵을 깼다.

"먹을 거 있어요?" 그가 거실에서 소리쳤다.

오베의 어깨에서 파르바네의 손이 미끄러졌다. 그는 고개를 흔들고 손등으로 얼굴을 훔친 다음 여전히 그녀를 외면한 채 냉장고로 갔다.

지미는 오베가 부엌에서 나와 소시지 샌드위치를 건네주자 감사의 마음으로 꼬꼬댁거렸다. 오베는 그에게서 몇 미터 떨어져서 조금 험상궂은 얼굴을 했다.

"그래서, 그놈 상태는 어때?" 그가 그렇게 말하면서 지미의 품에 있는 고양이를 향해 고개를 퉁명스레 끄덕였다.

물방울이 바닥에 듬뿍 떨어지고는 있지만, 그 동물은 천천히, 하지만 확실하게 형태와 색깔을 되찾고 있었다.

"나아 보이네요, 아녜요?" 지미가 샌드위치를 한 입에 게걸스레 삼키며 씩 웃었다.

오베가 그에게 미심쩍은 시선을 던졌다. 지미는 사우나 보일러 위에 올려놓은 돼지고기처럼 땀을 흘리고 있었다. 그가 오베를 바라볼 때 눈에 모종의 애도가 배어 있었다.

"아저씨 부인께…… 일어난 건 정말 나쁜 일이었어요, 오베 아저씨. 저는 늘 그분을 좋아했어요. 그분은, 그러니까, 마을에서 제일 맛있는 식사를 만드셨어요."

오베가 그를 보았다. 그날 아침 처음으로, 그는 그렇게 화가 나 보이지 않았다.

"맞아. 그 사람은…… 요리를 잘했지." 그가 동의했다.

오베는 창가로 가, 방 쪽으로 등을 돌린 채 마치 창문 손잡이를 확인이라도 하듯 세 번 당겼다. 고무로 밀봉한 부분을 쿡 찔렀다.

파르바네는 부엌 문간에 서서 팔로 자기 몸과 배를 감싸고 있었다.

"그놈 다 녹을 때까진 여기 있어도 좋아. 그런 다음엔 당신이 데려가요." 오베는 그렇게 말하며 고양이 쪽으로 어깨를 으쓱했다.

그는 곁눈질로 그녀가 자기를 보고 있는 모습을 보았다. 마치 카지노 테이블 맞은편에서 그가 어떤 손놀림을 할지 파악하려 하는 것처럼 자길 보고 있었다. 그게 오베를 불편하게 했다.

"저는 안 될 것 같은데요." 그런 다음 그녀가 말했다. "애들이…… 알레르기가 있어요."

오베는 그녀가 '알레르기가 있다'고 하기 전 잠시 말을 멈췄다는 걸 알아차렸다. 그는 창문에 비친 그녀의 모습을 수상쩍은 듯 살펴보지만 그 말에 대답하지는 않았다. 대신 그는 과체중 젊은이에게로 몸을 돌렸다.

"그럼 네가 돌보면 되겠네." 그가 말했다.

이제 땀을 비오듯 흘릴 뿐 아니라 얼굴에 불그죽죽하게 부스럼까지 나고 있는 지미가 자애롭게 고양이를 내려다보았다. 고양이는 꼬리를 천천히 흔들면서 물이 뚝뚝 떨어지는 코를 지미의 관대한 상박 지방의 접힌 부분에 밀어넣기 시작했다.

"제가 이 야옹이를 돌보는 건 그렇게 쿨한 생각은 아닌 것 같아요. 죄송합니다, 아저씨." 지미가 그렇게 말하며 소심하게 어깨를 으쓱했다. 그러자 고양이가 한 바퀴 돌면서 몸을 뒤집었다. 그가 자기 팔을 붙잡았다. 피부가 불타오르는 것처럼 시뻘겄다.

"저도 알레르기가 좀 있거든요……."

파르바네가 조그맣게 비명을 지르며 그에게 달려가 고양이를 빼앗은 다음 재빨리 담요로 고양이를 다시 감쌌다.

"병원에 가야 해요!" 그녀가 소리쳤다.

"난 병원 출입 금지요." 오베가 두 번 생각 않고 대답했다.

오베가 파르바네를 보았을 때, 그녀는 고양이를 넘길 태세를 취하고 있었다. 그는 고개를 숙이고는 절망적으로 끙끙댔다.

'난 죽고 싶을 뿐이라고.' 그는 그렇게 생각하면서 마룻널 위로 발가락에 힘을 줬다.

마룻널이 살짝 휘었다. 오베는 고개를 들어 지미를 보고, 고양이를 보았다.

젖은 바닥을 살폈다. 파르바네에게 고개를 내저었다.

"그럼 내 차를 타야겠군." 그가 중얼거렸다.

그는 옷걸이에서 재킷을 꺼내 걸치고 현관문을 열었다.

몇 초 뒤 그는 현관 쪽으로 고개를 돌리고 파르바네를 노려보았다.

"하지만 난 병원 건물까지 차를 몰고 가진 않을 거요. 왜냐하면 그건 금지……."

그녀는 오베가 이해할 수 없는 페르시아어 몇 마디로 그의 말을 끊었다. 그럼에도 그는 그 말이 쓸데없이 과장된 느낌이라는 점은 알아차렸다.

그녀는 고양이를 담요로 더 단단히 싸고는 그를 지나쳐 눈밭으로 나갔다.

"규칙은 규칙이라고, 당신도 알겠지만." 그는 그녀가 주차 구역으로 가는 동안 조금 반항적으로 말했다. 하지만 그녀는 대답하지 않았다.

오베가 몸을 돌려 지미를 가리켰다.

"그리고 넌 점퍼 입어. 안 그러면 내 사브를 타고는 아무 데도 못 가. 그건 분명히 하자고."

파르바네는 병원에서 주차 요금을 냈다. 오베는 이번에는 법석을 떨지 않았다.

18
오베였던 남자와
어니스트라는 고양이

오베가 딱히 이 고양이를 싫어한 건 아니었다. 그저 일반적으로 고양이를 그리 좋아하지 않을 뿐이었다. 그는 언제나 고양이가 믿을 만한 동물이 아니라고 생각했다. 특히 어니스트의 경우처럼 고양이가 모터 달린 자전거만큼이나 클 때는 더. 녀석이 별나게 큰 고양이인지 아니면 유달리 작은 사자인지 구별하는 건 사실 꽤나 어려웠다. 자는 동안에 자길 잡아먹을 가능성이 큰 동물과 친구가 될 수는 없는 법이다.

하지만 소냐는 어니스트를 무조건적으로 사랑해서, 오베는 이 완벽하게 눈에 띄는 관찰 결과를 늘 염두에 둬야만 했다. 그는 그녀가 사랑하는 걸 흉볼 정도로 어리석지 않았다. 결국 그는 어째서 그가 그녀의 사랑을 받을 만한 가치가 있는 남자인지 누구도 이해하지 못했을 때, 어떻게 자기가 그녀의 사랑을 얻게 되었는지를 또렷이 이해하게 되었다. 그리하여 오베가 숲 속 오두막을 방문했을 때 어니스트와 그는 서로 잘 지내는 법을 나름대로 터득하게 되었다. 오베가 부엌 의자 위에 놓여 있던 어니스트의 꼬리를 깔고 앉는 바람에 어니스트에게 물린 적이 한 번 있다는 사실만 제외한다면. 더불어 그들은 서로 거리를 유지하는 법을 배우게 되었다. 오베와 소냐의 아버지처럼.

오베의 관점에서 보기에는 이 짜증나는 고양이가 이미 의자 하나를 차지해놓고 또다른 의자에 꼬리를 뻗을 권리는 없었지만, 그는 그냥 그러도록 놔뒀다. 소냐를 위해.

오베는 낚시를 배웠다. 그들이 처음 방문한 이후 두 번의 가을이 지났고, 오두막의 지붕은 처음으로 물이 새지 않게 되었다. 트럭은 칙칙거리는 소리 같은 걸 내지 않고도 열쇠를 돌릴 때마다 잘 움직였다. 물론 소냐의 아버지가 이에 대해 솔직하게 감사를 표한 건 아니었다. 하지만 그는 오베가 '도시 출신'이라는 데 대해 다시는 거리낌을 갖지 않았다. 이는 소냐의 아버지에게는 어느 것 못지않게 훌륭한 애정의 증거였다.

봄과 여름이 두 번 지났다. 그리고 세 번째 해의 어느 시원한 6월 밤, 소냐의 아버지가 죽었다. 오베는 그때 소냐가 운 것처럼 누군가가 우는 걸 본 적이 없었다. 처음 며칠간 그녀는 침대에서 거의 나오지 못했다. 오베는 자기가 그랬던 것처럼 죽음과 맞닥뜨린 이를 위해 장인에 대한 감정을 최소한으로 억제했다. 그리고 다소 혼란스러운 마음으로 숲 속 오두막의 부엌에서 장인의 죽음에 대한 생각을 모두 정리했다. 마을의 목사가 찾아와 장례에 대한 세부사항을 재빨리 살펴보았다.

"훌륭한 분이셨습니다." 목사는 간결하게 그렇게 말하고는 거실 벽에 걸려 있는 소냐와 그녀 아버지의 사진 중 하나를 가리켰다. 오베는 고개를 끄덕였다. 저 사진에 대해 무슨 말을 해야 하는 건지 알 수 없었다. 그는 트럭에 뭔가 손볼 게 있는지 살피려고 밖으로 나갔다.

나흘째 되는 날 소냐는 침대에서 나와 열광적인 에너지를 내뿜으며 청소를 시작했다. 오베는 통찰력 있는 사람이 곧 다가올 토네이도를 피하는 것처럼 그녀가 움직이는 길에서 벗어났다. 그는 할 일을 찾으면서 농장 주변을 어슬렁거렸다. 그는 어느 겨울에 분 폭풍 때문에 무너진 헛간을 다시 지었다. 며칠 동안 거기다 새로 벤 나무들을 채워 넣었다. 풀을 베었다. 주변 숲에서 지나치게 늘어진 가지들을 쳤다. 여섯째 되는 날 저녁 늦게 그들은 식료품점에 들렀다.

물론 다들 사고라고 했다. 하지만 어니스트를 만나본 사람이라면 그가 우연히 차 앞으로 뛰어들었다고는 믿을 수 없었다. 슬픔은 생명체에게 이상한 짓을 저지른다. 오베는 그날 밤 그 어느 때보다 빠르게 차를 몰았다. 소냐는 가는 내내 어니스트의 커다란 머리를 끌어안았다. 그들이 수의사에게 갔을 때까지도 어니스트는 여전히 숨을 쉬고 있었지만, 상처가 너무 심했고 피를 너무 많이 흘렸다.

소냐는 수술실에서 녀석의 곁에 두 시간 동안 몸을 웅크리고 있다가, 고양이의 넓찍한 이마에 입을 맞추고는 "안녕, 사랑하는 어니스트"라고 속삭였다. 그런 다음 그녀의 말이 마치 구름에 싸여 있던 입에서 나온 듯 이어졌다.

"안녕, 사랑하는 아버지."

고양이는 눈을 감고 죽었다. 소냐는 대기실에서 나와 오베의 넓은 가슴에 이마를 무겁게 기댔다.

"정말로 큰 상실감을 느껴요, 오베. 심장이 몸 밖에서 뛰는 것처럼 상실감이 느껴져요."

그들은 오랫동안 서로를 끌어안은 채 조용히 서 있었다. 마침내 그녀가 그에게 얼굴을 들어 무척이나 진지한 표정으로 그의 눈을 들여다보았다.

"지금보다 두 배 더 날 사랑해줘야 해요." 그녀가 말했다.

그리고 오베는 두 번째로—또한 마지막으로—거짓말을 했다. 그는 그러겠다고 했다. 그가 지금껏 그녀를 사랑했던 것보다 더 그녀를 사랑한다는 건 불가능하다는 걸 알았음에도.

그들은 어니스트를 호숫가에 묻어주었다. 녀석이 소냐의 아버지와 낚시를 가곤 했던 곳이었다. 목사가 와서 축복을 내렸다. 그 뒤 오베는 사브에 올라탔고, 그들은 작은 도로 위를 따라 차를 몰고 돌아왔다. 소냐는 자기 머리를 오베의 어깨에 기댔다. 오베는 처음 나타난 작은 마을에 차를 세웠다. 소냐는 거기서 누군가와 만나기로 약속했다. 오베는 그게 누구인지 몰랐다. 그 일이 있고 나서 오랜 후에, 그녀는 자기가 오베의 여러 특징 중 기다릴 줄 안다는 점을 가장 높이 평가한다고 말했다. 그녀는 오베를 제외한 누구도 자기가 뭘 기다리는지, 혹은 그 일이 얼마나 걸릴지 묻지도 않은 채 차 안에 한 시간씩 앉아 기다릴 수 없다는 걸 알았다. 그렇다고 오베가 신음 소리 한 번 내지 않았다는 말은 아니었다. 왜냐하면 신음이야말로 오베가 정말 빼어나게 잘하는 짓이었으니까. 특히 주차 요금을 내야 할 때는. 하지만 그는 그녀가 뭘 하고 있는지 묻지 않았다. 그는 언제나 그녀를 기다렸다.

마침내 소녀가 돌아와 차에 올라탄 뒤 사브의 문손잡이를 살짝 쥐고 있었을 때, 그녀는 마치 살아 있는 생물을 걷어차기라도 한 것처럼 상처 입은 눈길로 자신을 바라보는 오베의 시선을 피하기 위해 필요한 게 무엇인지 알았다. 그녀가 부드럽게 그의 손을 잡았다.

"우리 집을 하나 살 필요가 있겠어요."

그녀가 부드럽게 말했다.

"그게 무슨 소리지?" 오베가 물었다.

"우리 아이는 우리 집에서 자라야 할 것 같다는 말이에요."

그녀는 그렇게 말하고는 그의 손을 그녀의 배로 조심스럽게 옮겼다.

오베는 오랫동안 침묵을 지켰다. 오베의 기준으로도 오랫동안. 그는 생각에 잠겨 그녀의 배를 바라보았다. 마치 거기다 깃발이라도 올려야 할 것 같다는 듯. 그러더니 허리를 쭉 펴고는 라디오 튜닝 버튼을 앞으로 반, 뒤로 반 돌렸다. 사이드미러를 조정했다. 그리고 분별 있게 고개를 끄덕였다.

"그러면 사브가 들어갈 부지도 사야겠어."

19
오베라는 남자와
다친 채 찾아온 고양이

오베는 어제 대부분을 파르바네에게 이 망할 고양이가 자기 집에서 자기 시체를 깔아뭉개며 돌아다닐 거라고 소리를 질러대며 보냈다.

그는 지금 여기 서서 고양이를 보고 있었다. 고양이가 그의 눈길을 되받았다.

오베는 여전히 죽지 않은 것이 분명한 상태였다.

대신 믿을 수 없이 엄청나게 짜증스러웠다.

오베는 밤중에 여섯 번 깨었다. 고양이가 사소한 민폐라고 하기에는 좀 지나치게 침대 위를 기어 다니고 팔다리를 쭉쭉 뻗어댔기 때문이다. 고양이 역시 오베 못지않게 수없이 잠에서 깼다. 오베가 약간 퉁명스러운 것보다 조금 더 심한 태도로 바닥을 쾅

쾅 걷어차서였다.

이제 6시 15분 전이 되어 오베는 자리에서 일어났고, 고양이는 부엌 한가운데에 앉아 있다. 고양이는 마치 오베가 자기 돈이라도 떼먹은 양 불만스런 기색을 내비치고 있다. 오베도 의심에 찬 눈빛으로 고양이를 노려보았다. 마치 고양이가 두 발로 성경책을 들고 초인종을 누르기라도 한 것처럼.

"밥 먹고 싶겠지." 마침내 오베가 웅얼거렸다.

고양이는 대답하지 않았다. 남아 있는 털을 조금씩 물어뜯고 발바닥을 무심히 핥을 뿐이었다.

"하지만 이 집에서는 무슨 컨설턴트 같은 놈처럼 어슬렁대서도 안 되고 튀긴 참새가 저절로 네 입으로 들어갈 거라 생각해서도 안 돼."

오베는 싱크대로 갔다. 커피 메이커 전원을 켰다. 시계를 확인했다. 고양이를 봤다. 병원을 나선 뒤 파르바네는 수의사인 것 같은 친구 하나와 간신히 연락이 닿은 것 같았다. 수의사가 찾아와 고양이를 보고는 '심각한 동상과 상당한 영양실조' 상태라고 결론을 내렸다. 그런 다음 그는 오베에게 고양이가 먹어야 할 것과 일반적인 주의사항에 관한 지시사항이 적힌 긴 리스트를 건넸다.

"난 고양이 재활 센터를 운영하는 게 아냐." 오베가 고양이에게 분명히 해두었다. "네가 여기 있는 건 오로지 그 임산부가 말귀를 못 알아들어서라고."

그는 거실을 가로질러 파르바네의 집이 마주보이는 창가로 다가가며 고개를 끄덕였다. 고양이는 한쪽 눈을 핥으려 애쓰느라 바쁜지 대답하지 않았다.

오베는 조그만 양말 네 개를 들고 고양이에게 갔다. 수의사에게서 받은 것이었다. 분명 이놈의 고양이에게는 무엇보다 운동이 필요할 테고, 운동이라면 자기가 시킬 수 있을 것 같다. 그리고 고양이의 발톱이 벽지에서 멀어질수록 좋다. 그게 오베의 계산이었다.

"후딱 신고 가자. 이러다 늦는다!" 고양이가 공들여 몸을 일으키고는 자신감 넘치는 느릿한 걸음으로 문으로 향했다. 무슨 레드 카펫이라도 걷듯. 양말을 보고는 미심쩍은 시선을 던지지만 오베가 양말을 신기는 동안 그다지 난리를 피우지는 않았다. 양말을 신긴 뒤 오베는 일어서서 고양이를 머리부터 발끝까지 꼼꼼히 살피고는 고개를 저었다. 양말 신은 고양이라니. 말이 안 되잖아. 고양이는 자리에 서서 새 옷을 살펴본 뒤 불현듯 무척이나 만족한 것 같은 표정을 지었다.

오베는 거리 끝에서 주위를 한 번 더 돌았다. 아니타와 루네의 집 밖에서 담배꽁초를 주웠다. 그는 그걸 손가락 사이에서 놓고 굴렸다. 시의회에서 나온 그 스코다를 모는 녀석은 이 구역이 제 것인 양 운전을 하고 돌아다녔다. 오베는 욕설을 내뱉고는 꽁초를 주머니에 넣었다.

그들이 집으로 돌아오고 나서 오베는 내키지 않는 마음으로 그 비참한 동물에게 밥을 먹이고, 식사가 끝나자 나가서 할 일이 있다고 선언했다. 그는 이 조그만 생물체와 당분간 동거를 해야 할 판이지만, 이 야생동물을 집 안에 멋대로 풀어놓는 재앙 같은 일은 원치 않았다. 그러니 고양이는 그와 같이 가야 했다. 당장 고양이가 사브 조수석 위에 신문지를 깔고 앉아야 하는지 말아야 하는지에 대해 오베와 고양이 사이에 의견 불일치가 생겨났다. 처음에 오베는 고양이를 두 장짜리 연예뉴스면 위에 앉혔지만, 고양이는 무척 상처를 받고는 뒷발로 바닥을 걷어찼다. 그리고는 부드러운 천으로 덮인 좌석 위에 앉아서 편안함을 즐겼다. 이내 오베는 고양이의 목덜미를 단호히 잡아 올렸고, 고양이는 오베가 자기 밑에 신문 문화면 세 장과 책 리뷰를 까는 동안 못마땅해 죽겠지만 자기가 꾹 참고 있다는 듯 쉿쉿거렸다. 고양이가 분노에 찬 시선을 날렸다. 오베가 고양이를 내려놓았을 때, 녀석은 신기하게도 신문지 위에 가만히 앉아 그저 상처입고 비참한 표정으로 창밖을 바라볼 뿐이었다. 오베는 자기가 전투에서 이겼다는 결론을 내리고 만족스럽게 고개를 끄덕인 뒤 사브의 기어를 넣고 주도로로 차를 몰고 나갔다. 그런 다음에야 고양이는 천천히, 하지만 신중하게 발톱으로 신문지를 길게 찢고는 찢어진 틈 사이로 앞발을 쏙 밀어 넣었다. 동시에 오베에게 '자, 이제 어쩌실 거요?' 하고 묻는 듯 무척이나 도전적인 시선을 날렸다.

오베가 사브의 브레이크를 난폭하게 밟자 고양이는 관성의 영향으로 앞으로 날아가 대시보드에 코를 부딪쳤다. 오베의 의기양양한 표정은 '이게 내 대답이다!'라고 하는 것 같았다. 그 뒤 고양이는 나머지 여정 동안 오베의 얼굴을 보기를 거부했고, 내내 조수석 구석에 등을 구부리고 앉아 굉장히 기분이 상한 듯 앞발로 코를 문질렀다. 하지만 오베가 꽃집에 들어간 동안 고양이는 운전대, 안전벨트 등 오베의 차 내부를 축축하게 쭉 핥아놓았다.

오베는 꽃을 들고 돌아와 차 전체가 고양이 침으로 범벅이 된 걸 발견하고는 집게손가락이 마치 언월도라도 되는 양 위협적으로 흔들었다. 그러자 고양이가 그의 언월도를 물었다. 오베는 나머지 여정 동안 녀석과 대화하길 거부했다.

교회 묘지에 도착하자 오베는 보다 안전한 방법으로, 남은 신문지를 구겨서 공 모양으로 만든 다음 그걸로 고양이의 몸을 툭툭 밀어 차 밖으로 내보냈다. 그런 다음 트렁크에서 꽃다발을 꺼내고 열쇠로 사브 차 문을 잠근 뒤 주위를 한 바퀴 돌며 문 상태를 점검했다. 그들은 꽁꽁 언 자갈이 깔린 경사로를 올라 교회 옆길에 이르렀고, 조금 더 눈을 헤치며 앞으로 나아가다가 소냐의 무덤가에서 멈추었다. 오베는 손등으로 묘석에 쌓인 눈을 털고 꽃다발을 살짝 흔들었다.

"꽃을 좀 들고 왔어." 오베가 중얼거렸다. "분홍색. 당신 좋아하는. 그놈들은 이게 추위에 얼어 죽는다고 하지만 더 비싼 꽃을 팔아먹으려고 수작 부리는 거야."

고양이는 묘석 뒤 눈 속으로 숨었다. 오베가 고양이에게 언짢은 표정을 지었다. 그런 다음 다시 묘비에 주의를 집중했다.

"맞아, 맞아…… 골칫거리 고양이야. 지금 우리랑 같이 살아. 집 밖에서 얼어 죽을 뻔했어."

고양이가 화난 얼굴로 그를 보았다. 오베가 헛기침을 했다.

"처음 왔을 때부터 저 모양이었어." 오베가 불현듯 방어적인 어조로 분명히 밝혔다. 그런 다음 고양이와 묘석을 향해 고개를 끄덕였다.

"내가 저놈을 다치게 한 게 아니라는 거지. 이미 다친 채였다고." 그가 소냐에게 덧붙였다.

묘석과 고양이 모두 그의 옆에서 조용히 기다리고 있다.

오베가 잠시 자기 신발을 바라보았다. 신음 소리를 냈다. 눈 위에 무릎을 꿇고 앉아 묘석에서 눈을 더 털어냈다. 조심스레 그 위에 손을 올려놓았다.

"보고 싶어." 그가 속삭였다.

오베의 눈가가 살짝 반짝였다. 그는 뭔가 뭉클한 게 팔을 누르는 걸 느꼈다. 잠시 뒤 그는 고양이가 자기 머리를 그의 손바닥에 부드럽게 얹었다는 사실을 깨달았다.

20
오베라는 남자와 불청객

거의 20분 동안, 오베는 차고 문을 열어놓은 채 사브의 운전
석에 앉아 있었다. 처음 5분 동안 고양이는 조수석에서 그를 초
조하게 바라보았다. 그다음 5분 동안은 걱정스러운 표정을 짓고
있었다. 끝내는 자기가 직접 문을 열려고 했다. 실패하자 곧바로
자리에 주저앉아 잠이 들었다.

오베는 고양이가 구석으로 굴러가 코를 골기 시작하는 걸 흘
끗 보았다. 그는 이 골칫덩이 고양이가 문제를 해결하는 데 있어
무척 직선적인 접근법을 취한다는 걸 인정할 수밖에 없었다.

그는 차고에서 다시 주차 구역을 바라보았다. 루네와 함께 수
백 번은 저기 서 있었다. 그들은 한때 친구였다. 오베는 자기 인
생에서 친구라고 표현할 수 있는 사람을 그리 많이 떠올릴 수

없었다. 오베와 오베의 아내는 아주 오래 전 이 주택 단지로 이사 온 첫 번째 사람이었고, 당시 주택은 신축 건물이었으며, 주변은 여전히 나무로 둘러싸여 있었다. 같은 날 루네와 루네의 아내가 이사 왔다. 아니타 역시 임신 중이었고, 오로지 여자들만 아는 방식으로 곧바로 오베의 아내와 절친한 친구가 되었다. 절친이 된 모든 여자들이 다 그렇듯 그들은 루네와 오베도 절친이 되어야 한다고 생각했다. 왜냐하면 그들은 '공통 관심사'가 무척 많았으니까. 오베는 그 말이 무슨 소리인지 잘 이해하지 못했다. 어쨌거나 루네는 볼보를 몰지 않는가.

그 사실을 제외하면 오베가 루네와 딱히 안 맞는 건 없었다. 루네는 번듯한 직업이 있었고 자기가 해야 하는 것 이상은 말하지 않았다. 그가 볼보를 모는 건 분명한 사실이었지만, 오베의 아내가 계속 주장했듯 그 사실 때문에 누군가를 부도덕하다고 몰 이유는 없다. 그래서 오베는 그를 받아들였다. 어느 정도 시간이 지나자 심지어는 공구도 빌려줬다. 어느 날 오후 그들은 주차 구역에 서서 벨트에 엄지를 찔러 넣은 채 잔디 깎는 기계의 가격에 대한 대화에 몰두했다. 헤어질 때 그들은 악수를 했다. 마치 업무 협약과도 같은, 친구가 되자는 상호간 합의였다.

나중에 두 남자는 온갖 종류의 인간들이 이 동네로 이사 오고 있다는 사실을 깨닫고는 오베와 소냐의 집 부엌에 앉아 회담을 가졌다. 회담장에서 벗어날 때까지, 그들은 모두가 공유할 규칙의 틀, 허용되는 것과 그렇지 않은 걸 명시한 표지판, 주민 자치회의 새 운영 위원회 구성안을 짰다. 오베가 회장이었고, 루네가 부회장이었다.

이후 몇 달 동안 그들은 같이 쓰레기장에 갔다. 똑바로 주차를 하지 않은 사람들에게 함께 불평을 했다. 철물점에서 페인트와 배수관을 살 때 함께 가격을 흥정했고, 전화국 사람이 전화와 잭 플러그를 설치하러 왔을 때 그의 양 옆에 서서 어디다 어떻게 설치를 해야 하는지 무뚝뚝하게 가리켰다. 둘 다 전화선을 어떻게 설치해야 하는지는 정확히 몰랐지만, 이런 뺀질이가 속임수를 쓰지 못하도록 감시하는 것만큼은 둘 다 꽤나 잘했다. 그게 다였다.

때때로 그 두 쌍의 부부는 함께 저녁을 먹었다. 식사에 방해가 되지 않는 한, 오베와 루네는 대개 저녁 내내 주차 구역에 서서 자기네 자동차의 타이어를 걸어차고, 서로의 적재량, 최소 회전반경, 기타 중요한 문제 들을 비교했다. 그게 다였다.

소냐와 아니타의 배는 꾸준히 불어났고, 루네는 아니타의 '머리가 살짝 돌아버린' 것 같다고 했다. 실제로 그는 아니타가 임신 3개월째에 들어서자 커피포트를 거의 매일 냉장고에서 찾아내야 했다. 소냐도 이에 지지 않았다. 소냐가 존 웨인 영화 속에서 술집 문을 여는 것보다 더 빠른 속도로 불타오르는 성질머리를 갖게 된 덕분에 오베는 마지못해 입을 열 수밖에 없었다. 물론 이는 더한 짜증을 야기하는 원인이 되었다. 그녀의 손은 식은땀이 나거나 혹은 얼음장처럼 차가웠다. 그녀와 말싸움을 하는 데 지친 오베가 라디에이터 온도를 살짝 올리는 데 동의하자마자 그녀는 다시 땀을 흘리기 시작했고, 그는 헛수고만 한 끝에 온도를 다시 내려야 했다. 그녀는 바나나도 엄청나게 먹어치웠는데, 어찌나 많이 먹는지 슈퍼마켓에서 일하는 사람들이 오베가 동물원을 차린 게 분명하다고 생각할 정도였다.

"호르몬이 저기압이야." 루네와 오베가 오베의 집 뒤 공터에서 있던 어느 날 밤, 루네가 통찰력 넘치는 태도로 고개를 끄덕이며 말했다. 아내들은 소냐와 오베의 집 부엌에서 여자들이 할 법한 얘기를 나누고 있었다.

루네는 오베에게 아니타가 전날 밤 라디오를 듣다가 눈물을 쏟았다고, 그게 고작 라디오에서 '좋은 노래가 나왔다는' 이유였다고 말했다.

"어…… 노래가 좋아서?"

오베가 당혹스러워하며 말했다.

"노래가 좋아서."

루네가 대답했다. 두 남자는 서로 믿을 수 없다는 듯 고개를 흔들고는 어둠을 응시하며 침묵을 지켰다.

"잔디를 쳐야겠어."

마침내 루네가 말했다.

"잔디 깎는 기계에 쓸 날을 새로 샀어."

오베가 고개를 끄덕였다.

"얼마 줬는데?"

그렇게 그들의 우정은 계속되었다.

저녁마다 소냐는 뱃속의 아기에게 들려주기 위해 음악을 틀었다. 그녀의 말에 따르면 아기가 음악을 듣고 움직인다고 했다. 오베는 그동안 대개 방 맞은편에 놓인 안락의자에 앉아 TV를 보는 척했다. 그는 마음 깊은 곳에서 마침내 아이가 세상 밖에 나오기로 결정하면 어찌될지 걱정하고 있었다. 오베가 음악을 그다지 좋아하지 않는다는 이유로 아이가 그를 싫어하면 어쩌지?

오베가 정말로 그런 걸 두려워하는 건 아니었다. 그는 그저 아버지가 될 준비를 어떻게 해야 할지 모를 뿐이었다. 그는 설명서를 찾아보려 했지만 소냐는 그를 보며 그저 웃을 뿐이었다. 오베는 이유를 알 수 없었다. 모든 일에는 설명서가 있게 마련인데.

그는 자기가 누군가의 아버지 노릇을 잘할 수 있을지 의심스러웠다. 그는 아이들을 아주 좋아하지 않았다. 그는 심지어 어린이 노릇도 그렇게 잘하지 못했다. 소냐는 그가 루네와 얘기를 해봐야 한다고 했다. 그들이 '똑같은 상황'에 처해 있기 때문이었다. 오베는 그녀가 무슨 뜻으로 그런 말을 하는지 정확히 이해할 수 없었다. 루네가 오베 아이의 아버지가 될 것도 아니고, 완전히 다른 경우가 아닌가 말이다. 루네도 자기들이 그 문제로 의논할 게 별로 없다는 점에 대해서는 최소한 오베와 의견이 같았고, 그럼 된 것이었다. 그래서 아니타가 저녁마다 찾아와 소냐와 부엌에 앉아 자기들의 아픔과 고통과 여타 문제에 대해 이야기를 나눌 때, 오베와 루네는 '할 말'이 있다고 양해를 구한 다음 오베의 헛간으로 가서 오베의 작업대 위에 있는 여러 종류의 나사들을 집어보며 조용히 서 있었다.

뭘 어찌해야 할지도 모른 채 연이어 사흘 밤을 닫힌 문 앞에 나란히 서 있으면서, 그들은 루네가 말했듯 '새 이웃들이 여기서 무슨 수상쩍은 일이 일어나고 있다고 생각하기 전'에 뭔가 바삐 할 일을 만들어야 한다는 사실에 동의했다.

오베는 그가 말한 대로 하는 게 최선이라는 데 동의했다. 그리고 그렇게 됐다. 그들은 그 일을 하는 동안 많은 얘기를 나누지는 않았지만, 도면을 그리고 각도를 재고 모퉁이를 똑바로 만드는 동안 서로를 도왔다. 그리고 아니타와 소냐가 임신 4개월째로 들어선 어느 늦은 저녁, 각자의 이층집 안에 마련된 육아실에 연푸른색 아기 침대가 하나씩 설치되었다.

"여자애일 경우 칠을 벗겨서 분홍색으로 새로 칠하면 돼." 오베가 소냐에게 침대를 보여주며 중얼거렸다. 소냐가 그를 끌어안았다. 그는 자기 목이 그녀의 눈물로 젖는 걸 느꼈다. 정말 비합리적인 호르몬이었다.

"나한테 아내가 돼달라고 청혼해줘요." 그녀가 속삭였다.

그래서 그렇게 했다. 그들은 시청에서 간단하게 결혼식을 올렸다. 둘 다 가족이 없었기 때문에 루네와 아니타만 왔다. 소냐와 오베가 반지를 교환한 다음 네 명은 레스토랑으로 갔다. 오베가 돈을 냈지만 루네가 '계산이 제대로 됐는지' 확인하고자 계산서를 들여다봤다. 당연히 제대로 안 됐다. 그래서 웨이터와 약

한 시간 동안 협의한 끝에, 두 남자는 자기들이 '웨이터를 신고' 하느니 웨이터가 계산서를 새로 써 오는 게 더 쉽다는 사실을 그에게 납득시키는 데 성공했다. 누가 누구를 무슨 이유로 신고할 건지가 다소 불분명하긴 했으나, 결국 한참 동안 욕을 하고 팔을 휘두른 끝에 웨이터는 저항을 단념하고는 주방으로 들어가 계산서를 새로 써 왔다. 오베와 루네가 서로를 보며 엄격한 표정으로 고개를 끄덕였다. 그들의 아내들이, 늘 그랬던 것처럼 20분 전에 택시를 타고 집으로 돌아가버렸다는 사실을 알아채지 못한 채.

오베는 사브에 앉아 루네의 차고를 바라보며 고개를 끄덕였다. 언제 저 문이 열린 걸 봤는지 생각이 안 났다. 그는 사브의 헤드라이트를 끄고 고양이를 쿡 찔러 깨운 다음 차 밖으로 나왔다.

"오베?" 호기심에 가득한 생소한 목소리가 말했다.

낯선 목소리의 주인공이 분명한, 모르는 여자가 갑자기 차고로 머리를 들이밀었다. 마흔다섯 정도로 보이고, 초라한 청바지에, 그녀에게는 너무 커 보이는 녹색 방한용 재킷을 입고 있었다. 얼굴에 화장기가 없고 머리는 포니테일로 묶었다. 여자는 어정어정 차고 안으로 들어오더니 흥미롭게 주위를 둘러보았다. 고양이가 앞으로 나서서 그녀에게 위협적으로 쉿쉿거렸다. 그녀가 걸음을 멈췄다. 오베가 주머니에 손을 찔러 넣었다.

"오베 씨 맞으시죠?" 그녀가 뭔가를 팔려고 하는 사람들이 마치 그런 생각은 꿈에도 없는 것처럼 행동하듯, 과장스럽게 친한

척 외쳤다.

"필요한 거 없소." 오베가 차고 문 쪽으로 턱짓을 하며 말했다. 여기서 다른 문 찾느라 성가시게 굴지 말고 왔던 문으로 나가는 게 좋을 거라는 뜻을 분명히 담은 몸짓이었다.

그녀는 전혀 깨닫지 못한 듯 보였다.

"제 이름은 레나예요. 지역 신문 기자고요. 저기⋯⋯." 그녀가 말을 꺼내며 손을 내밀었다.

오베가 그녀의 손을 보고, 다시 얼굴을 보았다.

"안 본다고요." 그가 다시 말했다.

"네?"

"신문 구독하라는 거 아뇨. 난 안 본다고."

그녀가 당황한 얼굴을 했다.

"아⋯⋯ 저기, 실은⋯⋯ 신문 팔러 온 게 아니고요. 저는 기사를 써요. 기자라고요." 오베가 뭔가 잘못 알고 있다는 듯 그녀가 천천히 되풀이해 말했다.

"아무튼 난 필요한 게 없소." 그녀를 차고 문 밖으로 쉬이 하고 내쫓기 시작하면서 오베가 되풀이해 말했다.

"하지만 저는 오베 선생님과 얘기하고 싶은데요!" 그녀는 저항하며 안에 있으려고 했다.

오베는 투명 깔개라도 들고 있는 양 그녀의 눈앞에 대고 손을 흔들어 내쫓으려 했다.

"어제 기차역에서 한 남자의 생명을 구하셨잖아요! 그 일로 인터뷰를 하고 싶어요." 그녀가 흥분하여 소리쳤다.

그녀는 자기가 오베의 관심에서 멀어졌다는 걸 알아채고는 다른 말을 하려 들었다. 하지만 오베의 시선은 그녀 뒤의 어딘가에 향해 있었다. 그의 눈이 가늘어졌다.

"이런 망할." 그가 중얼거렸다.

"저기…… 제가 좀 여쭙고 싶은……." 그녀가 진지하게 말을 꺼냈지만 오베는 이미 그녀를 지나쳐 주차 구역에 나타난 흰색 스코다를 향해 달려간 뒤였다. 스코다는 주택 단지 쪽으로 내려가기 시작했다.

오베가 돌진하여 차창을 두드리자, 안경을 쓴 여자가 허를 찔린 듯 놀라 서류 파일로 잽싸게 자기 얼굴을 가렸다. 하지만 하얀 셔츠의 남자는 조금도 동요하지 않았다. 그가 차창을 내렸다.

"무슨 일이시죠?" 그가 물었다.

"거주 구역에서는 차량 통행이 금지돼 있어." 오베가 씩씩거리며 손가락으로 주택들과 스코다와 하얀 셔츠의 남자와 주차 구역을 차례차례 가리켰다.

"이 구역에서는 모두 주차 구역에 주차를 한다고!"

하얀 셔츠의 남자가 집들을 보고, 주차 구역을 보고, 그런 다음 오베를 보았다.

"저는 시의회로부터 주택까지 차를 몰고 가도 좋다는 허가를 받았습니다. 그러니 제가 선생님께 비켜주십사 말씀을 드려야겠네요."

오베는 그의 대답에 너무 흥분한 나머지, 그 말에 대한 대답으로 퍼부을 욕설을 준비하는 데만 한참이 걸렸다. 그러는 동안 하얀 셔츠의 남자는 대시보드에서 담뱃갑을 꺼낸 다음 그걸 허벅지에 톡톡 두드렸다.

"이제 비켜주시면 감사하겠습니다만." 그가 오베에게 말했다.

"여기서 뭐 하는 거지?" 오베가 불쑥 내뱉었다.

"선생께서 걱정하실 일은 아닌데요." 하얀 셔츠의 남자가 단조로운 말투로 대답했다. 마치 오베에게 현재 통화 대기 중이라고 알려주는 자동 응답 메시지라도 되는 듯.

그가 방금 턴 담배를 입에 물고는 불을 붙였다. 오베는 너무 힘들게 숨을 쉬는 나머지 가슴이 재킷 아래서 요동을 치는 것을 느꼈다. 여자는 서류와 파일을 정리한 다음 안경을 바로잡았다. 남자는 오베가 마치 인도에서 스케이트보드를 못 타게 하자 그걸 거부하는 뻔뻔한 어린애라도 되는 양 한숨을 쉬었다.

"제가 여기서 뭘 하고 있는지 아시잖습니까. 길 맨 끝 집에 사는 루네 선생님을 모셔갈 겁니다. 요양원으로요."

그가 차창 밖으로 팔을 내밀어 사이드미러 앞에서 담뱃재를 털었다.

"그 친구를 요양원으로 데려간다고?"

"네." 남자가 무심하게 고개를 끄덕이며 말했다.

"아니타가 그걸 원치 않는다면?" 오베가 검지로 차 지붕을 톡톡 두드리며 씩씩댔다.

하얀 셔츠의 남자는 조수석에 앉은 여성을 본 다음 못 말린다는 듯 미소를 지었다. 그런 다음 오베 쪽으로 고개를 돌려 무척 천천히 말했다. 안 그러면 오베가 자기 말을 못 알아듣기라도 할 것처럼.

"결정을 내리는 건 아니타 부인이 아닙니다. 조사팀이죠."

오베의 호흡이 훨씬 부자연스러워졌다. 그는 자기 목에서 맥이 뛰는 걸 느낄 수 있었다.

"이 차를 이 구역에 끌고 오면 안 돼." 그가 이를 악물며 말했다. 오베가 주먹을 쥐었다. 말투는 날카롭고 위협적이었다.

하지만 상대방은 태연해 보였다. 그는 담배를 차 문에 대고 비벼 끈 다음 꽁초를 땅에 떨어뜨렸다. 오베가 한 말이 노망난 노인이 우물우물해대는 헛소리라고 취급하는 듯한 태도였다.

"그럼 이제 어떻게 저를 막으시렵니까, 오베 씨?" 마침내 남자가 말했다.

남자가 그의 이름을 툭 내던지는 방식 때문에 오베는 누군가 나무 망치를 자기 뱃속에 쑤셔 넣은 것 같은 얼굴이 되었다. 그는 하얀 셔츠의 남자를 뚫어져라 보았다. 입이 살짝 벌어지고 두 눈이 스코다의 앞뒤를 이리저리 살폈다.

"너 내 이름을 어떻게 알아?"

"저는 선생에 대해 많은 걸 안답니다."

오베는 스코다가 다시 움직이며 주택 단지 쪽으로 갈 때 간신히 옆으로 발을 뺐다. 오베는 충격을 받은 채 거기 서서 그들의 뒷모습을 바라보았다.

"누구였어요, 저 사람?" 방한용 재킷을 입은 여자가 뒤에서 말했다.

오베가 돌아보았다.

"당신은 내 이름을 어떻게 알아?" 그가 대답을 요구했다.

그녀는 한 발 뒷걸음쳤다. 그녀는 오베의 꽉 쥔 주먹에서 시선을 돌리지 못한 채 자기 얼굴에 늘어진 머리카락 몇 가닥을 얼버무리듯 치웠다.

"저는 신문사에서 일하니까요…… 선생님이 그 남자를 어떻게 구했는지 승강장에 있던 사람들과 인터뷰를 했어요……."

"내 이름은 어떻게 아냐니까?" 오베가 다시 말했다. 목소리가 분노로 떨렸다.

"기차표 값을 낼 때 카드를 긁으셨잖아요. 제가 계산대에서 영수증을 얻었어요." 그녀가 몇 걸음 더 물러섰다.

"그럼 저놈은!!! 저놈은 어떻게 내 이름을 알아?" 오베가 고함을 지르며 스코다가 사라진 방향으로 손을 휘둘렀다. 이마에 혈관이 튀어나왔다.

"저, 저는 몰라요." 그녀가 말했다.

오베가 사납게 콧김을 내뿜으며 두 눈으로 그녀를 뚫어져라 바라보았다. 마치 그녀가 거짓말을 하는지 확인하겠다는 듯.

"정말 몰라요. 저는 저 남자 처음 봐요." 그녀가 맹세했다.

오베가 더 강한 눈빛으로 그녀를 바라보았다. 마침내 그는 힘상긋은 얼굴로 고개를 끄덕였다. 그러고는 돌아서서 자기 집 쪽으로 걸어갔다. 그녀가 뒤에서 그를 불렀지만 그는 반응하지 않았다. 고양이가 그를 따라 현관으로 들어왔다. 오베가 문을 닫았다. 길 저편 아래쪽에서, 하얀 셔츠를 입은 남자와 안경을 쓴 여자가 아니타와 루네의 집 초인종을 누르고 있다.

오베는 현관에 놓인 의자에 걸터앉았다. 굴욕감에 몸부림쳤다.

그 느낌을 거의 잊었었는데. 그 굴욕감을.

그 무력감. 하얀 셔츠를 입은 남자들과는 싸울 수 없다는 깨달음.

이제 그들이 돌아왔다. 그와 소냐가 스페인에서 집으로 돌아온 이후로는 여기 온 적 없던 그들이. 그 사고 이후에는 본 적 없었던 그들이.

21
오베였던 남자와
레스토랑에서 외국 음악을 연주하는 나라들

　버스 여행을 떠나자는 건 물론 그녀의 생각이었다. 오베는 그게 무슨 소용인지 알 수가 없었다. 어딘가로 가야 하는데 왜 사브를 타면 안 되지? 하지만 소냐는 장거리 버스를 타는 게 '낭만적'이라 주장했고, 오베가 익히 배운 바에 따르면 그 낭만인지 뭔지는 정말 중요한 것이었다. 그게 여행을 떠나게 된 사정이었다.

　스페인에 사는 사람들은 하나같이 하품을 쩍쩍 하며 돌아다니고, 술을 마셔대고, 레스토랑에서 외국 음악을 연주하고, 한낮에 잠자리에 든다는 이유로 자기네가 제법 특별하다고 생각하는 듯 보였다.

　오베는 이중 어떤 것도 좋아하지 않고자 최선을 다했다. 하지만 소냐가 이 모든 것들에 푹 빠져 있어서 결국에는 오베도 별 수 없이 좋아하게 되었다. 그녀가 어찌나 크게 웃는지 그가 그녀를 붙들 때마다 그녀의 몸 전체가 떨리는 걸 느낄 정도였다. 오베라 해도 이런 걸 싫어할 재주는 없었다.

그들은 조그만 호텔에 묵었다. 호텔에는 작은 풀장과 작은 레스토랑이 있었다. 레스토랑은 오베가 알아듣기로 '호세이'라는 이름을 가진 남자가 운영했다. 철자는 'Jose'라고 썼지만 스페인에서는 사람들이 발음에 대해 딱히 예민하게 구는 것 같지 않았다. '쇼세'는 스웨덴어를 한 마디도 못 했지만 어쨌거나 말을 하는 데는 무척 관심을 보였다. 소냐는 조그만 책을 들고 다니면서 거기서 단어를 찾았고, 그래서 '일몰'과 '햄' 같은 것들을 스페인어로 말할 수 있었다. 오베는 햄을 다른 나라 말로 한다고 해서 그게 돼지 엉덩잇살이 아닌 건 아니라고 생각했지만 딱히 그 점을 언급하지는 않았다.

다른 한편 그는 그녀에게 길거리 거지들에게 돈을 주면 안 된다는 점을 지적하려 애썼다. 그래봤자 그걸로 슈냅스*나 사 마신다면서. 하지만 그녀는 계속 적선을 했다.

"그 사람들은 그 돈으로 자기들 하고 싶은 걸 할 수 있어요." 그녀가 말했다.

오베가 항의하자 그녀는 그냥 미소를 짓고는 그의 커다란 손

---

* schnapps. 네덜란드 진. 보통 독주를 가리킨다.

을 꼭 잡고 거기에 입을 맞추며 한 사람이 다른 사람에게 무언가를 베풀 때 받는 쪽만 축복을 받는 게 아니라고 설명했다. 주는 쪽 역시 축복을 받는다는 것이었다.

셋째 날 그녀는 한낮에 침대로 갔다. 왜냐하면 그게 스페인에서 사람들이 하는 일이기 때문이라고, '그 지역의 관습'에 적응해야 하는 거라고 그녀는 말했다. 오베는 그게 딱히 관습 때문이라기보다는 그냥 좋아서 그러는 게 아닌가 의심했지만, 변명치고는 꽤 그럴싸하게 잘 맞아떨어졌다. 그녀는 이미 임신한 뒤로 하루 24시간 중 16시간을 잤다.

오베는 산책을 나가는 데 신경을 쏟았다. 그는 호텔을 지나 마을로 이어지는 길을 걸었다. 그는 집들이 모두 돌로 지어졌다는 사실에 주목했다. 많은 집들이 현관문 아래 문지방을 달지 않은 듯 보였고, 제대로 창문을 막은 집도 없었다. 오베는 그게 살짝 야만스러워 보였다. 제대로 된 사람이라면 이런 빌어먹을 집을 지을 수는 없었다.

호텔로 돌아오던 중 오베는 길가에 세워진 채 연기가 나는 갈색 자동차 쪽으로 몸을 구부리고 있는 쇼세를 보았다. 차 안에는 어린아이 둘과 머리에 숄을 두른 무척 늙은 여자가 앉아 있었다. 여자는 기분이 좋지 않은 것처럼 보였다.

쇼세가 오베를 보더니 흥분해서 손을 흔들었다. 눈동자에는 거의 공포에 가까운 무언가가 배어 있었다. "세냐르!" 그가 오베에게 소리쳤다. 그들이 호텔에 도착하고 나서 그가 매번 오베에게 말을 걸 때마다 하던 소리였다. 오베는 그게 스페인어로 '오베'를 뜻하는 건가 싶었지만 소녀가 들고 다니는 숙어책을 딱히 주의 깊게 들여다보지는 않았다. 쇼세가 차를 가리키고는 다시 오베에게 거칠게 손짓했다. 오베는 바지 주머니에 손을 찔러 넣고 얼굴에는 경계하는 표정을 띠며 안전한 거리를 두고 멈췄다.

"병원!" 쇼세가 다시 소리치며 차 안에 탄 노인을 가리켰다. 오베는 그녀의 상태가 그리 좋아 보이지는 않는다는 사실을 재차 확인할 수 있었다. 쇼세는 여자를 가리키고, 다시 보닛 밑에서 연기를 내뿜는 엔진을 가리키면서 필사적으로 "병원! 병원!"이라는 말을 반복했다. 오베는 그 광경을 마치 감정하듯 바라보다가 마침내 이 연기가 스페인제 자동차에서는 '병원'이라는 단어로 알려져 있음이 분명하다는 결론을 내렸다.

그는 엔진 위로 몸을 기울여 살펴보았다. 그리 복잡한 구조는 아니라고 그는 생각했다.

"병원." 쇼세가 다시 말하고는 걱정스런 표정으로 몇 번씩 고개를 끄덕였다.

오베는 그가 연기에 대해 무슨 소리를 하려는 건지 알 수가 없었다. 자동차 제조와 관련된 사안 전체가 스페인에서는 무척 중요한 일로 간주되는 게 분명했고, 오베도 거기에 확실히 공감할 수 있었다.

"사아아아브." 그래서 오베는 보란 듯 자기 가슴을 가리키며 말했다.

쇼세는 잠시 혼란스러운 듯 그를 보았다. 그러고는 자기를 가리키며 말했다.

"쇼세!"

"빌어먹을 당신 이름을 물어본 게 아뇨. 내가 하려는 말이 뭐냐면······." 오베는 말을 꺼내다가 보닛 반대편에서 내륙호만큼이나 멀겋게 보이는 눈빛과 마주치자 입을 다물었다.

쇼세의 스웨덴어 실력은 오베의 스페인어 실력보다 더 형편없는 게 분명했다. 오베는 한숨을 쉬고는 뒷좌석에 앉아 있는 아이들을 걱정스런 얼굴로 바라보았다. 아이들은 노부인의 손을 꼭 잡고 있었고, 겁에 질린 듯 보였다. 오베는 다시 엔진으로 고개를 숙였다.

오베는 셔츠 소매를 돌돌 말아 올리고 나서 쇼세에게 길에서 비키라는 몸짓을 했다. 10분 뒤 그들은 도로로 나왔고, 오베는 차를 고쳐줬다고 그렇게 안도하는 사람을 처음 봤다.

아무리 그 작은 숙어책을 뒤져봐도, 소냐는 왜 쇼세가 그 주에 레스토랑에서 자기들이 먹은 식사 값을 받지 않겠다고 하는 건지 이유를 알 수가 없었다. 하지만 그녀는 레스토랑을 소유한 그 작은 스페인 남자가 오베와 마주치면 매번 태양처럼 얼굴을 환하게 밝히면서 그의 팔을 잡고는 "세뇨르, 사브!"라고 외칠 때마다 참을 때까지 참다가 웃음을 터뜨렸다.

그녀의 낮잠과 오베의 산책은 매일 되풀이되는 의식이 되었다. 둘째 날 오베는 울타리를 세우는 남자 옆을 지나가던 중 걸음을 멈춰 이런 식으로 울타리를 세우는 건 완전히 잘못된 방법이라고 설명했다. 남자는 오베가 하는 말을 한 마디도 못 알아들었고, 오베는 마침내 직접 보여주는 편이 차라리 빠르겠다는 결론을 내렸다. 셋째 날 그는 마을 성직자의 도움을 받아 교회 건물에 새로 외벽을 지었다. 넷째 날 그는 쇼세와 함께 마을 밖 벌판으로 나가서 쇼세의 친구 중 하나를 도와 진흙투성이 배수로에 빠진 말을 건져 올렸다.

오랜 세월이 지난 뒤 소냐가 오베에게 그때 일을 물어봐야겠다는 생각을 떠올렸다. 오베가 그녀에게 말하자 그녀는 오랫동안 절레절레 고개를 흔들었다. "그러니까 제가 자는 동안 당신은 몰래 빠져나가서 도움이 필요한 사람들을 도왔다는 얘기잖아요…… 그 사람들 울타리를 고쳐줬다고요? 사람들이야 당신에 대해 이러쿵저러쿵 되는 대로 말하겠지요, 오베. 하지만 당신은 제가 들어본 것 중 가장 별난 슈퍼히어로예요."

스페인에서 집으로 가는 버스에서 그녀는 오베의 손을 자기 배에 올려놓았고, 그는 뱃속의 아이가 발길질을 하는 걸 느낄 수 있었다. 희미하게, 마치 무척 두꺼운 오븐용 장갑을 낀 손바닥을 누군가 쿡 찌르기라도 하듯. 그들은 몇 시간 동안 그 조그만 펄떡임을 느끼며 앉아 있었다. 오베는 아무 말도 하지 않았지만 소냐는 그가 자리에서 일어나 '화장실' 좀 가야겠다고 웅얼거릴 때 눈가를 손등으로 훔치는 걸 봤다.

오베의 인생에서 가장 행복한 주였다.
이내 최악의 순간이 뒤따를 것이었다.

22
오베라는 남자와
차고에 갇힌 사람

오베와 고양이는 병원 밖에 주차된 사브에 조용히 앉아 있다.

"내 탓인 것처럼 보지 말라고." 오베가 고양이에게 말했다.

고양이는 화난 게 아니라 실망했다는 듯 오베를 바라봤다.

병원 밖에 다시 앉아 있게 되는 건 계획에 없는 일이었다. 그는 병원을 무척 싫어했지만 어쩌다보니 일주일도 안 돼 세 번이나 이 빌어먹을 곳에 들르게 됐다. 이건 올바르지도 적절하지도 않았다. 하지만 다른 선택의 여지가 없었다.

왜냐하면 오늘은 시작부터 엉망진창이었으니까.

그 일은 오베와 고양이가 아침 시찰을 하던 도중 거주자 구역에 차량 통행을 금지한다는 표지판이 차에 치인 걸 발견하면서 시작되었다. 이 상황으로 인해 오베가 굉장히 다채로운 신성 모독적 발언을 쏟아내자 고양이는 꽤나 난처한 표정을 지었다. 오베는 화가 잔뜩 난 채 집으로 가더니 잠시 뒤 눈삽을 들고 돌아왔다. 그는 걸음을 멈추고는 아니타와 루네의 집을 보았다. 턱은 으드득 하는 소리가 날 정도로 앙다문 채였다.

고양이가 비난하듯 그를 보았다.

"저 영감탱이가 늙은 건 내 탓이 아냐." 그가 단호하게 말했다.

고양이가 아무리 그래도 그리 납득이 가는 설명 같지 않다는 듯 굴자, 오베가 눈삽으로 고양이를 겨눴다.

"너는 내가 시의회랑 싸움이 붙은 게 이번이 처음인 줄 알겠지? 루네를 요양원으로 끌고 가겠다고 결정한 게 그치들이 진짜로 그런 결론을 내려서인 건 줄 알겠지? 그 인간들은 절대 안 그래! 항의라도 해봐라. 그럼 그놈들은 그 문제를 질질 끌면서 개똥 같은 관료제에 아득바득 갈아 넣어버릴 거라고! 무슨 말인지 알아? 금방 끝날 거라 생각하겠지? 몇 달씩 걸려! 몇 년씩! 너는 내가 저 맛간 영감탱이 문제에 대해 무력하기 때문에 여기서 얼쩡거리기나 하는 거라 생각하지?"

고양이는 대답하지 않았다.

"넌 이해 못 해! 알겠어?" 오베는 씩씩거리고는 몸을 돌렸다.

그는 등에 달라붙은 고양이의 눈길이 자기 속을 꿰뚫는 것 같은 기분이 들었다.

그게 고양이와 오베가 병원 밖 주차 구역에서 사브에 앉아 있는 이유는 아니었다. 하지만 오베가 눈을 퍼내고 있을 때 신문 기자 여자가 살짝 낙낙한 방한용 재킷을 입고 그의 집 밖에 나타난 것과는 직접적으로 관련이 있다.

"오베 씨죠?" 그녀가 등 뒤에서 그에게 물었다. 마치 지난번 찾아와 그를 방해한 뒤 그가 신분이라도 바꿨을까 걱정하는 듯.

오베는 그녀의 출현을 깨닫지 못한 척 계속 삽질을 했다.

"몇 가지만 여쭤보고 싶어서요……." 그녀가 다시 시도했다.

"딴 데 가서 물어보쇼. 나는 당신에게 볼일 없으니까." 오베는 그렇게 대답하고는 눈을 퍼내는 건지 파헤치는 건지 구분하기 어려운 방식으로 주변에 뿌려댔다.

"하지만 저는 그저……." 그녀는 입을 열었지만 오베와 고양이가 집 안으로 들어가며 그녀 면전에서 문을 쾅 닫아버리는 바람에 말을 멈출 수밖에 없었다.

오베와 고양이는 현관에 쪼그려 앉아 기자가 떠나길 기다렸다. 하지만 그녀는 떠나지 않았다. 그녀는 문을 두드리며 소리를 치기 시작했다. "하지만 선생님은 영웅이신걸요!"

"정신병자가 틀림없어, 저 여자." 오베가 고양이에게 말했다.

고양이는 반대하지 않았다.

그녀가 점점 더 시끄럽게 문을 두드리고 소리를 지르자, 오베는 어찌해야 할지 알 수 없었다. 그는 문을 벌컥 열고는 입에 손가락을 대고 조용히 하라고 했다. 마치 그 행동에 바로 뒤이어

이 집이 사실은 도서관이라고 말하기라도 하려는 듯.

그녀는 그의 얼굴을 향해 생긋 웃으면서 오베가 본능적으로 카메라라고 직감한 무언가를 흔들어댔다. 아니면 다른 것일 수도 있었겠지만. 이 망할 놈의 사회에서는 카메라가 어떻게 생겼는지 알아보는 게 쉽지 않았다.

그런 다음 그녀는 현관으로 들어오려 했다. 아마 그녀는 그러지 않는 편이 더 좋았을 것이다.

오베는 큰 손을 들어 올려 반사적으로 그녀를 떠밀었고, 그녀는 눈 속에 거의 머리부터 처박힐 뻔했다.

"볼일 없다니까." 오베가 말했다.

그녀는 몸의 균형을 잡고는 뭐라고 소리를 지르면서 그에게 대고 카메라를 흔들어댔다. 오베는 그 말을 듣고 있지 않았다. 그는 카메라가 마치 무기라도 되는 양 바라보았고, 달아나기로 결심했다. 이 인간은 분명 제정신이 아니었다.

그래서 오베와 고양이는 문 밖으로 나와 문을 잠그고는 할 수 있는 한 서둘러 주차 구역으로 도망쳤다. 신문 기자가 그들 뒤를 졸졸 따라왔다.

이쯤에서 분명히 밝혀두자면, 여기까지 일어난 일 중 어떤 것도 오베가 병원 밖에 앉아 있는 이유와는 관련이 없었다. 하지만 약 15분 뒤 파르바네가 오베의 집 앞에 세 살배기의 손을 잡고 서서 문을 두드렸는데 안에서 누구도 문을 열지 않았을 때, 그녀는 차고에서 사람 목소리를 들었는데, 이게 오베가 병원 밖에 앉아 있게 된 연유와 밀접한 관련이 있다고 할 수 있었다.

파르바네와 세 살배기가 주차 구역 모퉁이를 돌아서 다가가자 오베가 부루퉁하게 손을 주머니에 찔러넣은 채 닫힌 차고 문 앞에 서 있는 게 보였다. 발치에 앉아 있는 고양이는 죄라도 진 듯한 표정이었다.

"뭐 하세요?" 파르바네가 물었다.

"아무것도 안 해." 오베가 방어적으로 대답했다.

문을 두드리는 소리가 차고 안에서 들렸다.

"저 소린 뭐예요?" 파르바네가 놀라 오베를 보며 말했다.

오베는 별안간 자기 신발 아래 있는 아스팔트의 특정 부분에 지대한 관심을 갖게 된 듯 보였다. 고양이는 휘파람이라도 불면서 멀리 가버리고 싶은 듯한 표정을 지었다.

안에서 차고 문을 두드리는 소리가 다시 들렸다.

"저기요?" 파르바네가 말했다.

"저기요?" 차고 문이 대답했다.

파르바네의 눈이 휘둥그레졌다.

"세상에…… 사람을 차고에 가둔 거예요, 오베?"

오베는 대답하지 않았다. 파르바네가 오베의 팔이 코코넛 달린 야자수라도 되는 양 붙들고 흔들었다.

"오베!"

"아, 그래. 하지만 일부러 그런 게 아니었다고, 진짜로." 그가 중얼거리며 그녀의 손아귀에서 꿈틀거렸다.

파르바네가 고개를 내저었다.

"일부러 안 그러셨다?"

"맞아. 일부러 한 게 아냐." 오베가 이쯤해서 토론을 마무리지으려는 듯 말했다.

하지만 그는 파르바네가 제대로 설명을 들어야겠다고 작정한 걸 알아채고는 머리를 긁으며 한숨을 쉬었다.

"여자야, 여자. 신문 기자. 빌어먹을, 내가 가둔 게 아냐. 나랑 고양이랑 차고 안에 들어가서 문을 잠글 생각이었다고. 그런데 저 여자가 따라 들어왔단 말야. 알잖아, 무슨 말인지. 일이 그렇게 된 거라고."

파르바네가 관자놀이를 문지르기 시작했다.

"못살겠다, 이……."

"장난꾸러기." 세 살배기가 오베에게 손가락질을 하며 말했다.

"저기요?" 차고 문이 말했다.

"여기 사람 없어!" 오베가 씩씩거리며 되받았다.

"하지만 선생님 목소리 들리는데요!" 차고 문이 말했다.

오베가 한숨을 쉬고는 풀 죽은 얼굴로 파르바네를 보았다. 마치 이렇게 외치려는 것 같았다. "들었지? 심지어 요즘은 차고 문도 나한테 말을 건다고!"

파르바네가 그를 옆으로 밀치고 문으로 걸어가 얼굴을 가까이 대고는 조심스럽게 노크를 했다. 문도 노크를 했다. 이제부터 모스 부호로 의사소통을 하겠다는 듯.

파르바네가 헛기침을 했다.

"오베하고 왜 얘길 하시려고요?" 그녀가 모스 부호가 아닌 평범한 알파벳에 의지하며 물었다.

"영웅이니까요!"

"영…… 뭐요?"

"아, 죄송해요. 제 이름은 레나예요. 지역 신문사에서 일하는데 인터뷰를 하고 싶어서…….'

파르바네가 충격을 받고 오베를 보았다.

"무슨 소리예요, 영웅이라니?"

"그냥 나불거리는 거요!" 오베가 이의를 제기했다.

"한 남자의 생명을 구했어요. 선로에 떨어진 사람요!" 차고 문이 소리쳤다.

"지금 사람 제대로 찾은 거 맞아요?" 파르바네가 말했다.

오베가 상처받은 표정을 지었다.

"알겠어. 그러니까 내가 영웅이 되는 건 말도 안 된다 이거지?" 그가 웅얼거렸다.

파르바네가 미심쩍은 눈길로 오베를 보았다. 세 살배기는 흥분해서 '야옹이, 야옹이!' 하며 고양이 꼬리의 남은 부분을 붙잡으려 했다. 고양이는 이 사실에 딱히 큰 감명을 받은 듯 보이지 않았고, 그저 오베의 다리 뒤에 숨으려고만 했다.

"무슨 짓을 저지른 거예요, 오베?" 파르바네가 차고 문에서 두 발짝 떨어져서는 오베에게 낮고 은밀한 목소리로 말했다.

세 살배기가 오베의 발치를 빙빙 돌며 고양이를 쫓았다. 오베는 이 상황에 어떻게 손을 써야 할지 계산을 해보느라 애를 썼다.

"아, 양복쟁이 하나를 선로 밖으로 끌어냈을 뿐이야. 빌어먹게 난리법석 떨 일이 아니라고." 오베가 웅얼거렸다.

파르바네가 정색한 표정을 유지하려 노력했다.

"낄낄거릴 일도 아니고." 오베가 심술궂게 말했다.

"죄송해요." 파르바네가 말했다.

차고 문이 "저기요? 아직 거기 있죠?"와 비슷하게 들리는 소리를 외쳤다.

"없어!" 오베가 으르렁거렸다.

"왜 그렇게 무섭게 화를 내세요?" 차고 문이 궁금해 했다.

오베가 머뭇거리는 얼굴을 했다. 그가 파르바네 쪽으로 몸을 기울였다.

"그…… 저 여자를 어떻게 치워버려야 할지 모르겠어." 오베가 말했다. 만약 파르바네가 그에 대해 더 잘 알지 못했다면 그녀는 오베의 눈 속에 모종의 간절함이 담겨 있다고 오해했을지 모른다. "저 안에 내 사브하고 저 여자만 놔두고 싶지 않다고!" 그가 진지하게 속삭였다.

파르바네가 현재 벌어지는 상황의 안타까운 측면을 인정하며 고개를 끄덕였다. 오베는 발치에서 뛰어다니는 세 살배기와 고양이가 자기 통제를 벗어나기 전에 이 상황을 멈추고자 피곤에 지친 손을 놀렸다. 세 살배기는 고양이를 껴안으려 할 준비가 다 된 것처럼 보였다. 고양이는 경찰서에 주르륵 세워놓은 용의자들 중에서 세 살배기를 골라낼 준비를 다 마친 듯 보였다. 오베가 겨우겨우 세 살배기를 잡자 꼬마가 까르르 웃음을 터뜨렸다.

"그런데 애초에 왜 여기 있는 거요?" 오베가 감자 자루를 넘기듯 그 조그만 짐덩어리를 파르바네에게 넘기면서 물었다.

"패트릭이랑 지미를 데리러 버스 타고 병원에 가려고요." 그녀가 대답했다.

파르바네는 '버스'라는 말을 듣자 오베의 광대뼈 위가 실룩이는 걸 보았다.

"우리는……." 파르바네가 자기 생각을 정확히 밝히며 시작하겠다는 듯 입을 열었다.

그녀가 차고 문을 보았다. 그리고 오베를 보았다.

"뭐라고 하는지 안 들려요! 더 크게 말해요!" 차고 문이 소리쳤다.

오베가 그 즉시 문에서 두 발짝 떨어졌다. 동시에 파르바네가 자신감 있는 표정으로 오베에게 미소를 지었다. 마치 십자말풀이의 답을 막 알아낸 것처럼.

"저기요, 오베! 이러는 건 어때요? 우리를 병원에 실어다주면 제가 저 기자를 처리할게요. 괜찮죠?"

오베가 고개를 들었다. 조금 확신이 없는 표정이었다. 파르바네가 팔을 뻗었다.

"아니면 제가 저 기자한테 당신 얘기 한두 개 해줄 수도 있고요, 오베." 그녀가 눈썹을 치켜올리며 말했다.

"얘기? 무슨 얘기요?" 차고 문이 소리치더니 흥분해서 쾅쾅거렸다. 오베는 실의에 빠진 얼굴로 차고문을 보았다.

"이건 협박이야." 그가 자포자기하듯 파르바네에게 말했다.

파르바네가 활기차게 고개를 끄덕였다.

"오베는 가앙대를 공겨캐써요!" 세 살배기가 그렇게 말하고는 너도 이제 알겠냐는 듯 고양이에게 고개를 끄덕였다. 지난번 병원에 갔을 때 그 자리에 없었던 이들에게 오베가 왜 병원에 반감을 갖는지 추가로 설명할 필요가 있다고 느낀 게 분명했다.

고양이는 이게 무슨 소린지 잘 모르는 듯했다. 하지만 이 세 살배기만큼 성가신 광대가 근처에 있었다면, 고양이도 오베가 누군가를 때렸다는 사실에 대해 전적으로 비난하지는 않았을 것이다.

이것이 오베가 지금 여기 앉아 있는 이유였다. 고양이는 오는 내내 자기를 뒷좌석에 세 살배기와 같이 됐다는 이유로 오베에게 실망한 표정을 짓고 있었다. 오베는 좌석에 깔아놓은 신문지를 조정했다. 그는 사기당한 기분이었다. 파르바네가 그 기자를 '치우겠다고' 말했을 때, 그는 그녀가 무슨 수로 그렇게 할 생각인지 정확히 몰랐다. 그녀가 마법을 써서 펑 하고 기자를 사라지게 하거나 삽으로 때려눕혀 사막에 파묻거나 뭐 그런 식으로 할 거라고 기대한 건 아니었다.

사실 파르바네가 한 것이라고는 차고 문을 열고 기자에게 자기 명함을 준 다음 "전화주세요. 나중에 오베 얘기 해드릴게요"라고 말한 게 전부였다. 그게 정말로 사람을 치우는 방법이라고? 오베는 솔직히 말해 그게 사람을 치우는 방법이라고는 조금도 생각하지 않았다.

물론 이제는 너무 늦었다. 젠장. 그는 일주일도 안 돼 세 번이나 병원 밖에 앉아 기다리는 중이다. 협박당한 거다. 협박이 아니면 무엇인가.

여기에 더해 고양이까지 자기에게 싸우자는 듯이 화가 난 시선을 쏘아대고 있었다. 녀석의 눈에 담긴 뭔가를 보며, 오베는 소녀가 자기를 바라보곤 했던 시선을 떠올렸다.

"그놈들이 루네를 데리러 오진 않을 거다. 그러겠다고 말이야 하지만 그 일을 처리하는 데만 몇 년씩 걸릴걸." 오베가 고양이에게 말한다.

아마 이 얘기를 소녀에게도 했을 거다. 어쩌면 자신에게도. 잘 모르겠다.

"최소한 신세 한탄은 좀 하지 마라. 내가 아니었으면 너는 그 꼬맹이랑 살았을 거고, 그럼 그나마 남아 있던 꼬리도 간수하지 못했을 거란 말이다. 생각해보라고!" 오베가 화제를 바꿔볼 생각으로 고양이에게 씩씩댔다.

고양이는 오베에게서 떨어져 구석으로 가 몸을 돌돌 말고는 반항하듯 잠들었다. 오베는 다시 창밖을 바라보았다. 그는 세 살배기가 알레르기가 아니라는 걸 잘 알았다. 파르바네가 자기한테 거짓말을 했다는 것도, 그래서 이 골칫덩이 고양이를 안 돌봐도 된다는 걸 잘 알았다.

그는 빌어먹을 노망난 노친네가 아니다.

23
오베였던 남자와
도착하지 못한 버스

'사람은 자기가 뭘 위해 싸우는지 알아야 한다.'

사람들이 분명 그렇게 말했다. 아니면 최소한 소냐가 오베에게 큰 소리로 읽어준 적이 있는 책 한 권에 그런 구절이 있었다. 오베는 무슨 책인지 기억할 수 없었다. 아내 주변에는 늘 책이 넘쳐났다. 그녀는 스페인에서도 책을 한가득 사들였다. 스페인어도 못하는데. "읽다 보면 배우겠죠." 그녀가 말했다. 당신도 그렇지 않느냐는 듯. 오베는 자기는 그 수많은 바보들이 무슨 생각을 하는지 읽기보다는 그냥 스스로 생각하는 쪽이라고 말했다. 소냐는 그저 미소를 짓고는 그의 뺨을 쓰다듬었다.

그는 말도 안 되게 큰 그녀의 가방들을 버스로 옮겼다. 운전사 옆을 지나갈 때 와인 냄새가 났지만 스페인 사람들의 방식이려니 결론을 내리고는 그냥 내버려뒀다. 좌석에 앉았을 때 소냐가 오베의 손을 그녀의 배에 갖다 댔고, 그는 뱃속의 아이가 발차기 하는 걸 느꼈다. 처음이자 마지막으로. 오베가 자리에서 일어나 화장실에 가기 위해 복도를 따라 버스의 중간쯤 갔을 때 버스가 요동쳤고, 중앙 분리대를 긁더니 한순간 침묵이 찾아왔다. 마치 크게 심호흡을 하듯. 그리고 나서 유리가 터지며 산산조각이 났다. 금속이 뒤틀리며 무자비하게 째지는 소리를 냈다. 버스 뒤에 있던 차들이 충돌하며 난폭하게 버스를 으스러뜨렸다.

사방에서 비명이 터졌다. 그는 결코 그 소리를 잊지 못했다.

오베는 내동댕이쳐졌고, 자기가 배 쪽으로 떨어졌다는 사실만 기억이 났다. 그는 두려움에 질린 채 여기저기 혼란스럽게 흩어 져 있는 사람들 사이에서 소냐를 찾았지만 그녀는 없었다. 그는 천장에서 비처럼 쏟아지는 유리 조각들에 몸을 베이면서 자기 몸을 앞으로 날렸지만 어쩔 수 없이 주저앉았다. 마치 분노에 찬 야생 동물이 뒤에서 그를 낚아채는 바람에 천박한 굴욕 속에 내 쳐진 것 같았다. 그 상황에서 느꼈던 철저한 무력감은 이후 남은 인생 내내 밤마다 그를 따라다닐 것이었다.

그는 사고가 일어난 첫 주 내내 그녀의 병상을 지키고 앉아 있었다. 간호사가 그에게 샤워를 하고 옷을 갈아입으라고 강력 히 권유할 때까지. 어딜 가든 사람들이 동정하는 눈길로 그를 보 며 '애도'를 표현했다. 의사 하나가 병실로 들어와 오베에게 무 관심하고 냉담한 목소리로 '그녀가 다시 깨어나지 못할 경우를 대비할' 필요가 있다고 말했다. 오베는 그 의사를 굳게 잠겨 있던 문을 뚫고 내동댕이쳤다. "아내는 안 죽었어!" 그가 복도에 대고 고래고래 소리를 질렀다. "죽은 것처럼 굴지 말란 말야!" 병원의 누구도 다시는 감히 그런 실수를 저지르지 않았다.

열흘째 되던 날, 빗방울이 창문을 후려치고 라디오에서 수십 년 만에 닥친 최악의 폭풍에 대해 이야기하고 있는데 소냐가 괴로운 얼굴로 가늘게 눈을 떴다. 그녀는 오베의 모습을 보고 자기 손을 그의 손에 올려놓았다. 그가 손바닥으로 그녀의 손가락을 감쌌다.

그러고 나서 그녀는 잠이 들었고, 그날 밤 내내 잤다. 그녀가 다시 눈을 떴을 때 간호사가 그녀에게 말하려 했지만, 오베는 그럴 수 있는 건 자기뿐이라고 완강하게 주장했다. 그는 마치 그녀의 손이 정말, 정말, 정말 차갑기라도 하다는 듯 그녀의 손을 계속 쓰다듬으며 차분한 어조로 모든 걸 얘기했다. 그는 와인 냄새를 풍기던 운전사와 가드레일로 갑자기 방향을 틀어 충돌한 버스에 대해 말했다. 고무 타는 냄새도, 고막을 찢을 것 같던 충돌음도.

그리고 이제 아이는 오지 않으리라는 것도.

그녀는 흐느꼈다. 헤아릴 수 없는 시간이 흐르면서, 슬픔으로 몸을 가눌 수 없는 오랜 절망이 그들에게 선명히 와 닿아 그들을 갈가리 찢어발겼다. 슬픔과 분노가 길게 늘어진 황량한 어둠

속에서 시간이 흘렀다. 오베는 자기가 바로 그 순간 자리에서 일어났다는 사실 때문에, 그들을 보호하기 위해 거기 있지 못했다는 사실 때문에 스스로를 결코 용서할 수 없으리라는 걸 알았다. 이 고통이 영원히 가리라는 걸 알았다.

하지만 어둠이 이기게 놔둔다면 소냐는 소냐가 아니었을 것이다. 그래서 어느 날 아침, 오베는 사고 이후 며칠이 지났는지도 모르고 있었을 때, 소냐는 무척이나 간단명료하게 재활 치료를 시작하겠다고 선언했다. 그녀가 움직일 때마다 오베는 자기 척추가 고통에 시달리며 비명을 지르는 동물이 된 것 같은 표정으로 그녀를 바라보았고, 그러면 그녀는 자기 머리를 그의 가슴에 부드럽게 기대고는 속삭였다.

"우린 사느라 바쁠 수도 있고 죽느라 바쁠 수도 있어요, 오베. 우리는 앞으로 나아가야 해요."

그리고 그렇게 되었다.

이후 몇 달 동안 오베는 하얀 셔츠를 입은 남자들을 셀 수 없이 만났다. 온갖 관공서에 있는 하얀 셔츠들은 밝은 색깔의 목재로 만든 책상에 앉아 오베에게 별의별 이유를 갖다 대며 서류의 빈칸을 채우도록 지시하는 데 엄청난 시간을 써댔지만, 소냐가 회복하는 데 필요한 조처에 관해 이야기하는 데에는 전혀 시간을 쓰지 않았다.

그런 관공서 중 한 곳에서 여자 한 명이 병원으로 파견되어 와서는 소냐가 '같은 처지에 놓인 사람들을 위한 봉사 시설'에 들어갈 수 있다고 희망에 넘치는 태도로 설명했다. 오베에게 '일상생활에서 느끼는 부담'이 분명 굉장히 '과도해질' 수 있다고도 했다. 그녀가 대놓고 말하지는 않았지만 얘기를 어디로 몰고 가려는 심산인지는 유리알처럼 빤했다. 그녀는 오베가 아내와 같이 살 수 있다고 생각한다는 사실을 믿지 않았다. 그녀는 침대 곁에 앉아 신중히 고개를 끄덕이면서 '현 상태에서는'이라는 말을 계속 되풀이했다. 그녀는 소냐가 병실에 있지도 않은 양 오베에게 말을 했다.

이번에는 문이 뚫리지는 않았지만, 어쨌거나 그녀는 내쫓겼다.

"우리가 살 시설은 딱 하나, 우리 집이야! 우리가 사는 곳!"

오베가 그녀에게 고함을 질렀고, 순수한 좌절과 분노에 사로잡혀 소냐의 신발 한 짝을 병실 밖으로 던졌다.

그러고 나서 그는 하마터면 신발에 맞을 뻔했던 간호사들에게 가서 혹시 신발이 어디 갔는지 아냐고 물어봐야 했다. 물론 이런 일은 그를 더 화나게 했다. 사고 이후 소냐가 웃는 걸 처음 들은 게 그때였다. 마치 웃음이 봇물처럼 쏟아져 나오는 바람에 멈출 가능성이 조금도 없는 것처럼 웃어댔다. 자기 웃음이랑 치열하게 맞붙어 싸우는 것 같았다. 그녀는 모음(母音)들이 벽과 바닥을 굴러다닐 때까지, 마치 그걸로 시공의 법칙을 없애버리겠다는 듯 웃고, 웃고, 또 웃었다. 오베는 그 웃음을 듣자 자기 가슴이 지진으로 무너진 폐허 속에서 천천히 빠져나오는 것 같은 기분을 느꼈다. 그녀의 웃음이 그의 심장을 다시 뛰게 할 공간을 줬다.

그는 집으로 간 다음 집 전체를 새로 지었다. 예전에 쓰던 부엌 조리대를 떼어내고 더 낮은 조리대를 새로 설치했다. 특별 제조된 요리 도구를 찾아냈다. 문틀을 새로 짜고 모든 문지방에 경사로를 달았다. 퇴원해도 좋다는 허락을 받은 다음날 소냐는 교사 연수에 복귀했다. 봄에 그녀는 시험을 쳤다. 마을에서 최악의 명성을 떨치는 학교가 교사 임용 광고를 신문에 냈다. 두뇌의 각 부위가 제대로 고정된 선생들이라면 절대 자원하지 않을 학급의 담임 선생을 찾는 광고였다. 그곳은 ADHD라는 말이 생겨나기 전부터 ADHD를 앓고 있던 학급이었다. "이 소년 소녀들에게는 희망이 없습니다." 교장이 인터뷰에서 냉정하게 설명했다. "이건 교육이 아니에요. 보관입니다. 애들을 보관한 거지요." 소냐는 그렇게 설명당하는 게 어떤 기분인지 아마도 이해했던 모양이었다. 그 공석은 딱 한 명의 지원자의 관심만 끌었고, 그녀는 그 소년 소녀들에게 셰익스피어를 읽혔다.

그동안 오베는 정말로 크게 분노에 짓눌려 있어서 소냐가 때때로 그에게 밖에 좀 나가라고 부탁할 정도였다. 그래야 그가 가구를 부수지 않았으니까. 그의 어깨가 파괴의 의지로 가득한 걸 보는 일은 그녀를 한없이 괴롭게 했다. 버스 운전사를 파괴하고픈 의지. 여행사를, 가드레일을, 와인 생산자를, 모든 것과 모든 사람들을 파괴하고픈 의지. 세상 모든 개자식들이 없어질 때까지 계속 파괴하는 것. 그가 원하는 건 그게 전부였다. 그는 헛간에 분노를 쏟아부었다. 차고에 쏟아부었다. 시찰을 도는 동안 길에 분노를 뿌리고 다녔다. 하지만 그게 전부가 아니었다. 결국 그는 편지를 쓰기 시작했다. 그는 스페인 정부에 편지를 썼다. 스웨덴 당국에도 썼다. 경찰에도. 법원에도. 하지만 누구도 책임지지 않았다. 아무도 신경 안 썼다. 그들은 법전이나 다른 권위를 참조하여 대답했다. 변명했다. 시의회에서 소냐가 근무하는 학교 계단에 경사로를 설치해달라는 요청을 거부하자, 오베는 몇 달씩 편지를 쓰고 민원을 제기했다. 그는 신문에 투고를 했다. 그들을 고소하려고 했다. 그는 그에게서 아버지의 역할을 강탈해버린 그들에게 문자 그대로 헤아릴 수 없는 복수를 퍼부었다.

하지만 어디에서나 이내 하얀 셔츠를 입은 사람들이 엄격하고 독선적인 얼굴로 그를 막아 세웠다. 그들과는 싸울 수가 없었다. 그들이 국가의 편에 서 있어서가 아니었다. 그들이 국가여서였다. 마지막 민원은 거부당했다. 싸움은 끝났다. 하얀 셔츠를 입은 남자들이 그러기로 정했기 때문이었다. 오베는 그들을 결코 용서하지 않았다.

소냐는 모든 걸 봤다. 그녀는 그가 무엇 때문에 상처를 입었는지 이해했다. 그래서 그가 화를 내도록 놓아뒀다. 그 모든 분노가 어느 정도 배출구를 찾도록 놓아뒀다. 하지만 여름에 대한 부드러운 약속을 품고 다가온 5월의 어느 저녁, 그녀는 휠체어를 굴려 그에게 갔다. 나무로 만든 마루에 바퀴 자국이 생겼다. 그는 부엌 식탁에 앉아 편지를 쓰고 있었고, 그녀는 그에게서 펜을 빼앗은 다음 그의 손에 자기 손을 밀어 넣은 뒤 손가락으로 그의 거친 손바닥을 꾹 눌렀다. 그의 가슴에 따스하게 이마를 기댔다.

"그만하면 됐어요, 오베. 편지는 더 쓰지 말아요. 당신이 쓴 이 편지를 다 집어넣을 공간이 인생에는 없어요."

그녀가 그를 올려다보고는 뺨을 부드럽게 쓰다듬은 뒤 미소를 지었다.

"이제 충분해요, 사랑하는 오베."

그러자 충분해졌다.

다음 날 아침 오베는 새벽에 일어나 사브를 몰고 그녀의 학교로 간 다음, 시의회가 설치를 거부했던 장애인용 경사로를 자기 손으로 직접 깔았다. 그 뒤 그녀는 매일 저녁마다 집에 와서, 오베가 기억하는 한 무척 오랫동안, 눈에 열의를 가득 담고 그녀가 가르치는 소년 소녀들에 대해 이야기했다. 경찰에게 호송을 받으며 교실에 들어오지만 하교할 때는 400년 전의 고전시를 암송하는 아이들에 대해. 그녀를 울리고, 웃기고, 목소리가 그들의 작은 집 천장까지 닿도록 노래를 하게 만드는 아이들에 대해. 오베는 그 감당 못할 아이들에 대해 도무지 감을 잡을 수가 없었지만, 그 녀석들이 소냐에게 하는 짓에 대해서는 딱히 싫어하지 않았다.

세상 사람 모두가 그녀가 무엇을 위해 싸우는지 알아야 한다. 그게 사람들이 했던 얘기였다. 그녀는 선을 위해 싸웠다. 결코 가져본 적 없는 아이들을 위해 싸웠다. 그리고 오베는 그녀를 위해 싸웠다.

왜냐하면 그녀를 위해 싸우는 것이야말로 그가 이 세상에서 제대로 아는 유일한 것이었으니까.

24
오베라는 남자와
색칠하는 꼬마 녀석

　오베가 사브를 몰아 병원을 빠져나올 때는 차에 사람이 꽉 차는 바람에 그는 연료 게이지를 계속 확인했다. 마치 자동차가 볼썽사나운 춤이라도 출까봐 걱정하듯. 백미러로 파르바네가 세 살배기에게 종이와 컬러 크레용을 태연하게 건네는 모습이 보였다.

　"걔가 차에서 그 짓을 해야 하는 거요?" 오베가 고함쳤다.

　"그럼 애를 들뜬 상태로 놔두실래요? 그러면 어떻게 시트 천을 뜯어낼지 고민하기 시작할 텐데요."

　파르바네가 차분히 말했다.

　오베는 대답하지 않았다. 그냥 백미러로 세 살배기를 바라보았다. 세 살배기는 파르바네의 무릎에 앉아 커다란 보라색 크레용을 고양이에게 흔들며 소리쳤다. "그뤼이이임!" 고양이가 조심스럽게 아이를 관찰했다. 분명 자기가 그림 연습장으로 이용될까 꺼리는 것이었다.

패트릭은 그들 사이에 앉아 몸을 배배 꼬면서 깁스를 한 정강이를 편하게 둘 곳을 찾으려 애썼는데, 결국 정강이가 앞좌석 팔걸이 사이에 꽉 끼어버렸다.

이게 쉬운 일이 아닌 것이, 그는 지금 그가 앉은 자리와 깁스를 한 다리 밑에 오베가 깔아놓은 신문지를 치우지 않으려 최선을 다하고 있기 때문이었다.

세 살배기가 크레용을 떨어뜨리자 크레용이 조수석 아래로 굴러갔는데, 조수석에는 오베를 도우러 왔던 지미가 앉아 있었다. 지미는 그와 같은 몸집을 가진 사람에게는 올림픽 체조 기술에 맞먹을 게 분명한 동작으로 몸을 숙여 자기 앞의 매트에서 크레용을 주웠다. 그는 잠깐 그걸 살펴보고는 씩 웃더니 패트릭이 괴어놓은 다리로 몸을 돌려 깁스 위에 미소를 짓고 있는 커다란 남자 그림을 그렸다. 꼬맹이가 그걸 보더니 기쁨에 소리를 꺅꺅 질러댔다.

"이제 너도 차 안을 막 어지르기 시작하는 거냐?" 오베가 말했다.

"잘 그렸죠, 그렇죠?" 지미가 놀려먹듯 말하고는 마치 오베와 하이파이브라도 할 것 같은 얼굴을 했다.

오베가 눈알을 굴렸다.

"죄송해요, 아저씨. 저도 저를 멈출 수가 없네요." 지미는 그렇

283

게 말하고 살짝 부끄러운 얼굴로 크레용을 파르바네에게 돌려주었다.

지미의 주머니에서 띵동하는 소리가 났다. 그가 어른 손만 한 휴대폰을 꺼내고는 액정을 정신없이 바쁘게 톡톡 두드려댔다.

"누구 고양이죠?" 패트릭이 뒤에서 물었다.

"오베 야옹이!" 세 살배기가 바위처럼 굳건한 확신을 가지고 대답했다.

"아냐." 오베가 즉시 그녀의 말을 바로잡았다.

그는 파르바네가 놀리듯 미소짓는 걸 백미러로 보았다.

"맞는데." 파르바네가 말했다.

"아니라니까!" 오베가 말했다.

그녀가 웃었다. 패트릭은 무척 혼란스런 얼굴이었다. 그녀가 남편의 무릎을 격려하듯 가볍게 두드렸다.

"오베가 말하는 거 신경 쓰지 마. 확실히 저분 고양이니까."

"이놈은 빌어먹을 길고양이야. 그게 저놈 정체라고!" 오베가 바로잡았다.

고양이가 이 소란이 대체 뭔가 싶어 고개를 들었다가 이게 다 놀라 자빠질 만큼 재미없는 일이라는 결론을 내리고 파르바네의 옆구리에 찰싹 달라붙었다. 아니 어쩌면, 배에.

"그럼 어디 딴 데 넘기는 건 아니고요?" 패트릭이 고양이를 꼼꼼히 살피며 물었다.

고양이가 고개를 살짝 들고는 마치 대답이라도 하듯 짧게 쉿

쉿댔다.

"'넘기다'니, 무슨 소리야?" 오베가 그의 말을 끊으며 말했다.

"그러니까…… 고양이 보호소나 뭐 그런……."

패트릭이 입을 열었지만 오베가 소리를 버럭 지르는 바람에 더 말을 잇지 못했다.

"빌어먹을 보호소 따위에 넘길 사람은 아무도 없어!"

이걸로 이 주제는 끝났다. 패트릭은 놀란 표정을 안 지으려고 애썼다. 파르바네는 웃음을 터뜨리지 않으려고 애썼다. 둘 다 제대로 성공하지 못했다.

"우리 어디 들러서 뭣 좀 먹으면 안 될까요?"

지미가 불쑥 끼어들더니 좌석 위치를 조정했다. 사브가 출렁이기 시작했다.

오베가 자기 주변에 모인 인간들을 보았다. 마치 자기가 유괴라도 당해서 평행 우주로 납치된 듯. 잠시 그는 방향을 홱 틀어 도로를 벗어날까도 생각해봤지만, 이내 최악의 경우 이 인간들 모두가 그와 함께 사후 세계까지 동행하게 되리라는 걸 깨달았다. 그런 깨달음을 얻자 그는 속도를 줄이고 자기 차와 앞차 사이의 간격을 충분히 벌렸다.

"쉬이!" 세 살배기가 소리쳤다.

"잠깐 멈추면 어때요, 오베? 나사닌이 쉬가 마렵대요." 사브 뒷좌석이 운전사에게서 200미터 정도 떨어져 있다고 철석같이 믿는 사람만이 낼 수 있는 목소리로 파르바네가 소리쳤다.

"그래요! 그러면 동시에 뭘 먹을 수도 있잖아요." 지미가 기대에 차 고개를 끄덕였다.

"맞아요. 그렇게 해요. 나도 화장실 가고 싶어요." 파르바네가 말했다.

"맥도널드에 화장실 있어요." 지미가 유용한 정보를 제공했다.

"맥도널드 괜찮겠다. 거기 세우죠." 파르바네가 고개를 끄덕였다.

"여기 설 일은 없어." 오베가 단호하게 말했다.

파르바네가 백미러로 오베를 보았다. 오베가 시선을 받아쳤다.

10분 뒤 오베는 맥도널드 밖에서 그들을 기다리면서 사브에 앉아 있었다. 심지어 고양이까지 그들을 따라 들어갔다. 반역자. 파르바네가 매장 밖으로 나와 오베의 차창을 두드렸다.

"정말 뭐 안 드세요?" 그녀가 그에게 부드럽게 말했다.

오베가 고개를 끄덕였다. 그녀는 살짝 풀죽은 얼굴을 했다. 오베가 다시 차창을 올렸다. 그녀가 차 주위를 돌더니 조수석에 폴짝 뛰어서 올라탔다.

"차 세워주셔서 고마워요." 그녀가 미소를 지었다.

"네, 네." 오베가 말했다.

그녀는 프렌치프라이를 먹고 있었다. 오베가 팔을 뻗어 그녀 앞 바닥에다 신문지를 더 깔았다. 그녀가 웃기 시작했다. 그는 그게 이해가 안 갔다.

"도움이 필요해요, 오베." 그녀가 갑자기 말했다.

오베는 그 말을 듣고도 딱히 열정이 생기지 않는 모양이었다.

"제 운전면허 시험을 도와주실 수 있을 거라고 생각했거든요." 그녀가 계속 말했다.

"지금 뭐라 그랬지?" 오베가 뭘 잘못 들은 게 분명하다는 듯 말했다.

그녀가 어깨를 으쓱했다. "패트릭은 몇 달은 깁스를 할 거예요. 저는 면허를 따야 하고요. 그래야 애들을 실어 나르니까. 오베가 저한테 운전을 좀 가르쳐주실 수 있겠구나, 하는 생각이 든 거죠."

오베는 무척 혼란스러운 나머지 짜증을 내는 것도 까먹었다.

"그러니까 다시 말해, 당신 운전면허가 없다?"

"네."

"농담이 아니다?"

"네."

"면허를 상실한 거요?"

"아뇨. 따본 적이 없어요."

오베의 두뇌가 이 정보를 처리하려면 제법 시간이 걸릴 것 같았다. 그에게 이건 도무지 믿을 수가 없는 일이었다.

"당신 직업이 뭐요?" 그가 물었다.

"그게 이 문제랑 무슨 상관이죠?" 그녀가 대답했다.

"당연히 다 상관있지."

"부동산 중개업자예요."

오베가 고개를 끄덕였다.

"그런데 운전면허가 없다?"

"없어요."

오베가 암울하게 고개를 저었다. 마치 이거야말로 어떤 일에도 책임을 안 지는 인간이 오를 수 있는 최고봉이라는 듯. 파르바네가 예의 그 살짝 놀리는 것 같은 미소를 다시 짓고는 다 먹은 프렌치프라이 봉지를 동그랗게 뭉치고 나서 차 문을 열었다.

"이렇게 생각해봐요, 오베. 다른 사람이 거주자 지역에서 저한테 운전을 가르치는 걸 정말 원하는 거예요?"

그녀는 차에서 내려 쓰레기통 쪽으로 갔다. 오베는 대답하지 않았다.

그저 씩씩댈 뿐이었다.

지미가 매장 출입구에 나타났다.

"차에서 먹어도 돼요?" 그가 치킨 조각을 입 밖으로 비죽 내민 채 물었다.

오베는 처음에는 안 된다고 하려다가, 이런 식으로 가다간 이 인간들이 절대 여기서 안 나갈 거라는 사실을 깨달았다. 대신 그는 조수석과 바닥에 신문지를 엄청나게 깔았다. 꼭 자동차를 새로 칠할 준비라도 하듯.

"얼른 튀어 들어와. 그래야 집에 가지." 그가 투덜거리며 지미에게 손짓을 했다.

지미가 즐겁게 고개를 끄덕였다. 그의 휴대폰이 띵동댔다.

"그 소음 좀 멈춰. 무슨 빌어먹을 핀볼 게임기도 아니고."

"죄송해요, 아저씨. 일 때문에 이메일이 계속 와서요." 지미가 한 손은 음식의 균형을 잡고 다른 손으로는 주머니에 든 휴대폰을 만지작거리며 말했다.

"그럼 너도 직업이 있단 말야?" 오베가 말했다.

지미가 열정적으로 고개를 끄덕였다.

"아이폰 앱을 프로그래밍해요."

오베는 더 묻지 않았다.

최소한 그들이 오베의 차고 밖 주차 구역으로 들어갈 때까지 10분 동안은 제법 차 안이 조용했다. 오베가 자전거 보관소 옆에 차를 세운 뒤 엔진을 끄지 않은 채 기어를 중립에 넣고는 자기 승객들에게 의미심장한 시선을 던졌다.

"괜찮아요, 오베. 패트릭은 여기서부터는 목발로 갈 수 있거든요." 파르바네가 명백한 아이러니를 담아 말했다.

"자동차는 거주자 구역에 들어갈 수 없어." 오베가 말했다.

패트릭은 좌절하지 않고 자기 몸과 깁스를 차 뒷좌석에서 탈출시켰다. 그러는 동안 지미는 햄버거 기름을 온통 티셔츠에 묻힌 채 조수석에서 몸을 짜내듯 빠져나왔다.

파르바네가 세 살배기를 자동차 좌석에서 들어 올려 땅에 내려놓았다. 꼬맹이가 뭔가 알 수 없는 소리를 지르면서 허공에 대고 무언가를 흔들었다.

파르바네가 고개를 끄덕이고는 차로 돌아와 조수석 창문으로 몸을 기울이더니 오베에게 종이 한 장을 주었다.

"이게 뭐요?" 오베가 종이를 받으려는 동작은 조금도 취하지 않은 채 물었다.

"나사닌이 그린 그림요."

"이걸로 뭘 어쩌라고?"

"당신을 그렸거든요." 파르바네가 대답하고는 그의 손에 그림을 밀어 넣었다.

오베가 내키지 않는 얼굴로 종이를 보았다. 종이는 선과 소용돌이로 가득했다.

"이게 지미, 이게 고양이, 이게 패트릭하고 나, 이게 당신이에요." 파르바네가 설명했다.

그녀가 마지막으로 말하면서 가리킨 형상은 그림 한가운데에 있었다. 종이 위의 다른 것들은 모두 검정 크레용으로 그렸는데, 가운데의 형상만 색색이 폭발하고 있었다. 노랑과 빨강과 파랑과 녹색과 오렌지와 보라색이 난리를 쳤다.

"걔가 보기엔 당신이 제일 재미있는 사람인 거예요. 그래서 맨날 당신을 컬러로 그리는 거고요."

그런 뒤 그녀는 조수석 문을 닫고 걸어갔다.

오베는 몇 초 뒤에야 정신을 그러모아 그녀의 뒤에 대고 소리쳤다. "무슨 소리야, '맨날'이라니?"

하지만 그때쯤엔 다들 자기 집으로 돌아간 뒤였다.

오베는 살짝 화가 난 채 조수석에 깔아놓은 신문지 위치를 조정했다. 고양이가 뒷좌석에서 올라와 그 위에 안착했다. 오베는 사브를 후진시켜 차고로 집어넣었다. 차고 문을 닫았다. 엔진을 끄지 않은 채 기어를 중립에 놓았다. 배기가스가 천천히 차고를 채우는 걸 느끼면서 벽에 걸린 플라스틱 튜브를 바라보았다. 잠시 동안 그의 귀에 들리는 것이라고는 고양이의 숨소리와 리듬을 타고 부릉거리는 엔진소리뿐이었다. 쉬울 거다. 그냥 앉아서 필연적인 결과를 기다리면 되는 거였다. 이것이 유일하게 논리적인 일이라는 것을 오베는 알고 있었다. 그는 오랫동안 기다려왔다. 종말을. 그는 그녀가 무척이나 그리운 나머지 가끔은 자기 몸도 가누지 못했다. 배기가스가 그와 고양이를 얼러 잠들게 하여 이 상황을 끝내줄 때까지 앉아서 기다리는 것이야말로 유일하게 합리적인 행동이었다.

하지만 그때 오베는 고양이를 보았다. 그리고 엔진을 껐다.

다음 날 아침 그들은 6시 15분 전에 일어났다. 각자 커피를 마시고 참치를 먹었다. 시찰을 한 바퀴 돌고 나서, 오베는 집 밖의 눈을 조심스럽게 퍼냈다. 일을 마친 뒤에는 헛간 앞에 눈삽을 세워놓고 거기에 기대 서서 줄줄이 늘어선 이층집들을 보았다.

그런 다음 그는 길을 건너 맞은편 집 눈을 치우기 시작했다.

25
오베라는 남자와 골함석

오베는 아침 식사가 끝날 때까지 기다렸다가 고양이를 내보냈다. 그런 다음 욕실 선반에서 플라스틱 약병을 꺼냈다. 그는 약병을 들고 어디로 던지기라도 할 것처럼 무게를 재고, 알약이 얼마나 남았나 보려고 살짝 흔들어도 보았다.

의사는 끝에 가서는 소냐에게 매우 많은 진통제를 처방해줬다. 집 욕실은 여전히 콜롬비아 마피아의 마약 창고처럼 보였다. 오베는 분명 약을 믿지 않았다. 그는 약이 가진 유일한 효과는 심리적인 측면일 뿐이라고, 따라서 약이란 나약한 뇌간을 가진 사람들에게만 든다고 확신해왔다.

다만 화학 물질로 사람의 생명을 거둬가는 게 그리 특이한 방법이 아니라는 생각이 그의 머리를 퍼뜩 스쳤을 뿐이었다.

현관문 밖에서 무슨 소리가 들렸다. 고양이가 놀랄 만큼 빨리 돌아와 앞발로 문지방을 긁으며 덫에라도 걸린 것 같은 소리를 내고 있었다. 오베가 마음속으로 무슨 생각을 하는지 알고 있다는 듯. 오베는 고양이가 자기에게 실망했다는 사실을 이해할 수 있었다. 녀석에게 자기 행동을 이해시키기는 어려울 것이다.

그는 이런 식으로 자살하는 게 어떤 기분일지 생각해보았다. 그는 진정제라고는 복용해본 일이 없었다. 알코올에 영향을 받은 일도 거의 없었다. 자제력을 잃어 해롱거리는 느낌을 좋아하지 않았다. 그는 오랜 세월을 보낸 끝에 그게 바로 보통 사람들이 좋아하고 추구하는 느낌이라는 사실을 깨달았지만, 오베로서는 빌어먹을 머저리가 아니고서야 어떻게 자제력을 잃는 걸 스스로 추구할 만한 가치가 있는 상태라 생각할 수 있는지 이해할 수 없었다. 그는 자기 몸의 기관들이 삶을 포기하고 작동을 멈출 때 메스꺼운 기분이 들지, 고통을 느낄지 궁금했다. 어쩌면 몸에 약이 듣지 않아서 그냥 잠들어버리게 되지는 않을까?

이제 고양이는 저 바깥에 쌓인 눈 속에서 울부짖고 있었다. 오베는 눈을 감고 소냐를 생각했다. 그는 삶을 포기하고 죽는 종류의 남자가 아니었다. 그는 그녀가 그렇게 생각하는 걸 원치 않았다. 하지만 이건 정말로 잘못됐다. 이 모두가. 그녀는 그와 결혼했다. 이제 그는 그의 목과 어깨 사이의 우묵한 부분에 그녀의 코끝이 닿는 걸 느끼지 못한 채 어떻게 인생을 꾸려가야 할지 전혀 알 수가 없었다. 그것뿐이었다.

그는 약병 뚜껑을 연 다음 세면대 가장자리를 따라 알약들을 늘어놓았다. 그것들이 조그만 살인 로봇으로 변신하길 기대하듯 바라보았다. 당연히 변신하지 않았다. 오베는 그 사실에 딱히 감동받지 않았다. 그는 이 하얗고 작은 점들이 어떻게 자신에게 해를 끼칠 수 있는지 이해가 안 됐다. 아무리 많이 먹는다 해도 말이다. 고양이는 오베의 현관문에다 눈을 후드득 뿌리는 것 같은 소리를 내고 있었다. 그러다 다른 소리가 끼어들었다. 완전히 다른 소리가.

개가 짖고 있었다.

오베가 고개를 들었다. 몇 초 정도 흐르고 나서, 그는 고양이가 고통으로 신음하는 소리를 들었다. 짖는 소리가 더 커졌다. 금발 잡초가 뭐라고 고함을 질렀다.

오베는 세면대를 꽉 잡은 채 서 있었다. 소리를 무시하려는 듯 눈을 감았다. 잘 안 됐다. 결국 그는 한숨을 쉬고 허리를 폈다. 약병 뚜껑을 열고 알약들을 다시 집어넣었다. 계단을 내려갔다. 거실을 가로질러 가면서 창가에 병을 놓아두었다. 창문 너머로 길가에 금발 잡초가 서 있는 게 보였다. 고양이 쪽으로 방향을 정조준하고는 달려들고 있었다.

오베가 딱 문을 여는 순간 그녀는 있는 힘껏 고양이 머리를 걷어차려는 참이었다. 고양이는 재빨리 그녀의 날카로운 구두 뒤축을 피한 다음 오베의 헛간 쪽으로 물러섰다. 똥개가 신경질적으로 으르렁댔다. 광견병에 감염된 야수처럼 대가리 주위로 침을 튀겨댔다. 턱에 동물 털이 묻어 있었다. 오베는 자기가 기억하는 한 금발 잡초가 선글라스를 벗은 모습을 처음 본다는 사실을 알아차렸다. 그녀의 녹색 눈에 악의가 번득였다. 그녀가 몸을 뒤로 빼며 다시 발길질을 하려다가 오베의 모습을 보고는 중간에서 동작을 멈췄다. 그녀의 아랫입술이 분노로 파르르 떨렸다.

"내가 저 새끼 갈겨버릴 거야!" 그녀가 씩씩거리며 고양이를 가리켰다.

오베는 그녀에게서 눈을 떼지 않은 채 무척 천천히 고개를 내저었다. 그녀가 침을 꿀꺽 삼켰다. 그의 얼굴표정에 떠 있는, 마치 암석층을 조각한 것 같은 무언가가 그녀의 확고한 살의를 머뭇거리게 했다.

"저, 조, 조, 좆같은 길고양이 새끼는…… 죽어도 싸! 우리 프린스를 할퀴었다고!" 그녀가 더듬거렸다.

오베는 한 마디도 하지 않지만 눈빛은 어두워졌다. 결국 똥개마저 뒤로 물러섰다.

"이리 와, 프린스." 그녀는 그렇게 말하고는 마치 오베가 자기 등을 실제로 떠밀기라도 한 듯 모퉁이를 돌아 사라졌다.

오베는 숨을 몰아쉬며 서 있었다. 그는 주먹으로 자기 가슴을 눌렀다. 심장이 제멋대로 뛰는 게 느껴졌다. 그가 살짝 신음했다. 그런 다음 고양이를 보았다. 고양이도 오베를 보았다. 옆구리에 새로 생긴 상처가 있었다. 털에는 또 피가 묻어 있었다.

"목숨 아홉 개가 그리 오래 가진 않겠어, 안 그래?" 오베가 말했다.

고양이는 앞발을 핥고는 자기는 숫자 따위 세는 고양이가 아니라는 듯한 표정을 했다. 오베는 고개를 끄덕이고 옆으로 비켜섰다.

"들어가."

고양이가 터벅터벅 문지방을 넘었다. 오베가 문을 닫았다.

그는 거실 한가운데에 서 있었다. 어디에서건 소냐가 그를 돌아보고 있었다. 그는 그제야 자기가 집 안에 걸어놓은 사진들이 그가 가는 곳마다 따라다닌다는 사실을 깨달았다. 그녀는 부엌 식탁 위에 있었고, 현관 벽에 걸려 있었고, 계단 중간에 있었다. 그녀는 거실 창가의 선반 위에도 있었는데, 고양이는 거기로 뛰어오른 다음 그녀 옆에 앉았다. 고양이가 약병을 탁 쳐 바닥에 떨어뜨리면서 불만스러운 표정을 지었다. 오베가 약병을 집자 고양이는 금방이라도 "나는 고발한다!(J'accuse)"라고 소리치기라도 할 것처럼 무서운 얼굴로 오베를 보았다.

오베는 바닥의 몰딩을 슬쩍 걷어찼다. 그런 다음 몸을 돌려 부엌으로 가 약병을 찬장에 집어넣었다. 그러고는 커피를 만들고, 고양이용 대접에 물을 담았다.

그들은 조용히 각자 음료를 마셨다.

오베는 빈 대접을 집어 들고 설거지통에 있는 커피 컵 옆에 놓았다. 그는 엉덩이에 손을 짚은 채 잠시 서 있었다. 그러다 몸을 돌려 현관으로 갔다.

"따라와라." 그가 고양이를 보지 않은 채 말했다. "그 똥개한테 생각할 거리를 줘야겠다."

오베는 군청색 겨울 재킷을 걸치고 나막신을 신은 뒤 고양이를 먼저 문 밖으로 내보냈다. 그는 벽에 걸린 소냐의 사진을 보았다. 그녀가 그를 돌아보며 웃고 있었다. 한 시간도 못 기다릴 정도로 죽는 게 그렇게 중요한 일은 아닐 거라고, 오베는 고양이 뒤를 따라 길로 나가며 생각했다.

그는 루네의 집으로 갔다. 문이 열리기까지 몇 분 정도 걸렸다. 자물쇠가 돌아가기 전에 안에서 느릿느릿하게 발을 끄는 소리가 들렸다. 마치 무거운 쇠사슬을 감은 유령이 절그렁거리며 다가오기라도 하듯. 그러다 마침내 문이 열렸고, 루네가 오베와 고양이를 멍한 눈으로 보며 서 있었다.

"슬레이트 판넬 가진 거 있나?" 오베가 잡담을 나눌 시간 따위 없다는 듯 물었다.

루네가 그를 1, 2초 정도 집중해서 바라보았다. 마치 그의 두뇌가 필사적으로 기억을 재생하고 있는 듯했다.

"슬레이트?" 그가 그 단어를 음미하듯 중얼거렸다. 마치 막 잠에서 깨어나 방금 전까지 무슨 꿈을 꿨는지 필사적으로 기억하려는 사람 같았다.

"그래, 골함석 말야." 오베가 고개를 끄덕이며 말했다.

루네가 그를 보았다. 아니, 시선이 그를 뚫고 지나간다고 하는 편이 옳으리라.

그의 눈이 새로 왁스칠을 한 보닛처럼 반짝였다. 그는 수척하고 구부정했다. 턱수염은 잿빛이지만 가장자리에는 흰 수염이 나 있었다.

한때 사람들의 존경을 이끌어내던 단호한 이 친구는, 이제 자기 몸에 넝마처럼 옷을 걸치고 있었다. 오베는 그가 늙었다는 걸, 아주, 아주 늙어버렸다는 사실을 깨달았다. 그 사실은 오베가 미처 헤아리지 못했던 힘으로 그를 강타했다. 루네의 시선이 잠시 깜박였다. 그러더니 그의 입가가 경련했다.

"오베?" 그가 소리쳤다.

"맞아. 뭐…… 내가 교황이 아닌 건 확실하지." 오베가 대답했다.

루네의 얼굴을 덮은 헐렁한 피부 사이에서 멍한 미소가 갈라졌다.

한때 가까울 수 있을 만큼 가까웠던 두 남자가 서로를 바라보았다. 그들 중 한 명은 과거를 잊길 거부하고 있고, 다른 하나는 과거를 전혀 기억하지 못했다.

"늙어 보이네." 오베가 말했다.

루네가 빙긋 웃었다.

곧 아니타의 불안한 목소리가 들리더니, 다음 순간 그녀가 종종걸음으로 문을 향해 달려왔다.

"누구 왔어요, 루네? 거기서 뭐 해요?" 그녀가 겁에 질린 채 소리치며 문간에 나타났다. 그녀가 오베를 발견했다.

"아…… 안녕하세요, 오베." 그녀는 그렇게 말하고 그 자리에
뚝 멈춰 섰다.

오베는 주머니에 손을 찔러 넣은 채 서 있었다. 고양이는 그
의 옆에서 자기도 주머니가 있었다면, 아니면 손이라도 달렸으
면 똑같이 했을 거라는 표정을 짓고 있었다. 아니타는 작고 창백
했다. 회색 바지에 회색 니트 카디건, 회색 머리에 회색 피부. 하
지만 오베는 그녀의 눈이 살짝 충혈되고 부어올랐다는 사실을
알아차렸다. 그녀가 재빨리 눈가를 훔치며 고통을 지웠다. 그 세
대의 여자들이 그러듯. 마치 매일 아침마다 문간에 서서 빗자루
로 슬픔을 단호하게 몰아내듯. 그녀가 다정하게 루네의 어깨를
잡고는 거실 창가 옆에 놓인 휠체어로 데려갔다.

"안녕하세요, 오베." 그녀가 친근한, 또한 놀란 어조로 말하며
문으로 다가왔다. "무슨 일이세요?"

"골함석 가진 거 있나요?" 그가 물었다.

그녀가 어리둥절한 표정을 지었다.

"고친 철*요?" 그녀가 중얼거렸다. 마치 철에 뭔가 문제가 있
었는데, 이제는 누군가 그걸 바로잡아야 할 때가 됐다는 듯.

오베가 한숨을 푹 쉬었다.

"맙소사, 골함석이요, 골함석."

아니타는 의문이 조금도 풀리지 않은 얼굴을 했다.

---

* 골함석을 뜻하는 'corrugated iron'을 잘못 알아듣고 나온 말.

"제가 그걸 갖고 있어야 하는 건가요?"

"루네가 아마 헛간에 그걸 놔뒀을 거요." 오베가 그렇게 말하고 손을 내밀었다.

아니타가 고개를 끄덕였다. 벽에서 헛간 열쇠를 빼낸 다음 그걸 오베의 손에 얹었다.

"골함석이라는 거죠?" 그녀가 다시 말했다.

"맞아요." 오베가 말했다.

"하지만 우리 집 지붕은 철판이 아닌데."

"그게 무슨 상관이 있나요?"

아니타가 고개를 저었다.

"아뇨…… 물론 없겠죠."

"다들 집에 철판 조금씩은 갖고 있기 마련이에요." 오베가 이 문제는 논의의 여지가 없다는 듯 말했다.

아니타가 고개를 끄덕였다. 골함석이 정상적이고 올바른 생각을 가진 사람이라면 만약의 경우를 대비해 자기네 헛간에 보관해두어야만 하는 종류의 물건이라는 부인할 수 없는 사실에 직면한 사람들이 그러듯.

"하지만 그렇다면 왜 오베 씨 집에는 철판이 없어요?" 그녀가 이 문제를 주요 화제로 올려보고자 했다.

"제 건 다 썼으니까요." 오베가 말했다.

아니타가 이해했다는 듯 고개를 끄덕였다. 철판 지붕을 안 이고 사는 정상적인 사람이 골함석을 그렇게 빠른 속도로 다 써버린다는 점이 이상할 게 하나도 없다는 사실에 직면한 사람들이 그러듯.

1분 뒤 오베는 거실 깔개만큼이나 넓은 골함석을 끌고 의기양양하게 문간에 나타났다. 아니타는 저렇게 큰 철판이 어떻게 자기도 모르게 자기 집 헛간에 있었는지 솔직히 알 수가 없었다.

"제가 뭐랬어요." 오베가 그녀에게 열쇠를 돌려주며 고개를 끄덕였다.

"그러게요…… 정말이네요, 정말이네." 아니타는 인정해야 할 것 같은 기분을 느꼈다.

오베가 창문으로 몸을 돌렸다. 루네가 돌아보았다. 아니타가 집으로 들어가려고 등을 돌린 바로 그때 루네가 씩 웃더니 손을 들어 살짝 흔들었다. 마치 아주 잠깐 동안 오베가 누구고 그가 거기서 뭘 하고 있는지 정확히 안다는 듯.

아니타가 머뭇거리더니 걸음을 멈추고 돌아섰다.

"복지국 사람들이 여기 또 왔어요. 루네를 제게서 빼앗아가려고 해요." 그녀가 고개를 들지 않은 채 말했다.

그녀가 남편의 이름을 말할 때 목소리가 마른 신문지처럼 갈라졌다. 오베는 골함석을 쓰다듬었다.

"제가 남편을 돌볼 능력이 없대요. 병도 그렇고 다른 것도 다. 남편이 요양원에 가야 한대요." 그녀가 말했다.

오베는 계속 골함석을 쓰다듬었다.

"제가 그이를 요양원에 보내면 그이는 죽을 거예요, 오베. 당신도 알잖아요······." 그녀가 속삭였다.

오베는 고개를 끄덕이고는 디딤돌 사이 갈라진 틈에 끼어 얼어붙은 담배꽁초를 내려다봤다. 그는 아니타가 한쪽으로 살짝 비스듬히 서 있는 모습을 곁눈질로 보았다. 그가 기억하기로 작년쯤 소냐가 엉덩이 재건 수술 때문이라고 설명했었다. 요즘 그녀는 손도 떨었다. "다발성 경화증 초기단계예요." 소냐가 그랬었다. 그리고 몇 년 전 루네도 알츠하이머에 걸렸다.

"당신네 자식이 와서 도울 수도 있을 텐데요." 그가 낮은 목소리로 중얼거렸다.

아니타가 고개를 들어 오베의 눈을 보다가 사람 좋게 웃었다.

"요한요? 어······ 그애는 미국에 살아요, 아시다시피. 자기 몸하나 건사하기도 바쁘고요. 젊은이들이 다 그렇잖아요."

오베는 대답하지 않았다. 아니타는 '미국'이라는 단어를 마치그녀의 이기적인 아들이 이사 간 천국이라도 되는 양 말했다. 루네가 쇠약해지고 나서 오베는 그 애새끼를 이 동네에서 본 기억이 없었다. 이젠 다 컸는데 부모를 볼 시간도 없다 이거지.

아니타가 정신이 들었다는 듯 폴짝 뛰었다. 마치 자기가 남우세스러운 일이라도 하고 있었다는 양. 그녀가 사과하듯 오베에게 미소를 지었다.

"죄송해요, 오베. 제가 수다 떠느라 너무 오래 붙잡아뒀네요."

그녀는 집으로 들어갔다. 오베는 손에 골함석판을 든 채 서 있었다. 고양이도 그의 옆에 있었다. 문이 닫히기 전에 그가 뭐라고 웅얼거렸다.

아니타가 놀라 몸을 돌려 문틈으로 그를 바라보았다.

"뭐라고 하셨어요?"

오베는 그녀의 눈을 보지 않은 채 몸을 배배 꼬았다. 그런 다음 몸을 돌려 떠나면서 내키지 않는다는 듯 입에서 말을 흘렸다.

"빌어먹을 라디에이터에 문제가 또 생기면 우리 집에 와서 벨을 누르라고 했어요. 고양이하고 저는 집에 있을 거니까."

아니타의 찡그린 얼굴이 깜짝 놀란 듯한 미소와 함께 환하게 펴졌다. 그녀는 더 말하고 싶은 게 있다는 듯 문밖으로 반 발짝 걸어 나왔다. 아마 소냐 얘기일 거였다. 그녀의 가장 친했던 친구가 얼마나 그리운지, 거의 40년 전 그들 네 명이 처음 여기로 이사 왔을 때 갖고 있었던 것들이 얼마나 그리운지, 심지어는 루네와 오베가 다투던 모습마저도 얼마나 그리운지.

하지만 오베는 이미 모퉁이를 돌아 사라진 뒤였다.

오베는 헛간으로 돌아와 사브에 쓰는 여분의 배터리와 커다란 금속 클립 두 개를 챙겼다. 그리고 헛간과 집 사이의 디딤돌 위에 골함석 판을 깔고는 눈으로 조심스레 덮었다.

그는 고양이 옆에 서서 자기가 만든 작품을 오랫동안 감상했다. 전기가 통하는 완벽한 덫이 눈 밑에 숨어 똥개를 물어뜯을 준비를 끝냈다. 아주 합당한 복수처럼 보였다. 다음번에 금발 잡초가 여길 지나갈 때, 그 빌어먹을 똥개가 오베의 디딤돌 위에 오줌을 싸겠다는 생각을 떠올릴 경우, 놈은 전기가 통하는 금속

전도판 위에다 그 짓을 하게 될 것이다. 그때 놈들이 얼마나 즐거워하는지 보자고, 오베는 생각했다.

고양이가 고개를 숙여 철판을 보았다.

"요도에 번개가 치는 거지." 오베가 말했다.

고양이가 오베를 오랫동안 보았다. 마치 이렇게 말하는 것 같았다. "진지하게 이러는 거 아니죠?"

마침내 오베는 주머니에 손을 푹 찔러 넣고 고개를 흔들었다.

"아니…… 안 하는 게 좋겠다." 그가 침울하게 한숨을 쉬었다.

그는 배터리와 금속 클립과 골함석을 치운 다음 모두 다 차고에 집어넣었다. 그 머저리들이 전기 충격을 받아 마땅한 것들이라고 생각하지 않아서가 아니었다. 그들은 그런 꼴을 당해도 쌌다. 그가 관둔 건 어쩔 수 없이 사악해지는 것과 안 그래도 되는데 사악해지는 것 사이의 차이를 누군가 진작에 일깨워줬었다는 걸 기억했기 때문이다.

"빌어먹게 좋은 생각이었는데." 집으로 돌아가면서 그가 고양이에게 결론을 내리듯 말했다.

고양이는 마치 "아무렴 그러시겠지요……"라고 중얼거리는 사람처럼 거만한 몸짓으로 방에 들어갔다.

그런 다음 그들은 점심을 먹었다.

26
오베라는 남자와
더는 자전거 하나 못 고치는 세상

많은 사람들은 혼자 있기를 좋아하는 사람과 같이 산다는 게 얼마나 힘든지 알았다. 이는 그 문제를 감당할 수 없는 사람을 무척 성가시게 했다. 하지만 소냐는 반드시 해야 하는 것 이상은 투덜대지 않았다. "저는 당신을 있는 그대로 받아들였으니까요." 그녀는 그렇게 말하곤 했다.

하지만 소냐는 오베 같은 남자조차도 때로 누군가를 붙잡고 이야기하길 좋아한다는 사실을 이해 못 할 정도로 어리석지는 않았다. 그가 그래본 지도 꽤나 오래되었다.

"내가 이겼어." 우편함을 쾅 닫는 소리를 들으며 오베가 무뚝뚝하게 말했다.

고양이가 거실 창틀에서 뛰어내려 부엌으로 갔다. 형편없는 패배자. 오베는 그렇게 생각하며 현관문으로 갔다. 그가 우편물이 몇 시에 오는지 알아맞히는 내기를 마지막으로 한 지도 꽤나 세월이 흘렀다. 여름 휴가 때면 루네와 내기를 하곤 했는데, 그게 점점 정도가 심해진 나머지 누가 가장 정확한지 결정하려고 30초 단위로 근소한 차이를 다투는 복잡한 시스템을 개발하는 데까지 이르렀다. 그게 당시에 하던 일이었다. 우편물은 열두 시 정각에 도착했고, 따라서 누가 정확히 맞혔는지 판정할 수 있기 위해서는 섬세한 경계가 필요했다. 오늘날 그딴 건 존재하지 않았다. 이제 우편물은 오후 중에 아무렇게나 지들 좋을 때 배달됐다. 우체국이 신경이라도 좀 썼다 싶은 기분이 들면 감사라도 해야 할 판이었다. 오베는 그와 루네가 얘기를 하지 않게 된 뒤에는 소냐와 내기를 해보려 했다. 하지만 그녀는 규칙을 이해하지 못했다. 그래서 오베는 포기했다.

오베가 문을 벌컥 열었을 때 젊은이는 간신히 계단 밖으로 나가떨어지는 걸 피했다. 오베가 놀라서 그를 보았다.

젊은이는 우체부 제복을 입고 있었다.

"뭐요?" 오베가 물었다.

젊은이는 대답이 안 떠오른다는 표정을 지었다. 신문과 편지를 만지작거리고 있었다. 그때 오베는 이 젊은이가 며칠 전 자전거 문제로 보관소 옆에서 말싸움을 벌였던 바로 그 젊은이라는 사실을 깨달았다. 자기가 '수리할' 거라고 했던 자전거. 물론 오베는 그게 무슨 뜻인지 알고 있었다. '수리한다'는 이런 불량배들에게는 '훔쳐서 인터넷에 판다'는 뜻이었다. 요약하자면 그렇다.

젊은이는 자기가 오베를 알아봤다는 사실이 오베가 자기를 알아봤다는 사실보다는 썩 기껍지 않은 표정이었다. 젊은이는 가끔 음식을 손님에게 낼지 아니면 주방으로 가져가서 거기다 침을 뱉을지 못 정하는 웨이터처럼 생겼다. 젊은이는 마지못해 '여기 있수다' 하듯 우편물을 건네주며 오베를 싸늘하게 바라보았다. 오베는 젊은이에게서 눈을 떼지 않은 채 우편물을 받아들었다.

"우체통이 짜부라져서요, 이걸 직접 드리려고요." 젊은이가 말했다.

오베는 트레일러를 후진시킬 줄 모르는 멀대가 트레일러를 후진시키기 전까지 한때 자기 우편함이었던, 반으로 접힌 쓰레기 더미를 보며 고개를 끄덕였다. 그런 다음 자기 손에 들린 편지와 신문 쪽으로 다시 한 번 고개를 끄덕였다. 그가 그것들을 내려다보았다. 신문은 제발 그딴 빌어먹을 짓 좀 하지 말라고 표지판까지 세워놓아도 공짜로 뿌려대는 삼류 지역 신문 중 하나였다. 편지는 아마 광고인 게 틀림없다고 오베는 생각했다. 겉봉에 손글씨로 그의 이름과 주소가 적혀 있긴 했지만 전형적인 광고 사기수법에 불과했다. 진짜 사람에게서 온 편지라고 생각하게 만든 다음에 개봉을 하면 눈 깜박하는 사이 마케팅에 당하는 거다. 그딴 속임수는 오베에게 안 먹혔다.

젊은이는 뒤꿈치에 체중을 싣고 땅바닥을 보고 있었다. 마치 밖으로 나오길 원하는 내면의 뭔가와 싸우고 있기라도 하듯.

"뭐 다른 볼일 있나?" 오베가 물었다.

그가 부스스 헝클어진, 사춘기는 지난 듯한 번들거리는 머리를 손으로 잡아당겼다.

"어, 이게 대체 뭔…… 혹시 아저씨 부인이 소냐라는 분이 아닌지 궁금해서요." 그가 겨우 입을 열었다.

오베의 얼굴에 의심스러운 표정이 떠올랐다. 젊은이가 편지봉투를 가리킨다.

"성을 봤어요. 제가 저 성을 쓰는 선생님께 배웠거든요. 그냥 궁금해서……."

그는 괜한 말을 했다고 자책하는 듯 보였다. 그가 빙글 몸을 돌리더니 걸어가기 시작했다. 오베는 헛기침을 하고는 문지방을 발로 찼다.

"기다려…… 맞는 것 같은데. 소냐가 어쨌길래?"

청년이 1미터 정도 걷다가 멈췄다.

"아, 젠장…… 저 선생님 좋아했어요. 그 말을 하고 싶었어요. 저는…… 그러니까…… 읽기나 쓰기나 뭐 그런 걸 잘 못해요."

오베는 하마터면 "전혀 짐작도 못했는데 말이지"라고 말할 뻔했지만 입을 다물었다. 젊은이가 어색하게 몸을 비틀었다. 좀 혼란스러운 듯 손으로 머리를 헝클었다. 마치 머리카락 속 어딘가에서 알맞은 단어를 찾길 바라는 듯.

"제가 만난 선생님 중에서 저를 미련하다고 생각하지 않은 유일한 선생님이셨어요." 그가 자기 감정에 거의 목이 멘 듯 중얼거렸다. "저한테 그…… 셰익스피어를 읽게 하셨어요. 저는 제가 그런 걸 읽을 수 있다는 것도 몰랐는데. 저한테 그 장난 아니게 두꺼운 책을 다 읽도록 하신 거예요. 선생님 돌아가셨다는 얘기 듣고 기분이 진짜로 똥 같았어요."

오베는 대답하지 않았다. 젊은이는 땅바닥을 보다가 어깨를 으쓱했다.

"그게 다예요……."

그가 침묵했다. 그들은, 그러니까 59세의 남자와 10대 젊은이는 몇 미터 거리를 둔 채 눈을 발로 차고 있었다. 마치 기억을 이리저리 발로 차듯. 어떤 남자들에게서 본인들이 생각했던 것보다 훨씬 더 큰 잠재력을 봤다고 주장했던 여성에 대한 기억을. 양쪽 다 자기들이 공유하고 있는 기억으로 뭘 해야 할지 모른 채였다.

"자전거 가지고 뭘 하는 거냐?" 마침내 오베가 말했다.

"여자 친구한테 고쳐주겠다고 약속했어요. 저기 살아요." 젊은이가 대답하며 거리 맨 끝에 있는, 아니타와 루네가 사는 곳 맞은편 집 쪽으로 고개를 끄덕였다. 친환경 인생을 사는 사람들이 사는 곳으로, 지금 태국인가 어딘가에 가 있어서 집에는 없었다.

"뭐, 그러니까, 아직은 여자 친구가 아니긴 해요. 하지만 걔가 내 여친이 됐으면 좋겠다, 그거죠. 말하자면 그렇단 거죠."

오베는 중년 남자가 자기 마음대로 문법을 창안해낸 애송이들을 뜯어보듯이 눈앞의 젊은이를 바라보았다.

"그래서, 공구는 있고?" 그가 물었다.

젊은이가 고개를 저었다.

"공구도 없이 자전거를 어떻게 수리할 건데?" 오베가 놀랐다. 마음이 동요했다기보다는 순수하게 놀란 쪽에 더 가까웠다.

젊은이가 어깨를 으쓱했다.

"몰라요."

"그럼 수리는 왜 해주겠다고 약속했는데?"

젊은이가 눈을 걷어찼다. 민망한 듯 손 전체로 얼굴을 벅벅 문질렀다.

"사랑하니까요."

오베는 거기다 대고 무슨 말을 할지 결정을 할 수가 없었다. 그래서 그는 지역 신문과 편지 봉투를 돌돌 말아 그게 무슨 경찰봉이라도 되는 듯 자기 손바닥을 톡톡 때렸다.

"가야 돼요." 젊은이가 거의 들리지 않을 정도로 중얼거리고는 다시 뒤돌아섰다.

"일 끝나면 와. 그럼 내가 자전거 꺼내줄 테니까."

마치 난데없이 단어가 튀어나오기라도 한 듯 오베가 말했다. "하지만 수리는 알아서 해라." 그가 덧붙였다.

젊은이의 얼굴이 활짝 펴졌다.

"진짜요, 아저씨?"

오베는 종이 경찰봉으로 계속 손바닥을 때렸다. 젊은이가 침을 꿀꺽 삼켰다.

"짱이다! 잠깐…… 아, 젠장! 오늘은 자전거 못 들고 가요. 다른 데 일하러 가야 하거든요. 하지만 아저씨, 내일, 내일은 올 수 있어요! 그러니까 대신 내일 들고 가면 깨끗하겠죠, 네?"

오베는 고개를 한쪽으로 기울이고는 방금 들은 게 몽땅 만화 영화 주인공의 입에서 나온 말이라도 된 듯한 표정을 지었다. 젊은이가 심호흡을 하고는 기운을 차렸다.

"다른 일 뭐?" 마치 젊은이가 〈재퍼디〉* 결승에서 불충분한 대답을 하기라도 한 것처럼 오베가 물었다.

"저녁이랑 주말에 카페에서 일을 좀 하거든요." 아직 자기가 그의 여자 친구인 줄도 모르는 여자 친구와 맺은 상상 속의 관계를 구제할 수 있을지 모른다는 희망을 두 눈에 품고 젊은이가 대답했다. 번들거리는 머리를 하고 다니는 늦은 사춘기 소년이나 가질 종류의 관계.

"돈을 모으고 있어서 일을 두 개 뛰어야 해요." 그가 설명했다.

"돈은 모아서 뭐하게?"

"차 사려고요."

젊은이가 '차'라고 할 때 허리를 살짝 펴는 모습을 오베가 못 알아챌 리 없었다. 오베는 잠시 반신반의하는 얼굴을 했다. 그러

---

* Jeopardy. 미국의 TV 퀴즈 쇼.

더니 천천히, 하지만 신중한 태도로 종이 경찰봉으로 손바닥을 두드렸다.

"어떤 차?"

"르노를 봤거든요." 젊은이가 몸을 좀 더 쭉 펴면서 밝은 목소리로 말했다.

두 남자를 둘러싼 공기가 찰나의 순간 동안 멈췄다. 별안간 기묘한 침묵이 그들을 둘러쌌다. 만약 이게 영화 장면이었다면 카메라는 오베가 마침내 평정을 잃기 전 그들 주위를 360도로 회전했을 것이다.

"르노? 르노? 그거 빌어먹을 프랑스제잖아! 어디 빌어먹을 프랑스제 차를 산다고 난리야!"

젊은이는 뭔가 말을 꺼내려는 듯 보였지만 오베가 성가신 말벌이라도 제거하려 하는 것처럼 상반신을 마구 흔드는 바람에 기회를 갖지 못했다.

"세상에, 이런 애송이를 봤나! 너 차에 대해 알기는 하냐?"

젊은이가 고개를 저었다. 오베는 한숨을 푹 쉬고는 별안간 편두통이라도 온 것처럼 이마에 손을 짚었다.

"그나저나 차도 없는데 카페까지 어떻게 자전거를 가져가려고?" 평정심을 회복하고자 눈에 띄게 애쓰면서, 마침내 오베가 말했다.

"그건…… 생각 안 해봤는데요." 젊은이가 말했다.

오베가 고개를 내저었다.

"르노? 세상에 뭐 이딴……."

젊은이가 고개를 끄덕였다. 오베가 좌절 속에서 눈을 문질렀다.

"네가 일한다는 그 빌어먹을 카페는 어디 있냐?" 그가 중얼거렸다.

20분 뒤 파르바네가 놀란 얼굴로 자기 집 현관문을 열었다. 오베가 바깥에 서서 생각에 잠긴 채 종이 경찰봉으로 자기 손을 때리고 있었다.

"녹색 표지판 갖고 있어요?"

"네?"

"초보 운전자가 운전할 때는 녹색 표지판을 하나 붙여놔야 돼. 갖고 있어요, 없어요?"

그녀가 고개를 끄덕였다.

"어…… 네, 갖고 있어요. 근데 왜……."

"두 시간 뒤에 태우러 올 거요. 내 차 타고 나갈 거니까 그리 알고."

오베는 대답을 기다리지 않고 몸을 돌려 길을 가로질러 자기 집을 향해 쿵쿵거리며 돌아갔다.

27
오베라는 남자와 운전교습

그들이 40년 가까이 그 주택 단지에서 사는 동안, 생각 없는 이웃과 새로 이사 온 사람들이 소냐에게 이따금씩 오베와 루네 사이에 깊은 적개심이 생겨난 진짜 이유가 뭔지를 과감하게 물어올 때가 있었다. 한때 친구였던 두 남자가 그렇게 압도적으로, 강렬하게 서로를 미워하기 시작한 이유가 뭐란 말인가?

그럴 때 소냐는 그게 진짜 단순한 이유라고 대답했다. 그러니까, 그건 그저 두 남자와 그들의 아내들이 여기로 이사를 왔을 때, 오베는 사브 96을 몰았고 루네는 볼보 244를 몰았다는 사실과 관련이 있었다. 1년인가 2년 뒤 오베는 사브 95를 샀고 루네는 볼보 245를 샀다. 3년 뒤 오베는 사브 900을, 루네는 볼보 265를 샀다. 이후 10년 사이 오베는 사브 900s 두 대를 사고 나서 사브 9000으로 갈아탔다. 루네는 볼보 265를 사고 나서 볼보 745로 갈아탔지만, 몇 년 뒤 세단으로 돌아가 볼보 740을 구입했다. 그리고 나서 오베는 사브 900을 한 대 더 샀지만 루네는 결국 볼보 760으로 건너갔고, 그 뒤 오베는 사브 9000i를, 루네는 중고 보상으로 볼보 760 터보를 구입했다.

그러다 마침내 그날이 오고야 말았다. 오베가 최근 출시된 사브 9-3을 보러 자동차 매장에 갔다가 저녁에 돌아온 바로 그날, 루네가 BMW를 샀던 것이다.

"BMW라니!" 오베가 소냐에게 소리를 질렀다. "그런 인간을 어떻게 이해할 수 있어? 어떻게?"

그게 두 남자가 서로를 싫어하게 된 이유의 전부라고는 할 수 없을 거라고 소냐는 설명하곤 했다. 이해할 수도 있고 없을 수도 있다. 하지만 이 부분부터 이해하지 못한다면 나머지 얘기를 세세히 해봤자 의미가 없었다.

대부분의 사람들이 절대 이해 못한다고, 오베는 종종 이 점에 대해 논평했다. 하지만 이제 사람들에게는 충성이라는 개념이 없었다. 차는 그저 '이동 수단'이었고 도로는 그저 두 지점 사이에서 생겨나는 골치 아픈 문제에 불과했다. 오베는 이게 요즘 도로가 그 모양 그 꼴로 형편없는 이유라고 확신했다. 만약 사람들이 자기 차에 조금만 더 신경을 썼다면 운전을 그렇게 머저리처럼 하지는 않을 거라고, 오베는 파르바네가 좌석에 깔아놓은 신문지를 치우는 걸 염려스러운 눈길로 바라보며 생각했다. 그녀는 운전석을 뺄 수 있을 만큼 뒤로 뺐다. 그렇게 해야 임신한 배를 차 안으로 들여 넣을 수 있었다. 자리에 앉은 다음 다시 핸들에 손이 닿을 수 있을 때까지 운전석을 앞으로 쭉 당겼다.

운전 교습은 순조롭게 시작되지 않았다. 아니, 정확히 말하자면 파르바네가 손에 탄산음료 병을 들고 사브에 타려고 하면서 시작됐다. 그녀는 그래서는 안 되는 거였다. 그런 다음 그녀는 '더 재미있는 채널'을 찾으려고 오베의 라디오를 만지작거렸다. 역시 그래서는 안 되는 거였다.

오베는 차 바닥에서 신문지를 집어 들고 그걸 돌돌 말더니 신경질적으로 손에 대고 탁탁 두드렸다. 더 공격적인 형태의 스트레스 볼*을 다루듯. 그녀는 운전대를 잡고 호기심 많은 아이처럼 계기판을 보았다.

"어떻게 출발해요?" 결국 탄산음료를 치우는 데 동의한 다음 그녀가 열의에 넘쳐 소리쳤다.

오베가 한숨을 쉬었다. 고양이는 뒷좌석에서 고양이도 안전벨트를 맬 줄 알면 좋겠다고 간절하게 바라는 것 같은 표정으로 앉아 있었다.

"클러치를 밟아요." 오베가 살짝 엄하게 말했다.

파르바네가 뭔가를 찾듯 좌석을 둘러보았다.

그러다 오베를 보더니 비위를 맞추려는 듯 미소를 지었다.

---

* stress ball. 손에 쥐고 주무르면서 스트레스를 줄이는 공 모양의 도구.

"클러치가 어느 건데요?"

오베의 얼굴에 못 믿겠다는 표정이 한가득 떠올랐다.

그녀는 다시 좌석을 둘러보다 등받이에 달린 안전벨트 고정 대 쪽으로 몸을 돌렸다. 거기서 클러치를 발견했다는 듯. 오베가 손으로 이마를 짚었다. 파르바네의 표정이 즉시 비뚤어졌다.

"저는 자동 변속 면허를 따고 싶다고 했잖아요! 왜 당신 차에 태우는 거예요?"

"그냥 두면 픽이나 제대로 된 면허를 따게 될 테니까!" 오베 가 그녀의 말을 끊으면서 '픽이나 제대로 된'을 강조했다. 마치 자동변속 면허는 자동 변속 기어가 달린 차가 '픽이나 제대로 된 차'인 것만큼이나 '픽이나 제대로 된 운전면허'라는 사실을 분명 히 하자는 듯.

"소리 지르지 마요!" 파르바네가 소리 질렀다.

"소리 안 지르고 있어!" 오베가 소리 질렀다.

고양이가 뒷좌석에서 몸을 웅크렸다. 뭔 일인지는 모르겠지만 성가시니 대충 하다가 끝내줬으면 싶은 게 분명한 태도였다. 파 르바네는 팔짱을 끼고 차창 밖을 노려보았다. 오베는 손바닥에 다 종이 경찰봉을 리드미컬하게 두드렸다.

"맨 왼쪽에 있는 페달이 클러치요." 마침내 오베가 끙 하는 소 리를 내며 말했다.

중간에 숨을 다시 내뱉으려 잠시 멈춰야 할 정도로 깊게 숨을 들이쉬고 나서 그가 계속 말했다.

"가운데 있는 게 브레이크고. 맨 오른쪽에 있는 게 액셀러레이터요. 맞물리는 지점을 찾을 때까지 클러치에서 발을 천천히 떼다가 가속 페달을 살짝 밟은 다음 출발해요."

파르바네는 이 말을 사과로 받아들인 듯했다. 그녀는 고개를 끄덕이고 마음을 가라앉혔다. 운전대를 잡고 차를 출발시킨 뒤 오베가 지시하는 대로 했다. 사브는 덜컥거리면서 앞으로 나아가다가 순간 멈추더니 방문객 주차 구역을 향해 커다란 굉음을 내며 튀어나가는 바람에 하마터면 다른 차를 들이받을 뻔했다. 오베가 핸드 브레이크를 잡아당겼다. 파르바네가 운전대를 놓고는 공황 상태에 빠져 소리를 지르며 두 손으로 얼굴을 가렸다. 사브가 급정거했다. 오베는 핸드 브레이크까지 오기 위해 군용 장애물 코스를 뚫고 와야 했던 것처럼 숨을 헐떡였다. 누가 눈에 레몬즙을 뿌리기라도 한 사람처럼 얼굴 근육이 뒤틀려 있었다.

"이제 어째요!?" 사브가 앞차 미등에서 2센티미터 떨어져 있는 걸 알아차린 파르바네가 소리를 질렀다.

"후진. 기어를 후진으로 놔." 오베가 이빨을 앙다문 채 겨우 말했다.

"차를 들이받을 뻔 했어요!" 파르바네가 헐떡이며 말했다.

오베가 앞차의 보닛 가장자리를 유심히 살폈다. 별안간 그의 얼굴에 모종의 평온이 떠올랐다. 그가 그녀에게 고개를 돌리며 무미건조하게 끄덕였다.

"상관없어. 볼보야."

주차 구역에서 빠져나와 도로에 진입할 때까지 15분이 걸렸다. 일단 도로에 나오자 파르바네는 사브가 폭발하듯 진동할 때까지 1단 기어를 유지했다. 오베가 그녀에게 기어를 바꾸라고 했고, 그녀는 어떻게 하는지 모른다고 했다. 그러는 동안 고양이는 뒷문을 열려고 하는 것처럼 보였다.

차가 처음으로 빨간 신호에 걸렸을 때, 머리를 민 젊은 남자 둘이 탄 커다란 검정색 SUV가 사브의 뒷 범퍼에 어찌나 바싹 붙었는지 오베는 집에 가서 보면 SUV의 차량 번호가 사브의 도장면에 아로새겨져 있으리라 확신했다. 파르바네가 불안한 듯 백미러를 흘끗댔다. SUV가 엔진 회전수를 올렸다. 마치 모종의 의견을 토해내고 있는 듯. 오베가 고개를 돌려 차창 밖으로 얼굴을 내밀었다. 두 남자가 목 전체에 문신을 하고 있다는 걸 알아차렸다. SUV만으로는 그들의 우둔함을 충분히 광고하지 못하는 것 같았다.

신호등이 녹색으로 바뀌었다. 파르바네가 클러치를 밟았다. 사브가 칙칙거리더니 계기판이 먹통이 됐다. 파르바네는 스트레스를 잔뜩 받은 채 점화 장치에 꽂혀 있는 열쇠를 돌렸지만 차는 가슴이라도 찢어지는 양 굴면서 삐거덕거리기만 할 뿐이었다. 엔진이 요란한 소리를 내며 콜록대더니 다시 멈췄다. 민머리에다 목에 문신을 한 사내들이 경적을 울렸다. 그들 중 하나는 온몸으로 짜증을 표현했다.

"클러치를 밟고 속도를 더 올려." 오베가 말했다.

"그러고 있잖아요!" 그녀가 대답했다.

"지금 당신이 하는 건 그거 아닌데."

"하고 있거든요!"

"소리나 지르고 있지."

"빌어먹을 소리 안 지르고 있다고요!" 그녀가 소리 질렀다.

SUV가 경적을 빵빵 울렸다. 파르바네가 클러치를 밟았다.

사브가 뒤로 몇 센티미터 굴러가더니 SUV 범퍼에 툭 부딪혔다. 문신남들은 이제 공습경보라도 울리는 것처럼 경적을 계속 울려대고 있었다.

파르바네는 절망적으로 차 열쇠를 잡아당겼지만 그 보답으로 또다시 시동이 꺼지는 꼴을 당할 뿐이었다. 갑자기 그녀가 모든 걸 다 놔버리더니 손으로 얼굴을 가렸다.

"맙소…… 지금 울어요?" 오베가 놀라서 물었다.

"빌어먹을 안 울고 있다고요!" 파르바네가 울부짖었다. 눈물이 대시보드에 흩뿌려졌다.

오베가 몸을 뒤로 기대고 무릎을 내려다보았다. 종이 경찰봉 끝을 만지작거렸다.

"조금 긴장한 거예요, 무슨 말인지 알겠어요?" 그녀가 훌쩍이며 운전대에 이마를 기댔다. 운전대가 보드랍고 폭신하면 좋겠다는 표정이었다. "임신 쫌 했다고요! 스트레스 쫌 받았고! 스트레스 쫌 받은 빌어먹을 임산부를 조금이나마 이해해줄 사람이 아무도 없는 거냐고!"

오베가 불편한 듯 조수석에서 몸을 비틀었다. 그녀는 운전대를 여러 번 때리고, 자기가 진짜로 '빌어먹을 레모네이드를 마시고 싶어 죽겠다'는 등 중얼거리더니 운전대 위에 두 팔을 털썩 올려놓고, 얼굴은 소매에 파묻고는 다시 울기 시작했다.

SUV는 핀란드 여객선이 자신들의 뒤에서 덮쳐 깔아뭉개기 직전이라도 되는 것처럼 빵빵거렸다. 그러자 오베의 내면에서 뭔가 뚝 부러졌다. 그는 차 문을 벌컥 열고 차 밖으로 나와 SUV를 천천히 빙 둘러간 다음 운전석 문을 홱 열어젖혔다.

"넌 초보였던 적 없냐?"

운전사는 대답할 시간을 갖지 못했다.

"이 빌어먹을 등신 새끼가!" 오베가 민머리에다 목에 문신을 한 젊은이에게 고함을 질렀다. 침이 좌석에 마구 튀었다.

목에 문신한 사내는 여전히 대답할 시간을 갖지 못했고, 오베는 대답을 기다리지 않았다. 대신 그는 젊은이의 멱살을 잡아 세게 끌어당겼고, 젊은이는 차 밖으로 엉성하게 굴러떨어졌다. 젊은이도 나름 근육질이고, 100킬로그램은 거뜬히 들게 생겼지만 오베는 강철 같은 손아귀로 그의 멱살을 꽉 잡았다. 문신 사내는 늙은이의 손힘에 너무 놀라 저항할 생각도 못하는 듯했다. 오베의 눈에 분노가 타올랐다. 그가 자기보다 서른다섯 살은 족히 어려 보이는 사내를 어찌나 세게 SUV에 밀어붙였는지 차체가 삐걱댔다. 오베는 검지 끝을 민머리의 이마 중앙에 갖다 대고는 문신 사내의 숨결을 느낄 수 있을 정도로 자기 얼굴을 바싹 붙였다.

"한 번만 더 경적을 울렸다간 그게 네가 세상에서 하는 마지막 짓이 될 거다. 알겠냐?"

문신 사내가 눈동자를 재빨리 돌려 차 안에 있는 자기랑 똑같이 근육질인 친구를 흘끗 보고, SUV로 점점 늘어나는 차들의 줄을 보았다. 아무도 그를 도우러 오지 않았다. 미동도 없었다. 경적 소리 하나 안 났다. 다들 똑같은 생각을 하고 있는 것 같았다. 만약 오베 나이대의 문신을 하지 않은 남자가, SUV 운전자 나이대의 문신한 남자에게 아무 망설임 없이 다가가서 이런 식으로 차에 밀어붙인다면, 성가시게 굴까봐 정말 걱정해야 할 쪽은 문신한 젊은 남자가 아닐 가능성이 크다고.

오베의 눈이 분노로 새까매졌다. 잠시 반성의 시간을 갖고 나서, 문신 사내는 이 노인네가 하는 말이 너무도 진심이라는 사실을 깨달은 듯 보였다. 사내의 코끝이 거의 알아볼 수 없을 정도로 빠르게 위아래로 움직였다.

오베가 확인하듯 고개를 끄덕이고 손을 놓자 사내가 바닥에 주저앉았다. 오베는 몸을 돌려 다시 SUV를 한 바퀴 돌아 사브에 올라탔다. 파르바네가 입을 헤 벌린 채 그를 보았다.

"들어봐요." 오베가 조심스레 문을 닫으며 조용히 말했다. "당신은 애도 둘이나 낳았고 곧 셋째도 뽑아내겠지. 엄청나게 먼 나라에서 왔고, 아마 전쟁이나 박해나 뭐 그런 말도 안 되는 짓거리를 피해 왔을 거요. 낯선 말을 배웠고, 교육도 받았고, 누가 봐도 무능한 인간들과 가족도 이뤘어. 지금까지 당신이 뭐 빌어먹을 거 하나라도 두려워하는 꼴을 본 적이 있다면 난 급살이라도 맞을 거요."

오베가 그녀의 눈에 시선을 고정했다. 파르바네는 여전히 기가 막혀 입을 딱 벌리고 있었다. 오베가 그녀의 발아래 페달을 도도하게 가리켰다.

"내가 뇌수술을 하라는 것도 아니잖소. 차를 운전하라고 하는 거라고. 차에는 액셀러레이터, 브레이크, 클러치가 달려 있어요. 인류 역사상 최악의 멍청이들도 이걸 어떻게 움직이는지는 알았다고. 그러니 당신도 할 거요."

그리고 그는 다섯 단어로 된 말을 내뱉었다. 파르바네가 오베에게 들었던 가장 사랑스러운 칭찬이라고 언제까지나 기억하게 될 말을.

"왜냐하면 당신은 완전히 멍청이는 아니니까."

파르바네가 눈물 때문에 얼굴에 달라붙어 있던 곱슬머리를 걷어냈다. 그녀는 다시 어색하게 양손으로 운전대를 잡았다. 오베는 고개를 끄덕인 뒤 안전벨트를 차고 편안하게 자세를 잡았다.

"이제 클러치를 밟고 내가 하라는 대로 해요."

그날 오후, 파르바네는 그렇게 운전을 배웠다.

28
오베였던 남자와 루네였던 남자

소냐는 오베가 '용서가 없는' 사람이라고 말하곤 했다. 예를 들면, 그는 1990년대 말에 딱 한 번 패스트리를 샀던 동네 빵집에서 잔돈을 잘못 거슬러줬다는 이유로 8년이 지나도 그 빵집에 가는 걸 거부했다. 오베는 그걸 '확고한 원칙을 가진 것'이라 했다. 그들은 그 표현에 대해서도, 그 의미에 대해서도 결코 합의를 보지 못했다.

그는 자기와 루네가 평화를 유지하지 못했다는 사실에 그녀가 실망했다는 걸 알고 있었다. 그는 자기와 루네 사이의 적개심이 소냐와 아니타가 최고의 친구가 될 수도 있었던 가능성을 어느 정도 망쳤다는 사실도 인정했다. 하지만 갈등이 그토록 오래 지속되다 보면 수습을 하는 게 불가능해지기 마련이었다. 그 갈등이 어떻게 시작되었는지 누구도 기억 못한다는 단순한 이유로.

오베는 그게 어떻게 시작되었는지 몰랐다. 어떻게 끝났는지만 알았다.

BMW. 분명 그걸 이해한 사람과 그렇지 못한 사람이 있었음에 틀림없다. 자동차와 감정 사이에는 아무런 관계도 없다고 생각하는 사람도 있었으리라. 하지만 왜 이 두 남자가 평생의 적이 되었는가라는 문제에 관해서는 명쾌한 설명을 하기 어려울 것이었다.

물론 처음에는 순진무구하게 시작되었다. 오베와 소냐가 사고 후 스페인에서 돌아온 지 얼마 안 되었을 때였다. 오베는 그해 여름 정원에 새로 디딤돌을 깔았고, 루네는 집 주변에 울타리를 새로 세웠다. 그 뒤 오베는 정원에 더 높은 울타리를 쳤고, 루네는 건축 자재 상점에 다녀오더니 며칠 뒤 자기가 '수영장을 지었다'고 동네방네 자랑을 해대기 시작했다. 그 집에 빌어먹을 수영장 따위는 없다고, 오베는 소냐에게 분통을 터뜨렸다. 루네와 아니타 사이에서 태어난 개구쟁이가 첨벙거릴 조그만 물웅덩이가 전부였다. 오베는 도시계획부서에 불법 공사라고 신고할 마음도 잠깐 먹었지만, 그때 소냐는 단호하게 반대하고는 그를 진정시키려고 '잔디나 깎으라'며 정원으로 보냈다. 오베는 그렇게 하긴 했지만, 그렇게 많이 진정이 되지는 않았다.

잔디밭은 오베와 루네의 집 뒤쪽에 있었는데, 두 건물에 걸쳐

약 5미터 정도의 길이로 뻗어 있는 직사각형 공간이었다. 소냐와 아니타는 거기에 재빨리 '중립 지대'라는 이름을 붙였다. 아무도 그 잔디밭의 용도가 뭔지, 거기에 무슨 기능을 채워 넣어야 할지 몰랐지만, 당시 집들을 지을 때 도시 건축가들은 여기저기 잔디가 있어야 한다고 생각했던 게 분명했다. 그래야 도면에서 보기에 그럴싸하다는 이유만으로. 오베와 루네가 주민 자치회를 설립하고 여전히 친구였을 때, 두 남자는 오베가 '관리인'이 되어야 하고 풀을 깎는 책임을 져야 한다고 결정했다. 그 전에도 늘 오베가 관리를 맡긴 했다. 한번은 다른 주민들이 '모든 이웃을 위한 공용 공간'을 만드는 차원에서 자치회가 잔디에 탁자와 벤치를 놓으면 어떻겠냐고 건의했다. 하지만 오베와 루네는 일언지하에 그 의견을 막았다. 그래봤자 엉망진창이 되어 소음만 잔뜩 날 테니까.

일이 그렇게 돌아가는 한에서 그곳에는 평화와 기쁨이 넘쳤다. 최소한 오베와 루네 같은 남자들이 연루되어 있을 때 자라날 수 있는 '평화와 기쁨'이라는 한에서는.

그러다 얼마 안 가 루네가 '수영장'을 지었고, 오베가 새로 깎은 잔디밭을 쥐 한 마리가 가로질러 달리다가 건너편 집 나무로 쪼르르 숨어들어갔다. 오베는 즉시 '중대 회의'를 위해 자치회를 소집했고, 거기서 모든 거주자들이 집 주변에 쥐약을 놓아야 한다고 요구했다. 이웃들은 당연히 항변했다. 왜냐하면 숲가에서 고슴도치들을 봤는데 그것들이 쥐약을 먹을 수도 있기 때문이었다. 루네 또한 반대했다. 쥐약이 자기 수영장에 들어올까봐서였다. 오베는 루네에게 셔츠 끝까지 단추를 채운 다음 정신과 의사한테 가서 프랑스 리비에라 해변에서 살고 있다는 망상을 치료받는 게 어떻겠냐고 했다. 루네는 오베를 제물삼아 사악한 농담을 날렸다. 아마도 오베는 자기가 쥐를 봤다고 상상했을 뿐일 거라는 취지의 농담이었다. 모두가 웃었다. 오베는 그 사건에 대해 루네를 절대 용서하지 않았다. 다음 날 아침 누군가 루네의 집 바깥 전체에 새모이를 뿌려놓았고, 루네는 진공청소기만큼이나 큰 쥐떼 한 무더기를 몇 주 동안 삽을 이용해 쫓아내야 했다. 그 후 오베는 쥐약을 놓아도 좋다는 허가를 받아냈다. 비록 루네가 이 일은 반드시 갚아주겠다고 중얼거리긴 했지만.

2년 뒤 루네는 나무 대분쟁에서 승리했고, 연례 회의로부터 그와 아니타의 집 한쪽 편에 서서 집으로 들어오는 저녁 해를 막는 나무를 베어 넘겨도 좋다는 허가를 획득했다. 그 나무는 오베와 소냐의 침실로 들어오는 어지러운 아침 햇살을 막아주는 나무였다. 더 나아가, 루네는 자치회로 하여금 오베가 새로 차양을 설치할 돈을 대도록 함으로써 오베의 분노 어린 행동을 차단하는 데 성공하기까지 했다.

그러나 오베는 이듬해 겨울에 벌어진 제설 소전투에서 복수를 감행했다. 그때 루네는 자기가 '눈 퍼내기 업무 총책임자'로 선정되기를 바랐고, 동시에 커다란 제설기 구입을 주민 자치회에게 떠넘기려 했다. 루네는 오베가 자치회 예산으로 빌어먹을 이상한 기구 같은 걸 들고 돌아다니다가 오베의 집 창문에 눈을 뿌리게 놔둘 의향이 조금도 없었고, 그 점을 지도부 회의에서 분명히 피력했다.

루네는 소원대로 눈 청소 책임자로 임명은 되었지만, 짜증스럽게도 겨울 내내 집들을 돌아다니며 삽으로 직접 눈을 퍼내야 했다. 이 결과 당연히, 그는 오베와 소냐의 집을 뺀 나머지 집 전부의 눈을 꾸준히 집 밖으로 퍼냈다. 1월 중순, 오베는 그저 루네의 짜증을 돋울 생각으로 커다란 제설기를 임대해서 자기 문 밖 10제곱미터를 깨끗이 치웠다. 루네는 엄청나게 화를 냈고, 오베는 이날 자기가 무척 기뻐했던 걸로 기억했다.

당연하게도 루네는 이듬해 여름 말도 안 되게 거대한 잔디 깎이 트랙터를 구입함으로써 오베에게 앙갚음을 했다. 그러고 나서 배반과 거짓말, 음모를 솜씨 좋게 조합하여 연례회의 때 오베가 갖고 있던 '잔디깎이 책임권'을 인수하는 데 성공했다. 그가 '전임자보다 조금 더 효율적인 장비를 갖추고 있다'는 이유로.

이에 대한 부분적인 복수로, 오베는 4년 뒤 루네가 자기 집 창문을 새로 갈아끼우려는 계획을 저지하는 데 성공했다. 그는 도시계획과에 서른세 통의 편지를 쓰고 열두 번이 넘는 분노의 전화를 걸어 그들이 오베의 주장, 즉 새 창문을 단다는 계획이 '이 구역의 조화로운 건축적 성격을 파괴한다'는 점을 납득하고 결국 허가를 포기하도록 만들었다.

그 뒤 3년 동안, 루네는 오베를 일컬어 '빌어먹을 관료주의자'

라며 대화를 거부했다. 오베는 그걸 칭찬으로 받아들였다. 그리고 이듬해 오베는 창문을 바꿨다. 이듬해 겨울, 지도부는 동네에 새 집단 난방 시스템이 필요하다는 결정을 내렸다. 물론 정말 놀라운 우연의 일치로, 루네와 오베는 어떤 난방 시스템이 필요한지에 대해 정반대의 관점을 갖고 있었으며, 동네 사람들은 이를 가리켜 장난삼아 '양수기 전투'라고 불렀다. 이때쯤 두 남자 사이는 영원한 투쟁에 접어들고 있었다.

그리고 그렇게 계속 흘러갔다.

하지만 소냐가 말하곤 했듯 다른 순간들도 있었다. 많지는 않았지만, 소냐와 아니타 같은 여성들은 그런 순간을 십분 활용할 줄 알았다. 언제나 싸움이 불타오르는 건 아니었으니까. 1980년대의 어느 여름, 오베는 사브 9000을 샀고 루네는 볼보 760을 샀다. 그들은 몇 주간의 평화를 만끽했다. 소냐와 아니타가 네 명을 몇 번 저녁 식사 자리에 모아놓는 데 성공했다. 루네와 아니타의 아들은 이즈음 막 10대에 들어섰는데, 마치 하느님이 이 꼬마에게 매력 없고 무례하게 굴 권리를 부여하기라도 한 듯, 짜증을 내며 소품마냥 식탁 맨 끝에 앉아 있었다. 소냐는 슬픔을 담은 목소리로 그 소년은 타고나길 분노에 차 있다고 말하곤 했지만, 오베와 루네는 어쨌거나 그날 저녁 식사 끝에 위스키도 한두 잔 같이 마실 정도로 그럭저럭 잘 지내게 됐다.

불행하게도, 그해 여름의 마지막 저녁 식사 때 오베와 루네가 바비큐를 하자는 아이디어를 냈다. 그 즉시 오베의 그릴에 어떻게 불을 붙이는 게 가장 효율적이냐는 문제로 싸움이 붙었다. 말다툼은 15분도 안 돼 엄청나게 험악해졌고, 소냐와 아니타는 그냥 따로 식사를 하는 게 최선이라는 데 동의했다. 두 남자는 볼보 760(터보)과 사브 9000i를 사고 팔 때까지 다시 이야기를 하지 않았다.

그러는 동안 이웃들이 단지로 이사를 왔다. 정말 많은 새로운 얼굴들이 주택 단지 입구에 나타나 이내 회색빛 바다처럼 하나로 통합되었다. 숲이 있던 자리에는 건설용 크레인뿐이었다. 오베와 루네는 바지 주머니에 완고하게 손을 찔러 넣고 마치 새로운 시대의 유물처럼 서 있었다. 끽해야 자기들이 매고 있는 자몽만한 넥타이 매듭이나 살필 수 있을 건방진 중개인들이 줄줄이 서서 집 사이에 난 작은 도로를 돌아다니며 집들에게서 눈을 떼지 않았다. 마치 나이든 물소를 관찰하는 독수리들처럼. 그 빌어먹을 놈들은 컨설턴트들과 그 가족이 이사 오기를 손꼽아 기다렸다. 오베와 루네 둘 다 그걸 잘 알았다.

루네와 아니타의 아들은 1990년대 초, 스무 살 때 집을 떠났다. 미국으로 간 게 분명하다고 오베는 소냐에게서 전해 들었다. 그 뒤 그를 다시 보지 못했다. 가끔 아니타가 크리스마스 즈음에 전화 통화를 했지만, 아니타의 말에 따르면 그는 '자기 일 때문에' 정말로 바빴다. 그 말을 할 때 그녀는 활기차게 보이고자 애를 썼지만, 소냐는 그녀가 눈물을 꾹 참으려 한다는 걸 알 수 있었다. 어떤 소년들은 모든 걸 뒤에 남겨놓고 떠난 뒤 결코 돌아

보지 않는다. 그뿐이었다.

루네는 그에 대해 아무 말도 하지 않았다. 하지만 그를 오랫동안 알아온 사람들이 보기에 그는, 매년 몇 센티미터씩 작아지는 것만 같았다. 마치 깊은 한숨과 함께 찌부러져 다시는 제대로 숨을 쉴 수 없게 된 것처럼.

몇 년 뒤 루네와 오베는 집단 난방 시스템 문제 때문에 백 번째로 사이가 틀어졌다. 오베는 분노에 차 주민 자치회 회의에서 뛰쳐나갔고, 다시는 돌아가지 않았다. 두 남자의 마지막 전투는 2000년대 초, 루네가 아시아에서 주문해 산 자동 잔디깎이 기계를 집 뒤 잔디밭에다 윙윙거리며 돌아다니도록 했을 때 벌어졌다. 어느 날 저녁, 아니타를 방문하고 집에 돌아온 소냐가 아주 감동받았다는 목소리로 루네가 산 그 기계는 '특별한 패턴'으로 잔디를 깎을 수 있도록 프로그래밍할 수 있다고 말했다. 얼마 안 가 오베는 이 '특별한 패턴'이 밤새도록 오베와 소냐의 집 밖에서 우르릉거리며 이리저리 돌아다니는 그 쬐깐한 로봇 똥덩어리의 습관이라는 사실을 깨달았다. 어느 저녁 소냐는 오베가 드라이버를 챙겨 베란다 문 밖으로 나가는 걸 봤다. 다음 날 아침, 그 작은 로봇은 정말 이해할 수 없게도 루네의 집 풀장을 향해 똑바로 뛰어든 채 발견되었다.

한 달 뒤 루네는 처음으로 병원에 갔다. 그는 다시는 잔디깎이 기계를 사지 않았다. 오베는 그들의 반목이 언제 시작되었는지 몰랐지만, 그때 끝났다는 건 잘 알았다. 그 뒤의 기억들은 오로지 오베만 갖고 있는 것이었고, 루네에게는 없는 것이었다.

남자의 감정을 그들이 모는 차를 가지고 해석할 수는 없다고 생각한 사람들은 꽤 많았다.

하지만 그들이 이 주택 단지로 이사왔을 때, 오베는 사브 96을 몰았고 루네는 볼보 244를 탔다. 사고 이후 오베는 사브 95를 사서 거기에 소냐의 휠체어가 들어갈 공간을 마련했다. 같은 해 루네는 유모차를 넣을 자리를 마련하려고 볼보 245를 샀다. 3년 뒤 소냐는 더 현대적인 휠체어를 샀고, 오베는 해치백이 달린 사브 900을 샀다. 루네는 볼보 265를 샀는데 아니타가 아이를 하나 더 갖자고 말하기 시작해서였다.

그 뒤 오베는 사브 900을 두 대 더 구입한 뒤 처음으로 사브 9000을 샀다. 루네는 볼보 265를 샀고 결국에는 볼보 745 스테이션 웨건을 샀다. 하지만 아이는 더 태어나지 않았다. 어느 날 저녁 소냐가 집에 와서 오베에게 아니타가 의사를 찾아갔었다고 말했다.

일주일 뒤 루네의 차고에는 볼보 740이 서 있었다. 세단 모델이었다.

오베는 자기 사브를 세차하다가 루네의 세단을 봤다. 그날 저녁 루네는 자기 집 문 앞에 반쯤 마신 위스키 한 병이 놓인 걸 발견했다. 그들은 그 문제에 대해 얘기하지 않았다.

아마도 태어나지 못한 아이들에 대한 슬픔이 두 남자를 더 가깝게 이어줄 수 있었을 것이다. 하지만 슬픔이란 그런 점에서는 믿을 만한 감정이 아니다. 사람들이 슬픔을 공유하지 않을 경우, 슬픔은 대신 서로를 더 멀리 밀어낼 공산이 컸기 때문이다.

어쩌면 오베는 루네가 아들을 가진 걸 결코 용서 못했는지도 모른다. 정작 아비와는 잘 지내지 못했던 아들을. 어쩌면 루네는 오베가 그 문제로 자기를 용서하지 못한다는 사실을 결코 용서하지 못했는지도 모른다. 어쩌면 두 남자 모두 자신들이 그 무엇보다 사랑하는 여성들에게, 그녀들이 무엇보다 원하는 것을 주지 못했다는 사실로 인해 스스로를 용서하지 못했는지도 모른다. 루네와 아니타의 아들은 다 자라서 기회가 생기자마자 집을 떠났다. 그리고 루네는 스포티한 BMW를 구입했다. 딱 두 사람과 핸드백 하나 들어갈 자리가 있는 차였다. 왜냐하면 루네가 주차 구역에서 소냐를 마주쳤을 때 말했듯, 이젠 세상에 둘뿐이었으니까. "그중 하나는 남은 일생 동안 볼보를 몰지 못할 거고요." 그가 내키지 않는 미소를 지으려 애쓰며 말했다. 소냐는 그가 눈물을 삼키려 하는 소리를 들을 수 있었다. 그 순간, 오베는 루네가 자신을 영원히 포기했다는 사실을 깨달았다. 그리고 아마 그 때문에 오베도 루네를 용서하지 못했는지 모른다.

분명 어떤 사람들은 자동차를 보는 걸로 사람의 감정을 판단할 수는 없다고 생각했다. 하지만 그들은 틀렸다.

29

오베라는 남자와 동성애자

"그런데 진짜 어디 가는 거예요?" 파르바네가 헉헉거리며 물었다.

"뭐 좀 고치러." 오베가 그녀보다 세 발짝 앞서가며 퉁명스레 대답했다. 고양이가 그의 옆에서 반쯤 뛰다시피 하고 있었다.

"뭘요?"

"그런 게 있어!"

파르바네가 멈춰 숨을 골랐다.

"여기!" 오베가 소리치며 별안간 작은 카페 앞에 멈췄다.

방금 구운 크루아상 냄새가 유리문 너머에서 풍겨왔다. 파르바네가 사브를 세워둔 길 건너 주차 구역을 봤다. 결국 그들은 카페 가까운 곳에 차를 세우지 못했다. 처음에 오베는 카페가 블록 다른 쪽 끝에 있다고 확신했다. 파르바네가 그 쪽에 주차를 할 수 있다고 제안한 게 그때였지만, 주차 요금이 시간당 1크로나라는 걸 알게 되자 그 의견은 폐기되었다.

대신 그들은 여기다 주차를 한 뒤 카페를 찾아 블록 전체를 한 바퀴 빙 돌았다. 왜냐하면 파르바네가 이내 깨달았듯, 오베는 자기가 어디로 갈지 확실히 모르는 경우에는 내내 앞으로만 쭉 걸어가는 남자, 길이란 결국에는 하나로 이어지게 마련이라 확신하는 남자였기 때문이었다. 그리고 이제 그 카페가 그들이 주차한 장소에서 바로 맞은편에 있다는 게 밝혀진 지금, 오베는 이게 바로 자기 계획이었다는 듯한 얼굴을 하고 있었다. 파르바네가 뺨에 흐르는 땀을 닦았다.

덥수룩하고 지저분한 턱수염을 기른 남자가 길 중간에서 벽에 기대어 있었다. 남자의 앞에는 종이컵이 놓여 있었다. 카페 앞에서 오베와 파르바네와 고양이는 눈 주변에 검댕을 칠한 것처럼 보이는 스무 살 남짓의 호리호리한 소년을 만났다. 오베는 그 소년을 보고, 처음 자전거 젊은이를 만났을 때 뒤에 서 있던 친구라는 걸 순식간에 알아챘다. 소년은 조금 조심스러워 보였다. 그는 오베에게 미소를 지었지만, 오베는 그저 고개를 끄덕여주는 것 외에 다른 행동은 생각할 수 없었다. 자기는 미소를 돌려줄 의향 따위 없지만, 그래도 미소를 받았다는 걸 알려는 주겠다는 듯한 태도였다.

"왜 제가 저 빨간 차 옆에 그냥 주차하게 놔두지 않았어요?"

그들이 유리문을 열고 안으로 들어갈 때 파르바네가 물었다.

오베는 대답하지 않았다.

"해낼 수 있었는데!" 그녀가 자신만만하게 말했다.

오베는 피곤한 듯 고개를 내저었다. 불과 두 시간 전만 해도 그녀는 클러치가 어디 있는지도 몰랐는데, 이제는 자기가 좁은 주차 공간에 차를 집어넣으려는 걸 오베가 못하게 했다며 심통을 부리고 있었다.

카페 안으로 들어가고 나서, 오베는 검댕 눈을 한 호리호리한 소년이 부랑자에게 샌드위치를 주는 모습을 곁눈질로 보았다.

"안녕하세요, 오베!" 어찌나 열렬히 소리를 지르는지 가성으로 째지는 듯한 목소리가 그들을 맞이했다.

오베는 몸을 돌려 자전거 보관소의 젊은이를 보았다. 그는 매장 앞의 길쭉하고 반들반들 잘 닦인 카운터 뒤에 서 있었다. 오베는 그가 야구 모자를 쓰고 있다는 사실을 주시했다. 실내인데.

고양이와 파르바네가 편안히 자리를 잡았다. 가게 안이 얼음처럼 추운데도 파르바네는 이마에서 땀을 닦았다. 사실 바깥의 거리보다도 더 추웠다. 그녀는 카운터에 놓인 주전자에서 직접 물을 따라 마셨다. 고양이는 그녀가 보지 않을 때 태연히 컵에 든 물을 핥아 마셨다.

"아는 사이예요?" 파르바네가 젊은이를 보며 놀란 얼굴로 물었다.

"저랑 오베 아저씨는 뭐랄까, 일종의 친구예요." 젊은이가 고개를 끄덕였다.

"그쪽도요? 저랑 오베도 일종의 친구예요!" 파르바네가 다정하게 씩 웃으며 그의 열렬한 말투를 따라했다.

"아드리안이라고 해요." 젊은이가 말했다.

"파르바네예요." 파르바네가 말했다.

"뭐 좀 마시겠어요?" 그가 그들에게 물었다.

"라떼 한 잔 있으면 부탁해요." 파르바네가 마치 갑자기 누가 어깨를 주물러주기라도 한 듯 편안한 말투로 말했다. 그녀가 냅킨으로 이마를 닦았다. "가능하면 아이스 라떼가 좋겠고요!"

오베는 무게 중심을 왼발에서 오른발로 옮기면서 매장 안을 둘러보았다. 그는 카페를 결코 좋아하지 않았다. 소냐는 당연히 카페를 사랑했다. 일요일 내내 카페에 앉아서, 그녀 말에 따르면 '그냥 사람들을 볼 수' 있었기 때문이다. 오베는 신문을 읽으면서 그녀와 같이 앉아 있으려고 노력하곤 했다. 매주 일요일마다 그랬다. 그녀가 죽고 나서는 카페에 발을 끊었다. 고개를 들자, 그는 아드리안, 파르바네, 고양이가 자기 대답을 기다리고 있다는 사실을 깨달았다.

"그럼 커피. 블랙으로."

아드리안이 모자 아래 삐져나온 머리를 긁었다.

"그러니까…… 에스프레소요?"

"아니. 커피."

아드리안은 머리를 긁던 손으로 턱을 긁었다.

"그러니까…… 블랙커피 같은 거요?"

"맞아."

"우유 넣어서요?"

"우유를 넣으면 그게 블랙커피냐?"

아드리안이 설탕통 두 개를 카운터로 옮겼다. 뭘 하고 있어서 그런지 그렇게 바보처럼 보이지는 않았다. 이제 와 그렇게 생각하기엔 좀 늦었지만. 오베가 생각했다.

"보통 필터 커피야. 빌어먹을 보통 필터 커피라고." 오베가 반복했다.

아드리안이 고개를 끄덕였다.

"아, 그게…… 저기요. 어떻게 만드는지 몰라요."

오베가 구석에 있는 여과기를 공격적인 태도로 가리켰다. 여과기는 거대한 은빛 우주선처럼 생긴, 오베가 이해하기에는 에스프레소를 만드는 데 쓰는 기계 뒤에 보일락 말락 놓여 있었다.

"아, 저거요. 네." 아드리안이 동전이라도 바닥에 떨어뜨린 것처럼 말했다. "어…… 실은 저게 어떻게 움직이는지 몰라요."

"빌어먹을, 그 정도는 알아야 하는 거 아니냐고……." 오베는 중얼거리더니 카운터를 돌아 들어가 직접 커피를 만들었다.

"우리가 여기서 뭘 하고 있는지 누구 말씀해주실 분?" 파르바네가 소리쳤다.

"여기 이 친구한테 수리가 필요한 자전거가 있어." 오베가 물을 주전자에 따르며 설명했다.

"차 뒤에 매단 그 자전거요?"

"가져오셨어요? 고맙습니다, 오베 아저씨!"

"넌 차도 없으니까. 아냐?" 그가 찬장을 샅샅이 뒤져 여과지를 찾으며 대답했다.

"고맙습니다, 오베 아저씨!" 아드리안이 그렇게 말하며 오베를 향해 한 발짝 다가섰다가 바보짓을 하기 전에 정신을 차리고는 동작을 멈추었다.

"그게 그쪽 자전거예요?" 파르바네가 웃었다.

"그게 어, 제 여자 친구 거예요. 아니면 제 여자 친구가 됐으면 하는 사람 거라고 해야 하나. 그렇죠 뭐."

파르바네가 씩 웃었다.

"당신이 자전거를 고칠 수 있도록 하려고 저랑 오베가 그걸 들고 이 먼 길을 온 거라는 거죠? 한 소녀를 위해?"

아드리안이 고개를 끄덕였다. 파르바네가 카운터에 몸을 기대어 오베의 팔을 톡톡 쳤다.

"거 봐요, 오베. 가끔 사람들이 당신에게 마음이란 게 있는지 의심하지만요⋯⋯."

"여기 공구가 있긴 한 거야, 그래서?" 오베가 팔을 홱 치우면서 아드리안에게 말했다.

아드리안이 고개를 끄덕였다.

"가서 가져와. 자전거는 주차장에 세워둔 사브에 있어."

아드리안이 고개를 재빨리 끄덕이고는 주방으로 사라졌다. 약

1분 뒤 그가 커다란 공구 상자를 들고 나와서는 재빨리 출구 쪽으로 가져갔다.

"그리고 당신은 조용히 있고." 오베가 파르바네에게 말했다.

그녀는 조용히 있을 의향이 없다는 뜻처럼 보이는 미소를 지었다.

"여기 자전거를 안 가져왔으면 저 친구가 계속 우리 동네 자전거 보관소 앞에서 어슬렁거렸을 거라고."

"그럼요. 어련하시겠어요." 파르바네가 웃음을 터뜨리며 말했다.

"어, 왔냐." 검댕 눈의 소년이 1분 뒤 다시 나타나자 아드리안이 말했다. "얘가 우리 사장님이에요."

"어, 왔다…… 어, 저기…… 죄송한데, 뭐하는 거냐?" 카페 카운터 뒤에 들어앉아 원기 왕성하게 움직이는 낯선 사람을 흥미로운 듯 바라보며 '사장'이 물었다.

"이 꼬맹이가 자전거를 고치는 거다." 오베가 명명백백한 거 아니냐는 듯 대답했다. "진짜 커피를 만들 때 쓰는 여과지는 어디다 뒀지?"

검댕 눈의 소년이 찬장 중 한 곳을 가리켰다. 오베가 그를 곁눈질로 바라보았다.

"그건 화장이냐?"

파르바네가 오베의 말을 막았다. 오베는 모욕당한 것 같은 표정을 지었다.

"뭐? 물어본 게 어때서?"

소년이 살짝 초조한 듯 미소를 지었다.

"맞아요. 화장이에요." 그가 눈 주위를 문지르며 고개를 끄덕였다.

"어젯밤에 춤추러 갔었거든요." 소년이 말했다. 그는 파르바네가 공모자다운 능숙함으로 핸드백에서 물티슈를 꺼내 건네주자 그녀에게 감사의 미소를 지었다.

오베는 고개를 끄덕인 뒤 커피를 내리던 작업으로 돌아갔다.

"자전거랑 사랑이랑 여자애에 뭐 문제라도 있나?" 그가 건성으로 아드리안에게 물었다.

"아뇨, 아뇨. 자전거는 아무 문제없어요. 사랑도 문제없고. 어, 여자애도 문제가 없죠, 어쨌거나." 그가 킬킬거렸다.

오베가 여과기 전원을 켰다. 여과기가 부글거리기 시작하자 그는 몸을 돌려 카운터 안쪽에 몸을 기댔다. 마치 아무도 일하지 않는 카페에서는 그렇게 하는 게 세상에서 제일 자연스러운 행동이라는 듯.

"호모냐, 너?"

"오베!" 파르바네가 오베의 팔을 후려쳤다.

오베가 팔을 빼고는 무척 성난 표정을 지었다.

"뭐야!"

"그렇게 말하지…… 그런 말 쓰지 말아요." 파르바네가 그 단어를 다시 입 밖에 내길 꺼리며 말했다.

"퀴어 말야?" 오베가 말했다.

파르바네가 그의 팔을 다시 때리려 했지만 오베 역시 무척 빨랐다.

"그렇게 말하지 말라고요!" 그녀가 그에게 명령했다.

오베가 검댕 소년 쪽으로 몸을 돌렸다. 진짜로 혼란스런 얼굴이었다.

"호모라고 말하면 안 돼? 요즘은 뭐라고 하는데?"

"동성애자라고 해야 해요. 아니면 LGBT*라든가." 파르바네가 저도 모르게 끼어들었다.

"아, 편한 대로 말씀하세요. 상관없으니까." 소년이 미소를 지으면서 카운터를 돌아 들어가 앞치마를 걸쳤다.

"좋아, 알았어. 확실해서 좋네. 그런 게이들 중 하나라 이거지." 오베가 중얼거렸다. 파르바네가 사과하듯 고개를 내저었다. 소년은 그냥 웃었다. "뭐 그렇군." 오베가 고개를 끄덕이고는 아직 작동하고 있는 여과기에서 커피를 부었다.

그런 다음 그는 컵을 들고 말 한마디 없이 밖으로 나가 주차구역으로 갔다. 검댕 소년은 그가 밖으로 컵을 갖고 나간 것에 대해 딱히 토를 달지 않았다. 이 남자가 소년의 카페에 들어온 지 5분도 되지 않아 바리스타 역할을 하고 소년의 성적 취향을 심문한 상황에서 굳이 그런 사실을 지적하는 건 좀 불필요해 보

---

* LGBT : 레즈비언(Lesbian), 게이(Gay), 바이섹슈얼(Bisexual), 트랜스젠더(Transgender)의 약자. 성소수자를 총칭하는 말이다.

였다.

아드리안은 사브 옆에 서서 숲에서 길을 잃은 듯한 표정을 짓고 있었다.

"잘 돼가냐?" 오베가 짐짓 과장되게 물었다. 그가 커피를 홀짝이며 자전거를 보았다. 아드리안은 자전거를 차 뒤에서 내리지도 못하고 있었다.

"아뇨…… 뭐, 쫌 이래요." 아드리안이 강박적으로 가슴을 긁으며 대답했다.

오베는 30초 정도 그를 가만히 관찰했다. 커피를 두어 모금 더 마셨다. 아보카도를 꽉 쥐었는데 그게 지나치게 농익은 상태였다는 걸 깨달은 사람처럼 짜증스레 고개를 끄덕였다. 그는 소년의 손에다 커피 컵을 힘주어 꾹 누르듯 내려놓고는 자전거를 차에서 떼어냈다. 자전거를 뒤집은 다음 소년이 카페에서 가져온 공구함을 열었다.

"네 아빠가 자전거 고치는 법 안 가르쳐줬냐?" 그는 아드리안을 보지 않은 채 펑크 난 타이어를 이리저리 구부리며 말했다.

"아빠 교도소 갔어요." 아드리안이 거의 들리지 않을 정도로 대답하고는 어깨를 긁으며 어디 숨어들 커다란 쥐구멍이 없는지 찾는 듯 주위를 둘러보았다. 오베는 동작을 멈추고 고개를 들더니 그를 이리저리 재는 눈길로 바라보았다. 소년은 땅을 보고 있었다.

오베가 헛기침을 했다.

"수리가 뭐 빌어먹게 힘들진 않네." 마침내 그가 중얼거리고는 아드리안에게 앉으라는 손짓을 했다.

타이어 펑크를 수리하는 데는 10분이 걸렸다. 오베는 지시 사항을 단음절로 빽 내질렀다. 아드리안은 내내 침묵했다. 하지만 오베는 그가 귀도 밝고 손재주도 있으며 어떤 의미에서 완전히 바보는 아니라고 인정할 수밖에 없었다. 아무래도 말을 할 때처럼 손놀림이 서투르지는 않은 것 같았다. 그들은 서로 눈을 마주치지 않은 채 사브의 트렁크에서 걸레를 꺼내 자전거에 묻은 먼지를 닦았다.

"이럴 가치가 있는 아가씨였으면 좋겠다." 오베는 그렇게 말하며 트렁크를 닫았다.

이제 아드리안이 난처한 표정을 지을 차례였다.

그들이 카페로 돌아오자 얼룩진 셔츠를 입은 정육면체 몸매의 땅딸막한 남자가 작은 사다리에 올라서 있었다. 오베 생각에 온풍기가 아닐까 싶은 걸 수선하고 있는 중이었다. 검댕 소년이 사다리 밑에 서서 드라이버 세트를 높이 들고 있었다. 그는 눈 주위에 남은 화장을 계속 닦아내면서 사다리에 올라선 뚱뚱한 남자를 바라보다 살짝 초조한 얼굴을 했다. 마치 걸릴까봐 걱정된다는 듯. 파르바네가 격하게 오베를 돌아보았다.

"이분은 아멜이에요! 카페 소유주시고요!" 그녀가 적절히 호들갑을 떨며 말했다. 그녀가 사다리에 올라선 정육면체 남자를 가리켰다.

아멜은 몸을 돌리지는 않았지만 단단한 자음을 길고 연속적으로 내뱉었는데, 오베는 그게 무슨 뜻인지 이해하지 못함에도 불구하고 그 말들이 다종다양한 네 글자 욕설*과 신체 부위를 조합한 말들이 아닌가 의심했다.

"뭐라고 하시는 거야?" 아드리안이 물었다.

검댕 소년이 거북한 듯 몸을 꼬았다.

"아…… 아버지는…… 온풍기가 좀 요정** 같다는 말씀을……."

그가 아드리안을 건너보았다. 그러더니 재빨리 고개를 숙였다.

"뭐라는 거냐?" 오베가 아드리안 쪽으로 시선을 돌렸다.

"온풍기가 쓸모없대요. 호모처럼." 그가 오베만 들을 수 있는 낮은 목소리로 말했다.

다른 한편 파르바네는 기쁜 얼굴로 아멜을 가리키느라 바빴다.

"저분 하시는 말씀을 못 알아듣겠지만 저 말 대부분이 욕설이라는 건 아시겠지요! 꼭 당신한테 더빙을 입힌 것 같아요, 오베!"

오베는 딱히 기뻐 보이지 않았다. 아멜도 마찬가지였다.

그가 온풍기를 수선하던 손을 멈추더니 드라이버로 오베를 가리켰다.

"저 고양이. 당신 고양이요?"

"아뇨." 오베가 말했다.

---

* 영어의 주요 욕설(fuck, shit, cunt 등)이 네 글자로 이루어졌다고 해서 생겨난 말.
** '요정(fairy)'은 경멸조로 남성 동성애자라는 뜻으로 쓰이기도 한다.

그가 그렇게 말한 건 저 고양이가 자기 고양이가 아니라는 사실을 언급하고자 함이 아니라, 저 고양이는 누구의 고양이도 아니라는 사실을 분명히 하고 싶어서였다.

"고양이는 나가! 카페에 동물은 안 돼!" 아멜이 자음들을 휙휙 베어버리는 바람에 자음들이 문장 안에 갇힌 말썽쟁이 아이처럼 깡충깡충 뛰어다녔다.

오베가 아멜의 머리 위에 있는 온풍기를 흥미롭게 바라보았다. 그러고는 높고 둥근 의자에 앉은 고양이를 바라보았다. 그리고는 아드리안이 여전히 들고 있는 공구 상자를 바라보았다. 그리고는 다시 온풍기를 바라보았다. 마지막으로 아멜을 보았다.

"내가 저걸 고쳐주면, 고양이는 여기 있는 걸로 하지요."

그는 이 말을 질문이라기보다는 사실을 진술하듯 말했다. 아멜은 잠시 냉정함을 잃어버린 듯 보였다. 그가 정신줄을 다시 잡았을 때, 그는 나중에도 아마 잘 설명할 수 없는 과정을 거쳐 사다리에 올라선 사람이 아니라 사다리를 잡고 있는 사람이 되어 있었다. 오베는 위에서 몇 분 정도 여기저기를 찔러 보더니 사다리에서 내려와 바지에 손바닥을 닦고는 검댕 소년에게 드라이버와 스패너를 건네주었다.

"당신, 고쳤군!" 온풍기가 칙칙거리며 되살아나자 갑자기 아멜이 소리를 질렀다.

그가 야단스러운 태도로 오베의 어깨를 잡았다,

"위스키? 원해요? 주방에 위스키 있는데!"

오베가 시계를 보았다. 오후 2시 15분이었다.

오베는 일부는 위스키 때문에, 그리고 일부는 여전히 그를 붙들고 있는 아멜 때문에 조금 불편한 표정으로 고개를 저었다. 검댕 소년은 카운터 뒤의 주방 문을 통해 사라졌다. 그는 여전히 미친 듯이 눈을 문질러대고 있었다.

* * *

아드리안이 사브로 돌아가는 오베와 고양이를 붙들었다.

"오베 아저씨, 미르사드가…… 그렇다는 사실에 대해 아무 말도 하지 않으실……."

"누구?"

"사장요." 아드리안이 말했다. "눈에 화장한 친구."

"그 호모?" 오베가 말했다.

아드리안이 끄덕였다.

"그러니까 걔 아빠, 그러니까 아멜이요…… 그분은 몰라요, 미르사드가……."

아드리안이 적절한 단어를 찾아 더듬거렸다.

"호모라는 거?" 오베가 덧붙였다.

아드리안이 끄덕였다. 오베가 어깨를 으쓱했다. 파르바네가 몸을 이리저리 흔들며 그들 뒤를 따라왔다. 숨을 헐떡이고 있었다.

"어디 갔다 온 거요?" 오베가 물었다.

"저 사람한테 잔돈을 줬어요." 파르바네가 건물 벽 옆에 있는 더러운 턱수염 남자 쪽으로 고개를 끄덕이며 말했다.

"그 돈을 슈냅스나 마시는 데 쓸 거라는 걸 알 텐데." 오베가 말했다.

파르바네가 눈을 크게 떴다. 오베는 그녀가 그러는 게 아무래도 일종의 빈정거림 같다는 강한 느낌을 받았다. "진짜요? 그럴까나? 나는 저 사람이 저 돈을 자기가 입자물리학을 전공한 대학에다 학자금 대출을 갚는 데 쓰길 무우척 바라고 있었는데!"

오베가 씩씩거리며 사브 문을 열었다. 아드리안이 차 반대편에 계속 서 있었다.

"왜?" 오베가 물었다.

"미르사드에 대해 아무 말 안 할 거죠? 그래줄 거죠? 진짜로?"

"대체 내가 왜 그런 말을 해야 하는데?" 오베가 화가 나서 그를 가리켰다. "너! 너 프랑스제 차를 사고 싶댔지. 네 걱정이나 하세요. 네 문제만 해도 충분히 심각해."

30
오베라는 남자와 그가 없는 사회

오베가 묘석의 눈을 털었다. 얼어붙은 땅을 힘껏 파헤친 다음 새 꽃을 다시 심었다. 그는 일어서서 옷에 묻은 먼지를 털고, 무력하게 그녀의 이름을 보고, 자신에게 수치심을 느꼈다. 언제나 그녀에게 늦는다고 구박받던 남자. 이제 그는 여기 홀로 서 있었다. 계획했던 일정에 맞춰 그녀의 뒤를 따르는 건 이제 아무래도 어렵게 됐다.

"진짜 빌어먹을 아수라장이었어." 그가 묘석에 대고 중얼거렸다.

그리고 다시 침묵했다.

그는 그녀의 장례식 이후 자기에게 무슨 일이 벌어졌는지 몰랐다. 하루와 한 주가 한데 뭉친 채 완전한 침묵 속에서 흘러갔고, 그는 자기가 정확히 뭘 하고 있는지 거의 설명할 수가 없었다. 소냐가 죽고 난 뒤 파르바네와 패트릭이 그의 우편함을 들이받기 전까지 그는 다른 인간에게 말을 걸어본 기억이 없었다.

어느 저녁에는 먹는 걸 잊었다. 그가 기억하기로 예전에는 결코 그런 일이 없었다. 그가 거의 40년 전 그 기차에 그녀와 함께 앉았던 이후로는. 소냐가 거기 있었고 그들이 일상을 누리던 동안에는. 오베는 6시에 15분 전에 일어나 커피를 만들고, 시찰을 나갔다. 소냐는 6시 30분까지 샤워를 했고, 그 뒤 그들은 아침을 먹고 커피를 마셨다. 소냐는 계란을 먹었다. 오베는 빵을 먹었다. 7시 5분 전, 오베는 그녀를 사브의 조수석에 태우고 휠체어를 트렁크에 넣은 뒤 그녀를 학교까지 태워갔다. 그런 다음 출근을 하러 갔다. 10시 15분 전에는 따로 커피 타임을 가졌다. 소냐는 커피에 우유를 넣었다. 오베는 블랙을 마셨다. 12시에 그들은 점심을 먹었다. 3시 15분 전에는 다시 커피 타임을 가졌다. 5시 15분에 오베는 학교 앞마당으로 소냐를 데리러 나가 조수석에 그녀를 태우고 트렁크에 휠체어를 넣었다. 6시 정각에는 부엌 식탁에 앉아 저녁을 먹었는데, 보통 고기와 감자와 소스였다. 오베가 제일 좋아하는 메뉴였다. 식사가 끝나면 그녀는 무릎을 끌어안은 채 소파에 앉아 십자말풀이를 했고 오베는 헛간에서 빈둥거리다 뉴스를 봤다. 9시 30분 전에 오베는 그녀를 위층 침실로 데려갔다. 그녀는 오랫동안 자기 잠자리를 아래층 손님방으로 옮겨달라고 잔소리를 해댔지만 오베는 거부했다. 10년쯤 지나서야 그녀는 그가 그러는 게, 포기할 의사가 없다는 결심을 그녀에게 보여주는 방식이라는 걸 깨달았다. 하나님과 우주와 기타 세상 모든 것이 이기도록 놔두지는 않겠다는 의지. 돼지 새끼들은 지옥에나 가라는 의지. 그래서 그녀는 불평을 멈췄다.

금요일 저녁이면 그들은 10시 30분까지 TV를 봤다. 토요일에는 늦은 아침을 먹었는데, 때로는 8시에도 먹었다. 그리고는 볼 일을 보러 나갔다. 건축 자재 상점, 가구점, 원예 용품점. 소냐는 영양토를 사곤 했고 오베는 공구 구경을 좋아했다. 그들이 사는 곳은 작은 마당이 딸린 조그만 이층집 뿐이었지만, 언제나 뭔가를 심고 지을 게 있어 보였다. 돌아오는 길에 그들은 아이스크림을 먹으러 잠시 발길을 멈췄다. 소냐는 초콜릿이 첨가된 것을, 오베는 견과류가 박힌 걸 먹었다. 아이스크림 값은 1년에 1크로나씩 올랐고, 그러면 오베는 소냐의 말에 따르자면, 울화통을 터뜨렸다. 집에 돌아오면 그녀는 작은 테라스 문을 통해 안뜰로 휠체어를 몰고 갔고, 오베는 그녀가 휠체어에서 내려올 수 있도록 도운 다음 그녀가 아끼는 화단에서 원예 일을 할 수 있도록 땅 위로 부드럽게 그녀를 내려주었다. 그녀가 화단에 있는 동안 오베는 드라이버를 챙겨들고 집 안으로 사라지곤 했다. 집 수선이 최고였다. 절대 끝나지 않았다. 드라이버로 조일 곳이 늘 있었다.

일요일이면 그들은 카페에 가서 커피를 마셨다. 오베는 신문을 읽었고 소냐는 이야기를 했다. 그러면 월요일이 돌아왔다.

그리고 어느 월요일, 그녀는 더 이상 세상에 없었다.

오베는 자기가 언제부터 말을 안 하고 살았는지 정확히 몰랐다. 그는 언제나 과묵하긴 했지만 이 경우는 완전히 달랐다. 어쩌면 그는 자기 머릿속에서 더 많은 이야기를 시작한 것인지도 몰랐다. 어쩌면 그는 미쳐가고 있었는지도 몰랐다(그는 때때로 그 점이 몹시도 궁금했다). 마치 다른 사람들이 자기에게 말을 걸길 바라지 않는 것 같았다. 그들이 떠드는 목소리가 그녀의 목소리에 대한 기억을 끄집어낼까봐 두려워하는 것 같았다.

그는 자기 손가락이 묘석을 부드럽게 가로지르며 움직이도록 놓아두었다. 마치 무척 두꺼운 융단에 달린 술을 쓰다듬듯이. 그는 '자신을 발견한다'는 둥 하면서 시끄럽게 떠드는 젊은이들을 결코 이해하지 못했다. 그는 삼십 대 직원들이 쉴 새 없이 떠들어대는 소리를 듣곤 했다. 그들은 자기들이 더 많은 '여유 시간'을 얼마나 원하는지 같은 이야기만 해댔다. 마치 그게 일을 하는 유일한 목표인 양. 더 이상 일을 안 해도 되는 지점까지 이르는 게 목표인 양. 소냐는 오베가 '세상에서 가장 융통성 없는 남자'라며 웃곤 했다. 오베는 그걸 모욕으로 여기지 않았다. 그는 세상사에는 질서가 있어야 한다고 생각했다. 반복되는 일상이 있어야 했고 그 일상에서 안정감을 느낄 수 있어야 했다. 그는 그게 어떻게 못된 성질머리가 될 수 있는지 알 수가 없었다.

소냐는 사람들에게 일시적인 정신적 혼란의 순간이었던 1980

년대 중반에 자기가 오베를 설득해서 빨간색 사브를 사도록 했던 시절에 대해 얘기하곤 했다. 그가 언제나 파란색 사브를 몰고 다닌다는 걸 알았는데도 말이다. "오베 인생에서 최악의 삼 년이었어요." 소냐가 킥킥거렸다. 그 뒤 오베는 파란색 사브 말고는 절대로 몰지 않았다. "다른 집 아내들은 자기가 머리를 새로 한 걸 남편들이 못 알아본다는 이유로 짜증을 내잖아요. 제가 머리를 하니까 우리 남편은 내가 달라졌다고 며칠 동안 짜증을 내더라고요." 소냐는 그렇게 말하곤 했다. 그게 오베가 무엇보다 그리워하는 것이다. 모든 것이 늘 같은 것.

오베는 사람들은 제 역할이 필요하다고 믿었다. 그는 언제나 제 역할을 했고, 누구도 그에게서 그걸 빼앗아갈 수 없다.

* * *

오베가 파란색 사브 9-5 스테이션 웨건을 산 지 13년째 되던 해였다. 얼마 지나지 않아 제너럴 모터스의 양키들이 스웨덴인들이 쥐고 있던 사브의 마지막 주식을 샀다. 그날 아침 오베는 신문을 덮고 내내 욕을 해대더니 오후 대부분을 계속 욕설을 내뱉으며 보냈다. 그는 다시는 차를 사지 않았다. 미제 차에다 발을 올려놓을 의향은 눈곱만큼도 없었다. 자기 발과 나머지 몸뚱이가 관 속에 들어가지 않는 한 말이다. 양키 놈들은 그 점을 제대로 알고 있어야 했다. 물론 소냐도 그 기사를 읽었다. 그녀는 회사의 국적과 관련된 그 사건과 관련해 오베가 갖고 있는 엄격한 관점에 대해 분명한 이의를 제기했지만 아무 것도 바뀐 건 없었다.

오베는 그렇게 마음을 정했고 그 생각은 지금도 확고했다. 그는 계속 그 차를 몰고 다닐 것이었다. 자기와 차 중 하나가 망가지지 않는 한. 어느 쪽이건 제대로 된 차는 더 이상 만들어지지 않고 있다고 그는 생각을 굳혔다. 이제 차 안에는 수많은 전자기기와 쓸데없는 것들만 들어차 있을 뿐이었다. 컴퓨터를 운전하는 것과 다를 바 없었다. '보증 기간이 지났다'고 징징거리는 제조업체들 없이는 그것들을 떼어낼 수도 없었다. 그러니 이렇게 사는 게 나았다. 소냐가 한번은 오베가 땅에 묻히는 날 슬픔 때문에 차도 망가질 거라고 말한 적이 있었다. 어쩌면 그건 사실일 터였다.

"하지만 모든 것에는 때가 있게 마련이에요." 그녀는 또한 그렇게 말했다. 자주. 예를 들면 의사가 4년 전 그녀에게 진단 결과를 알려주었을 때. 그녀는 자기가 오베보다 더 쉽게 신과 우주와 만물을 용서했다는 사실을 깨달았다. 오베가 대신 화를 냈다. 어쩌면 그는 사악한 만물이 자기가 만났던 단 한 사람, 그에게는 과분했던 그 사람을 공격하는 것처럼 보였을 때, 누군가 그녀 편에서 화를 내야 한다고 느꼈을 수도 있다.

그래서 그는 세상 전체와 싸웠다. 그는 병원 직원과 싸웠고, 전문의와 싸웠고, 외과 과장과 싸웠다. 그는 하얀 셔츠의 사내들과 싸웠고, 점점 더 수가 늘어나는 통에 나중에는 이름만 간신히 기억할 수 있었던 시의회 의원들과 싸웠다. 이 경우에는 이런 보험 증서가, 저 경우에는 저런 보험 증서가 필요했다. 소냐가 아프기 때문에 연락해야 하는 사람이 있었고 그녀가 휠체어를 사용하기 때문에 연락해야 하는 사람이 있었다. 세 번째 담당자에게 연락한 결과 그녀가 직장에 나가지 않아도 된다고 했다. 오베는 그녀가 정말로 원하는 건 일터에 나가는 것이라는 점을 설득하고자 빌어먹을 관계 기관의 네 번째 담당자에게 연락을 해야 했다.

하얀 셔츠의 사내들과 싸우는 건 불가능했다. 진단 결과와도 싸울 수 없었다.

그녀는 암에 걸렸다.

"우리는 병을 있는 그대로 받아들여야 해요." 소냐가 말했다. 그리고 그게 그들이 했던 일이었다. 그녀는 자신의 사랑스러운 말썽꾼들과 함께 할 수 있는 한 오랫동안 일을 계속했고, 그때까지 오베는 그녀를 매일 아침 교실로 데려가야 했다. 그녀가 더이상 혼자 휠체어를 밀고 들어갈 수 없었기 때문이었다. 1년 뒤 그녀는 주간 근무 시간을 75퍼센트로 낮췄다. 2년 뒤에는 50퍼센트로 줄였다. 3년 뒤에는 25퍼센트가 되었다. 마침내 집에 가야 했을 때, 그녀는 학생들 각각에게 긴 편지를 쓰면서 이야기를 할 사람이 필요하면 꼭 연락을 달라고 했다.

거의 대부분이 연락을 했다. 줄지어 찾아왔다. 어느 주말에는 이층집에 사람이 너무 많이 들어와서 오베는 밖으로 나가 여섯 시간 동안 헛간에 앉아 있어야 했다. 그날 저녁 마지막 학생이 떠난 뒤 그는 집을 꼼꼼히 둘러보며 뭐라도 없어진 게 없는지 확인했다. 평소대로였다. 소냐가 냉장고에 든 계란 숫자 세는 거 까먹지 말라고 그를 부를 때까지 그렇게 했다. 그러고는 포기했다. 그녀가 그를 보며 웃는 동안 그는 그녀를 위층으로 데려갔다. 그는 그녀를 침대에 눕혔고, 그녀는 잠들 때까지 그에게 기대 있었다. 손가락을 그의 손바닥에 숨겼다. 자기 코로 그의 쇄골 아래로 파고들었다.

"하나님이 우리 아이를 데려갔어요, 사랑하는 오베. 하지만 수천의 다른 아이들을 주셨지요."

4년째 되던 해 그녀는 죽었다.

이제 그는 묘지에 서서 그녀의 묘석을 손으로 만지고 있었다. 몇 번이고 다시. 마치 그녀를 문질러 되살려내기라도 하려는 것처럼.

"이번에는 진짜 할 거요. 당신이 안 좋아하는 건 알아. 나도 좋진 않고." 그가 낮은 목소리로 말했다.

그가 심호흡을 했다. 그녀가 자기더러 그러지 말라고 설득하려는 것에 맞서 마음을 단단히 먹기라도 해야 한다는 듯.

"내일 봅시다." 그는 단호하게 말하고는 눈을 쿵쿵 밟으며 걸어갔다. 그녀에게 항의할 기회를 주고 싶지 않은 것 같았다.

그는 주차 구역으로 난 작은 길을 따라 걸었다. 고양이가 그의 뒤를 졸졸 따랐다. 묘지의 검은색 문을 통과해 사브 주위를 한 바퀴 돌았다. 여전히 뒷문에 초보 운전 표시가 붙어 있었다. 그가 조수석 문을 열었다. 파르바네가 그를 보고 있었다. 그녀의 커다란 갈색 눈이 공감으로 가득했다.

"생각을 좀 해봤는데요." 그녀가 사브의 기어를 넣어 차를 빼면서 조심스럽게 말했다.

"하지 마."

하지만 그녀는 말을 멈출 수 없었다.

"제가 집을 청소하는 걸 도와드릴 수 있을 것 같다는 생각을 했어요. 소냐의 물건들을 상자에 넣어서……."

그녀가 소냐의 이름을 꺼내자마자 오베의 얼굴이 어두워졌다. 분노가 그의 얼굴을 가면처럼 딱딱하게 만들었다.

"한 마디도 더 하지 마." 그가 차 안에서 쩌렁쩌렁 소리를 질렀다.

"하지만 저는 그저 생각……."

"빌어먹을 한 마디도 더 하지 말라고! 알아들었어?"

파르바네가 고개를 끄덕이고 침묵했다. 오베는 분노로 몸을 떨면서 집까지 가는 내내 창밖을 보았다.

31

오베라는 남자가
트레일러를 후진시키다. 또다시.

다음 날 아침, 그는 고양이를 내보내고 나서 다락에서 소냐 아버지의 오래된 라이플을 꺼냈다. 그는 무기에 대한 자신의 반감이, 이 작고 조용한 집에 그녀가 남겨놓고 간 빈 공간에 대한 혐오보다는 결코 클 수 없다는 결론을 내렸다. 이제 때가 됐다.

하지만 어딘가의 누군가는, 그의 자살을 막을 수 있는 유일한 방법을 아는 것 같았다. 그 일을 못할 만큼 화가 나는 일을 그의 앞에 턱 갖다놓는 것이라는 사실 말이다.

이런 연유로, 그는 주택 사이의 작은 도로에 서서 반항적으로 팔짱을 낀 채 하얀 셔츠의 사내를 보면서 말했다.

"TV에 볼 게 아무것도 없어서 여기 서 있는 거야."

하얀 셔츠의 남자는 그간 대화를 하는 내내 감정을 조금도 내비치지 않은 채 오베를 관찰해왔다. 사실 오베가 하얀 셔츠의 남자를 만날 때마다 그는 사람보다는 로봇에 더 가까워 보였다. 오베의 인생에 뛰어들어왔던 다른 하얀 셔츠들과 마찬가지로. 사고 뒤 소냐가 죽을 거라고 말했던 사람들, 자신이 책임지지도, 다른 사람들에게 책임을 물으려고도 하지 않은 사람들. 학교에 장애인용 경사로를 설치하지 않으려 했던 사람들. 그녀가 일을 하도록 놔두고 싶어하지 않았던 사람들. 자기들이 보험금을 지불하지 않아도 된다는 사실을 의미하는 조항을 찾아내고자 조그맣게 인쇄된 구절들을 샅샅이 살펴보던 사람들. 그녀를 집에 밀어 넣고 싶어했던 사람들.

그들은 하나같이 텅 빈 눈을 하고 있었다. 자기들은 그저 주변을 어슬렁거리며 평범한 사람들을 마모시키다가 결국에는 그들의 삶을 갈기갈기 찢어버리는, 반짝거리는 껍데기에 불과하다는 듯.

하지만 오베가 TV에 볼 게 없다는 말을 했을 때, 그는 하얀 셔츠의 관자놀이가 실룩이는 걸 보았다. 어쩌면 순간 터져 나온 욕구 불만일 수도 있다. 놀라움에 찬 분노일 수도 있을 것이다. 순수한 경멸일 가능성이 제일 높겠지만. 오베는 자기가 하얀 셔츠의 성질을 건드리는 데 성공한 게 처음이라는 사실을 알아차렸다. 어떤 하얀 셔츠에게도 그러지 못했는데.

하얀 셔츠의 남자는 턱을 꽉 다물고는 몸을 돌려 걸어가기 시작했다. 모든 걸 장악하고 있는 시의회 공무원의 침착하고 객관적인 걸음걸이가 아니었다. 다른 무언가였다. 분노. 초조함. 앙심을 품은 걸음.

오베는 이렇게 자기를 기분 좋게 한 게 그 오랜 시간 동안 또 뭐가 있었는지 기억이 안 났다.

물론 그는 오늘 죽을 심산이었다. 아침 식사를 마치는 대로 조용하고 평화롭게 머리에 한 방 날리려는 계획을 세웠었다. 부엌을 정리하고 고양이를 내보내고 좋아하는 안락의자에 편안히 자세를 잡았다. 이 시간이면 고양이가 매번 집 밖에 내보내달라고 했기 때문에 이렇게 계획을 짰다. 오베가 그 고양이에 대해 참으로 감사하는 몇 안 되는 특징 중 하나는, 녀석이 다른 사람 집에 똥 싸는 걸 꺼린다는 점이었다. 오베도 그랬다.

하지만 그때 당연하게도, 파르바네가 찾아와 거세게 문을 두드렸다. 마치 오베의 집 대문이 문명 세계에서 마지막으로 작동하는 화장실인 것처럼. 그 여자에게는 오줌을 쌀 수 있는 집이 없기라도 한 것처럼. 오베는 그녀가 라이플을 보고 간섭하지 못하게 하고자 라디에이터 뒤에 숨겼다. 그가 문을 열자 그녀는 다소 강압적인 태도로 오베가 거부하기도 전에 그의 손에 자기 휴대폰을 쥐여줬다.

"이게 뭐요?" 그가 물었다. 휴대폰은 마치 나쁜 냄새를 풍기는 물건처럼 그의 검지와 엄지 사이에 잡혀 있었다.

"당신 전화예요." 파르바네가 끙끙댔다. 배를 붙든 채 이마에 흐르는 땀을 닦아내고 있었다. 밖은 영하인데도. "그 기자요."

"내가 그 여자 휴대폰 가지고 뭘 하라고?"

"맙소사. 그 여자 휴대폰 아니에요. 제 거라고요. 지금 전화를 걸었다니까!" 파르바네가 조바심을 내며 말했다.

그런 다음 그녀는 오베가 항의하기도 전에 그를 지나쳐 화장실로 달려갔다.

"네." 오베는 자기가 계속 파르바네와 얘기하고 있는지 수화기 저편의 사람과 말을 하는지 살짝 헷갈리는 상태로 휴대폰을 귀에서 몇 센티미터 떨어진 위치로 들어 올렸다.

"안녕하세요!" 여기자 레나가 소리를 질렀다. 오베는 휴대폰을 귀에서 더 떼는 게 현명한 일일 것 같다고 느꼈다. "그래, 이제 인터뷰할 준비 되셨어요?" 그녀가 지나치게 열광적인 말투로 말을 이었다.

"안 됐는데." 오베는 휴대폰을 어떻게 끄는지 알아내기 위해 전화기를 눈 앞으로 들었다.

"제가 보낸 편지 읽어보셨어요? 아니면 신문은요? 저희 신문 읽어보셨어요? 신문을 보여드려야겠다는 생각이 들었어요. 그래야 저희 기사 스타일에 대해 감을 잡으실 수 있으니까!"

오베는 부엌으로 갔다. 아드리안이 며칠 전에 갖다 준 신문과 편지를 집어 들었다.

"받아보셨죠?" 기자가 고함쳤다.

"진정 좀 해요. 읽고 있다고, 읽고 있다니까!" 오베는 전화기에 대고 소리를 지르고 나서 부엌 식탁에 몸을 기댔다.

"저는 그저 뭐가 궁금하냐면요……." 그녀가 씩씩하게 계속 말을 이었다.

"진정 좀 못하겠냐고, 이 여자야!" 오베가 버럭했다.

그 순간 오베는 창밖으로 하얀 셔츠의 남자가 스코다를 타고 자기 집 앞을 지나쳐가는 모습을 봤다.

"여보세요?" 오베가 문밖으로 뛰쳐나가기 직전에 기자가 오베를 불렀다.

"오, 맙소사." 화장실에서 나온 파르바네가 오베가 주택 사이를 따라 전속력으로 뛰어가는 걸 보고는 걱정스럽게 중얼거렸다.

하얀 셔츠의 남자가 스코다 운전석에서 내려 루네와 아니타의 집 앞에 섰다.

"더는 못 참아! 사람 말 못 알아들어? 거주자 구역에서는 차를 운전하면 안 된다고! 단 일 미터도! 알아들었냐고!" 그의 앞에 가기도 전에 오베가 멀리서 소리를 질러댔다.

하얀 셔츠를 입은 남자는 지극히 거만하고 차분한 태도로 오베의 시선을 받으며 상의 주머니에 담뱃갑을 집어넣었다.

"허가를 받았다니까요."

"퍽이나 받았겠다!"

하얀 셔츠의 남자가 어깨를 으쓱했다. 그저 성가신 벌레를 쫓아버리기라도 하듯.

"뭘 어쩌시려고 하는 겁니까, 오베 씨?"

그 질문이 오베를 당혹스럽게 했다. 또다시. 그가 멈췄다. 손이 분노로 부르르 떨렸고, 한껏 퍼부을 욕설이 한 바가지는 됐다. 하지만 스스로도 놀랄 정도로, 그는 그 욕설들 중 어떤 것도 꺼내들 수 없었다.

"선생이 누군지 압니다, 오베 씨. 선생 부인이 당한 사고와 부인이 걸린 병에 대해 쓴 편지들에 대해서도 다 안다고요. 선생은 우리 사무실에서 일종의 전설입니다. 그걸 아셔야죠." 하얀 셔츠의 사내가 말했다. 목소리는 조금도 흔들리지 않았다.

오베의 입이 쩍 벌어졌다. 하얀 셔츠의 남자가 그에게 고개를 끄덕였다.

"선생이 누군지 압니다. 저는 제 일을 하는 거고요. 결정은 결정입니다. 이 문제에 대해 선생이 할 수 있는 일은 없어요. 선생도 이제는 좀 깨달으셔야죠."

오베가 그를 향해 한 걸음 내딛었지만 하얀 셔츠는 손을 들어 오베의 가슴에 얹은 다음 뒤로 밀었다. 폭력적이지 않고, 공격적이지도 않게. 그저 부드럽고 단호하게, 마치 그 손이 자기 손이 아니라 시의회의 컴퓨터 센터에 있는 로봇이 조종하는 손인 양.

"가서 TV나 보세요. 선생 심장에 더 큰 문제가 생기기 전에."

스코다의 조수석에서 똑같이 하얀 셔츠를 입은 단호한 표정의 여자가 팔에 서류철을 낀 채 내렸다. 남자가 리모컨으로 삑 하는 소리를 내며 차 문을 잠갔다. 그런 다음 오베와 거기 서서 대화한 적도 없다는 듯 등을 돌렸다.

오베는 그 자리에 그대로 서 있었다. 두 주먹을 불끈 쥐고 있었고 분노에 찬 엘크처럼 턱을 앞으로 내밀고 있었다. 하얀 셔츠를 입은 사람들이 아니타와 루네의 집으로 들어갔다. 잠시 뒤 오베는 뒤를 돌아볼 수 있을 정도로 기운을 차렸다. 단단해진 분노를 품고 결심한 듯 몸을 돌리더니 파르바네의 집 쪽으로 걷기 시작했다. 파르바네가 집으로 올라가는 길 중간에 서 있었다.

"당신네 그 쓸모없는 남편 집에 있나?" 오베는 그렇게 으르렁대고는 대답을 기다리지도 않고 그녀를 지나쳤다.

파르바네는 오베가 성큼성큼 네 걸음 만에 현관문에 닿기 전에 겨우 고개만 끄덕일 수 있었다. 패트릭이 문을 열었다. 목발을 짚은 채 서 있었고, 깁스가 몸의 절반을 덮고 있었다.

"안녕하세요, 오베!" 그가 활기차게 소리치며 목발을 흔들려고 했다. 그러자 효과가 즉시 나타나 몸의 균형을 잃고 비틀거리며 벽 쪽으로 넘어질 뻔했다.

"당신이 이사 올 때 쓴 트레일러. 그거 어디서 났지?" 오베가 물었다.

패트릭이 멀쩡한 쪽 팔을 사용해서 벽에 몸을 기댔다. 실은 자기가 비틀거린 게 아니라 벽에 기댈 생각이었던 것처럼 보이고 싶은 게 분명했다.

"네? 아…… 그 트레일러요. 직장 친구한테 빌렸는데요……."

"전화해. 다시 빌려야겠다고."

이게 오베가 오늘 죽지 않은 이유였다. 그의 관심을 끌 정도로 충분히 화를 돋운 일에 붙들리는 바람에.

하얀 셔츠의 남자와 여자가 약 한 시간 뒤 루네와 아니타의 집에서 나왔을 때, 그들은 시청 로고가 붙은 자기들의 작고 하얀 차가 커다란 트레일러 때문에 막다른 골목에 몰려 있는 걸 발견했다. 그들이 집 안에 있던 동안 누군가 그들이 돌아갈 길 전체를 막을 정도로 정확하게 트레일러를 주차시킨 게 틀림없었다. 거의 일부러 그랬다고 봐도 무방할 정도였다.

여자는 진짜로 어리둥절한 표정을 지었다. 하지만 하얀 셔츠의 남자는 즉시 오베를 향해 걸어갔다.

"선생 짓입니까?"

오베가 팔짱을 끼고 그를 싸늘하게 보았다.

"아니."

하얀 셔츠의 사내가 오만한 태도로 미소를 지었다. 언제나 자기들 뜻대로 일을 처리하는 데 익숙한 하얀 셔츠의 사람들이 누군가 자기들과 의견이 다를 때 짓는 딱 그 미소였다.

"당장 치워요."

"안 되겠는데." 오베가 말했다.

하얀 셔츠의 남자가 한숨을 쉬었다. 아이에게 지시하고 나서 협박 성명이라도 내듯.

"트레일러 치우시죠, 오베 씨. 안 그러면 경찰을 부를 테니까."

오베가 태연하게 고개를 저으며 길 아래쪽에 있는 표지판을 가리켰다.

"자동차는 거주자 구역에 들어오는 게 금지돼 있수다. 표지판에 똑똑히 적혀 있는데."

"동네 반장인 척 굴면서 여기 서 있는 것보다 더 나은 할 일이 없는 겁니까?" 하얀 셔츠의 남자가 신음하듯 말했다.

"TV에 볼 게 없더라고." 오베가 말했다.

하얀 셔츠의 관자놀이가 살짝 씰룩인 게 바로 그때였다. 마치 그가 쓰고 있던 가면이 슬쩍, 아주 조금 미끄러진 것처럼. 그는 트레일러를 보고, 골목에 갇힌 스코다를 보고, 표지판을 보고, 팔짱을 낀 채 앞에 서 있는 오베를 보았다. 한순간 그는 오베를 폭력으로 제압할지 말지 고민하는 것처럼 보였지만, 이내 그게 무척이나 안 좋은 생각이라는 사실을 깨달은 것 같았다.

"이건 정말 어리석은 짓이었습니다, 오베 씨. 정말, 정말 어리석었어요." 마침내 그가 씩씩거렸다.

그의 푸른 눈에 처음으로 순수한 분노가 들어찼다. 오베의 얼굴에는 아무런 감정도 나타나지 않았다. 하얀 셔츠의 남자가 차고를 지나 큰길 방향으로 걸어갔다. 이 이야기가 절대 이렇게 끝나지 않을 것이라는 듯한 걸음으로.

서류를 든 여자가 황급히 그를 따라갔다.

아마 사람들은 오베가 눈에 승리의 기쁨을 담고 그들을 보리라 기대했을 것이다. 오베 본인도 사실은 이리 될 거라 기대했을 거라고. 하지만 대신 그는 그저 슬프고 지쳐 보였다. 몇 달째 잠도 못 잔 것처럼. 더 이상 팔을 들 힘도 없는 것처럼. 그는 주머니에 손을 슥 집어넣고 집으로 돌아갔다. 하지만 현관문을 닫은 지 얼마 지나지도 않아 누군가 문을 다시 두드려대기 시작했다.

"그 사람들이 아니타에게서 루네를 빼앗아 갈 거예요." 파르바네가 오베가 문 손잡이를 잡기도 전에 현관문을 홱 열어젖히며 다급히 말했다.

"파르바네……." 오베가 피곤한 듯 씨근거렸다.

그의 목소리에서 명백히 드러나는 체념이 파르바네와, 그녀의 뒤에 서 있던 아니타 모두를 놀라게 했다. 어쩌면 오베도 자기 목소리에 놀랐을지 모른다. 그는 재빨리 코로 숨을 들이쉬었다. 아니타를 보았다. 그녀는 전보다 더 창백하고 핼쑥해 보였다. 두 눈이 빨갛게 부어 있었다.

"그 사람들이 이번 주에 와서 그이를 데려간대요. 제가 혼자 그이를 돌볼 수가 없다면서요." 그녀가 말했다. 목소리가 어찌나 가냘픈지 입술에서 겨우 빠져나오는 것 같았다.

"뭔가 해야 돼요!" 파르바네가 그를 붙들며 소리쳤다.

오베는 팔을 뿌리치고 그녀의 시선을 피했다.

"파르바네! 그 사람들 몇 년은 안 와. 이 건으로 민원을 제기하면 그 관료제 똥덩어리 단계들을 전부 다 거치게 될 거라고." 오베가 말했다.

그는 자기가 실제로 느끼는 것보다 더 확신을 가지고 이야기하려 애썼다. 하지만 그는 이에 대해 어떻게 정확히 설명을 할지 신경 쓸 기력이 없었다. 그는 그저 그들이 떠났으면 싶었다.

"지금 무슨 말씀을 하는지도 모르고 있잖아요!" 파르바네가 고함쳤다.

"무슨 말을 하는지 모르는 건 당신이야. 시의회와 아무 관계도 맺어본 적 없잖아. 그 사람들이랑 싸우는 게 어떤 기분인지도 모르고." 그가 단조로운 목소리로 대답했다. 그의 어깨가 축 늘어졌다.

"하지만 당신은 말을……." 그녀가 더듬거리는 목소리로 말을 꺼냈다. 그 자리에 서 있는 동안에도 오베의 몸에서 모든 힘이 다 빠져나가고 있는 것 같았다.

아마도 아니타의 기진맥진한 얼굴을 봐서였을 것이다. 더 큰 견지에서 보면 이 단순한 전투에서 이겼다는 건 아무 것도 아니라는 깨달음 때문이었을 것이다. 스코다가 갇혀 있건 말건 아무 차이도 없었다. 그들은 언제나 돌아온다. 그들이 소냐에게 그랬던 것처럼. 그들이 언제나 그랬던 것처럼. 조항들과 서류들을 들고. 하얀 셔츠의 남자들이 언제나 이긴다. 오베 같은 남자는 언제나 소냐 같은 사람을 잃는다. 아무도 그에게 그녀를 되돌려주지 못한다.

결국 부엌 조리대에 기름칠을 하는 것보다 더 의미 있는 일이라곤 하지도 않는 하루하루가 길게 이어지는 것 외에 아무것도 남는 게 없었다. 오베는 더는 극복할 수가 없었다. 그는 그 어느 때보다 지금 이 순간 확실히 느꼈다. 그는 더 이상 싸울 수 없었다. 더 이상 싸우고 싶지도 않았다. 그저 모든 게 다 멈추기만을 바랐다.

파르바네는 계속 그에게 반박하려 했지만 그는 그냥 문을 닫았다. 그녀가 문을 쾅쾅 두드렸지만 그는 듣지 않았다. 그는 현관의 의자에 주저앉아 자기 손이 떨리는 걸 느꼈다. 심장이 정말로 세게 뛰는 바람에 귀가 폭발할 것 같았다. 마치 거대한 어둠이 숨통을 걷어차기라도 한 것처럼, 가슴의 압박이 20분 넘도록 잦아들 기미를 보이지 않았다.

오베는 울기 시작했다.

32
오베라는 남자는
망할 놈의 호텔 주인이 아니다

예전에 소냐는 오베와 루네 같은 남자들을 이해하기 위해서
는 그들이 시대를 잘못 만난 사람이라는 것을 가장 먼저 이해해
야 한다고 말한 적이 있었다. 그들은 인생에서 몇 가지 단순한
것들을 바랄 뿐이라고 그녀는 말했다. 머리 위 지붕, 조용한 동
네, 똑바로 만든 자동차, 헌신할 수 있는 여성, 제대로 된 할 일이
있는 직장, 정기적으로 뭔가 망가져서 언제나 고칠 게 있는 집.

"사람들은 모두 품위 있는 삶을 원해요. 품위란 다른 사람들
과는 구별되는 무언가를 뜻하는 거고요." 소냐는 그렇게 말했다.
오베와 루네 같은 남자들에게 품위란, 다 큰 사람은 스스로 자기
일을 처리해야 한다는 사실을 뜻했다. 따라서 품위라는 건 어른
이 되어 다른 사람에게 의존하지 않게 되는 권리라고 할 수 있

었다. 스스로를 통제한다는 자부심. 올바르게 산다는 자부심. 어떤 길을 택하고 버려야 하는지 아는 것. 나사를 어떻게 돌리고 돌리지 말아야 하는지를 안다는 자부심. 오베와 루네 같은 남자들은 인간이 말로 떠드는 게 아니라 행동하는 존재였던 세대에서 온 사람들이었다.

물론 소냐는 오베가 자기의 이름 없는 분노를 어떻게 끌어안고 살아야 할지 모른다는 사실을 알았다. 그는 거기에 이름표를 붙일 필요가 있었다. 분류할 방법이 필요했다. 그래서 시의회의 하얀 셔츠를 입은 남자들, 평범한 사람들이 식별할 수 없는 이름을 가진 그자들이 그녀가 원치 않는 일들을 하려 할 때―일을 못하게 하고, 집에서 끌어내려 하고, 걸을 수 있는 건강한 사람들보다 가치가 떨어지는 존재라고 암시하고, 그녀가 죽어간다고 우기려 했다―오베는 그들과 싸웠다. 서류들과 신문 투고와 민원 제기로, 학교에 이동 경사로를 설치하는 사소한 문제에 이르기까지 전부. 그는 그녀를 위해 하얀 셔츠의 남자들과 정말로 끈덕지게 싸운 나머지 끝내는 그녀에게 일어난 모든 일을 그들 개인의 책임으로 돌리기 시작했다. 아이에게 일어난 일도.

그러고 나서 그녀는 더는 이해할 수 없는 언어를 사용하는 세상에 그를 혼자 남겨두고 떠났다.

그날 밤 늦게 오베는 고양이와 함께 저녁을 먹고 TV를 잠시 보고 나서, 거실의 불을 끄고 위층으로 올라갔다. 고양이가 조심스레 그를 따랐다. 마치 그가 이제부터 자기에게 알리지 않은 짓을 하리라는 걸 감지한 듯. 고양이는 오베가 잠옷으로 갈아입는 동안 침실 바닥에 앉아 마술쇼의 속임수를 이해하려는 것 같은 표정을 짓고 있었다.

오베는 침대로 들어가, 그 빌어먹을 고양이가 소냐의 자리에 누워 잠이 들 때까지 한 시간쯤 누워 있었다. 고양이에 대한 책임감이 여전히 남아 있다는 이유 때문에 이 고생을 하는 게 아니었다. 그저 헛고생을 할 기력이 없을 뿐이었다. 자기 털도 돌보지 못하는 동물에게 삶과 죽음의 개념을 설명할 수 있을 거라고는 기대도 하지 않았다.

마침내 고양이가 소냐의 베개로 데굴데굴 굴러가 입을 벌리고 코를 골기 시작하자 오베는 고양이가 모르게, 가능한 한 날렵하게 침대에서 빠져나왔다. 거실로 내려가 라디에이터 뒤에 숨겨뒀던 라이플을 꺼냈다. 헛간에서 챙겨와 고양이가 보지 못하게 청소 도구용 벽장에 숨겨놓았던 튼튼한 방수포 네 장도 꺼냈다. 방수포를 현관 벽에 테이프로 붙이기 시작했다. 나름 숙고를 거친 끝에 오베는 이곳이 그 행위를 저지르기에는 최적의 장소라는 결론을 내렸는데, 여기가 표면적이 제일 작은 구역이기 때문이었다. 그는 사람이 자기 머리를 총으로 쏘면 피가 상당히 튈 거라 예상하고는 자기가 자살을 해야 하는 것보다 집을 난장판으로 해놓고 떠나게 생겼다는 사실에 더 진저리를 쳤다. 소냐는 그가 집 안을 어질러놓을 때마다 늘 싫어했다.

그는 외출용 신발과 정장을 다시 입었다. 여전히 지저분하고 배기가스 냄새가 나지만 어쩔 수 없었다. 그는 라이플을 손에 들고 무게를 가늠했다. 마치 무게 중심을 살피듯. 이런 행동이 앞으로 감행할 모험에서 결정적인 역할을 담당하리라는 듯. 그는 총을 돌리고, 비틀고, 거의 반으로 접기라도 할 것처럼 총열을 굽혀보려 했다. 오베가 총기에 대해 잘 알아서가 아니었다. 누구라도 자기가 가진 장비가 쓸 만한지 어느 정도는 알고 싶어 하게 마련이었다. 그리고 오베는 라이플의 성능을 발로 차서 점검해볼 수는 없을 거라고 생각했기 때문에, 총이 어찌 되는지 보기 위해 구부리고 잡아당기는 정도는 충분히 해도 된다고 결정했다.

이러는 동안 제일 좋은 옷을 입는다는 게 어쩌면 정말 안 좋은 아이디어일지도 모른다는 생각이 그의 머리에 떠올랐다. 피가 정장에 엄청나게 튈 거라고 상상했다. 어리석어 보일지도 모른다. 그래서 그는 라이플을 내려놓고 거실로 가서 정장을 벗은 다음 잘 개어 외출용 신발 옆에 깔끔하게 놓았다. 그리고 나서 파르바네에게 남기려고 지시 사항을 전부 적어놓은 유서를 꺼내 '장례 절차' 항목 밑에다 '정장을 입히고 매장할 것'이라 쓴 뒤 정장 위에 올려놓았다. 그는 어떤 측면에서도 혼란스러운 부분이 없도록 명확하게 장례식 관련 사항을 적어두었다. 요란한 장례식과 여타 쓰레기 같은 짓은 절대 하지 말 것. 소냐 옆에 묻을 것. 그게 전부였다. 묏자리는 이미 준비해 뒀고 돈도 냈다. 운구 비용으로 쓸 현금도 봉투에 넣어뒀다.

그리하여, 양말과 속옷만 입은 오베는 현관으로 돌아가 라이플을 집어 들었다. 현관 거울에 비친 얼굴이 눈에 들어왔다. 이런 식으로 자기 모습을 본 게 아마 35년 만이지 싶었다. 여전히 근육질이고 튼튼했다. 확실히 동년배 남자들보다 훨씬 나은 체격이었다. 하지만 그의 피부에 무슨 일이 벌어지기라도 한 것인지, 마치 녹아내리고 있는 것처럼 보인다고, 그는 생각했다. 참보기 흉하다고.

집 안은 무척 조용했다. 실은 동네 전체가 다 그랬다. 모두들 자고 있었다. 그제야 오베는 총소리에 고양이가 깰지도 모른다는 사실을 깨달았다. 오베는 그 가엾은 동물에게 넋이 나갈 정도로 겁을 줄지도 모른다는 사실을 인정할 수밖에 없었다. 그는 이 문제에 대해 오랫동안 생각해보고는 단호하게 라이플을 내려놓고 부엌으로 가 라디오를 켰다. 자기 목숨을 거두는 데 음악이 필요해서도 아니고, 그가 저세상으로 가고 나서도 라디오가 전력량을 딸깍딸깍 올릴 거라는 사실이 마음에 들어서도 아니었다. 만약 고양이가 총소리에 깬다 해도 요즘 라디오에서 줄창 나오는 최신 팝송의 일부라고 생각할 것이기 때문이었다. 그러면 다시 잠들겠지. 그게 오베의 사고 과정이었다.

그가 다시 현관으로 돌아가 라이플을 집어 들었을 때, 라디오에서는 최신 팝송이 나오지 않았다. 지역 뉴스 속보가 나오는 중이었다. 오베는 그 자리에 잠시 서서 뉴스를 들었다. 자기 머리를 막 쏘려는 참에 지역 뉴스를 듣는 게 대단히 중요한 일은 아니었다. 하지만 오베는 새 소식을 잠깐 듣는 게 딱히 해될 건 없다고 생각했다. 라디오에서는 날씨 뉴스가 나왔다. 경제 소식도 나왔다. 교통 상황도. 집주인들은 이번 주말에 경계를 늦추지 말아야 한다는 뉴스가 나왔다. 많은 수의 강도들이 마을 곳곳에서 난동을 부리고 있었기 때문이다. "빌어먹을 불량배들." 오베는 그렇게 중얼거리고 라이플을 조금 꽉 잡았다. 그때 그는 그 소리를 들었다.

순수하게 객관적인 관점에서 보자면 두 명의 불량배인 아드리안과 미르사드는, 그들이 오베의 현관문을 향해 종종걸음으로 태연하게 걸어가기 전에 이미 오베가 총을 휘두르고 있었다는 사실을 인식했어야 한다. 오베가 그들이 눈을 뽀드득 뽀드득 밟고 오는 소리를 들었을 때, 그가 즉시 '손님이군, 참 좋구나!'보다는 '뭐 이런 지랄맞은 일이 다 있어!'라고 생각했을 공산이 크다는 사실을 이해하고 있어야 했을 것이다. 그랬다면 아마도 그들은 오베가 양말과 속옷만 입은 채 45년 된 사냥용 라이플을 손에 들고서 반쯤 벌거벗은 늙다리 람보처럼 문을 걸어차 열 것이라는 것을 예상했을지도 모른다. 그랬다면 아드리안이 동네 유리창들을 모두 뚫고 들어갈 만큼 찢어질 듯 높은 비명을 지르지도 않았을 테고, 공황 상태에 빠져 거의 정신이 나간 채 헛간으로 달아나지도 않았을 것이다.

몇 번의 당황스러운 듯한 외침과 상당한 소란이 있고 나서야 미르사드는 자기 정체가 보통의 불량배일뿐, 강도 불량배는 아니라는 사실을 소명할 시간을 갖게 되었고, 오베도 지금 벌어지는 일에 대처할 시간을 갖게 되었다. 그렇게 상황이 정리되기 전까지 그는 그들에게 라이플을 휘둘러댔고, 그 때문에 아드리안은 마치 공습경보처럼 비명을 질러댔다.

"조용해! 빌어먹을 고양이 깨겠어!" 아드리안이 뒤로 휘청하자 오베가 화를 내며 쉿 하는 소리를 냈다. 아드리안의 이마에는 중간 크기의 라비올리 봉지만 한 혹이 나 있었다.

"대체 여기서 뭘 하고 있는 거야?" 오베가 분통을 터뜨렸다. 총은 여전히 그들을 겨누고 있었다. "빌어먹을 한밤중이라고!"

미르사드가 손에 든 커다란 가방을 부드럽게 내려놓았다. 아드리안은 막 강도라도 당하는 중인 듯 충동적으로 손을 번쩍 들었다가 다시 중심을 잃고 눈 위에 넘어졌다.

"아드리안 생각이었어요." 미르사드가 발밑을 내려다보며 말을 꺼냈다.

"미르사드가 오늘 커밍아웃했어요!" 아드리안이 불쑥 말했다.

"뭘 해?"

"그러니까, 커밍아웃을 했다고요. 사람들에게 자기가……." 아드리안이 다시 말을 했지만 그는 살짝 넋이 나간 듯 보였다. 일부는 씩씩거리는 노인이 속옷 바람으로 자기에게 총을 겨누고 있다는 사실 때문에, 일부는 자기가 일종의 타박상을 입은 게 점점 확실해지고 있기 때문이었다.

미르사드가 몸을 펴고 오베를 향해 무척 단호하게 고개를 끄덕였다.

"아빠에게 제가 게이라고 말했어요."

오베의 눈이 점점 덜 위협적으로 바뀌었다. 하지만 라이플을
내리지는 않았다.

"아빠는 게이를 혐오해요. 자기 자식 중에 게이가 있다는 걸
알게 되면 자살할 거라고 늘 말씀하셨죠.." 미르사드가 계속 말
했다.

잠시 침묵하고 나서 그가 덧붙였다.

"잘 받아들이질 못하셨어요. 그렇게 된 셈이죠."

"미르사드를 내쫓았었었어요!" 아드리안이 끼어들었다.

"내쫓았어요." 오베가 교정했다.

미르사드가 땅에 놓여 있던 가방을 들고 다시 오베에게 고개
를 끄덕였다.

"바보 같은 생각이었어요. 방해를 하지 말았어야 했는데……"

"뭘 방해해?" 오베가 그의 말을 끊었다.

이제 그는 영하의 기온 속, 속옷 차림으로 서 있는 판국에 최
소한 이러고 있는 이유라도 찾았으면 싶은 눈치였다.

미르사드가 심호흡을 했다. 자기 자부심을 육체적인 차원에서
강조하고 싶은 듯.

"아빠는 제가 아픈 거고, 제…… '부자연스러운 삶'은 집에서
환영받지 못한다고 하셨어요." '부자연스러운'이라는 단어를 간
신히 내뱉기 전 그가 힘들게 마른침을 삼켰다.

"네가 호모라서?" 오베가 분명히 말했다.

미르사드가 고개를 끄덕였다.

"저는 이 마을에 친척이 없어요. 아드리안네 집에서 잘까 했는데 쟤 엄마의 새 남자 친구가 있어서요……."

그가 침묵했다. 자기가 무척 바보처럼 느껴지는 모양이었다.

"멍청한 생각이었어요." 그가 낮은 목소리로 말하고는 몸을 돌려 떠나려 했다.

반면 아드리안은 토론에 대한 욕구를 회복한 듯 했고, 눈을 힘차게 헤치며 오베에게 성큼성큼 다가왔다.

"아무렴 어때요, 오베 아저씨! 아저씨 집에 방 많잖아요! 그래서 얘가 오늘 밤 여기서 하룻밤 잘 수도 있겠다 생각했거든요!"

"여기서? 우리 집은 망할 호텔이 아냐!" 오베가 그렇게 말하며 라이플을 들자 아드리안의 가슴에 총열이 똑바로 부딪혔다.

아드리안이 얼어붙었다. 미르사드가 재빨리 눈을 헤치고 두 발짝 앞으로 다가와 라이플에 손을 올려놓았다.

"갈 데가 없었어요. 죄송해요." 그가 부드럽게 총열을 아드리안의 가슴에서 치우며 낮은 목소리로 말했다.

오베는 살짝 정신이 든 표정을 지었다. 그가 땅으로 무기를 내렸다. 마치 옷도 제대로 걸치지 않은 자기 몸에 찬 공기가 닿는 걸 이제서야 느낀 것 같았다. 자기도 모르는 새 현관 안으로 반 발짝 물러서다가 벽에 걸려 있는 소녀의 사진을 흘끔 보았다. 빨간 원피스. 임신했을 때 스페인에서 했던 버스 여행. 그는 저 빌어먹을 사진을 내리자고 그녀에게 수차례 부탁했지만 그녀는 거절했다. '다른 어떤 것만큼이나 가치 있는 기억'이었다면서.

고집불통 할망구.

* * *

이날은 오베가 마침내 죽는 날이 되었어야 했다. 하지만 이날 저녁은 다음 날 아침에 오베가 자기 집에서 고양이뿐만 아니라 동성애자와 같이 잠에서 깨게 되기 전날 저녁이었을 뿐이다. 소냐는 이걸 좋아했을 것이다. 필시 그랬겠지. 그녀는 호텔을 좋아했다.

33

오베라는 남자와 평소와는 다른 시찰

때로 어떤 남자들이 갑자기 어떤 일을 했을 때 그 이유를 설명하기란 어렵다. 물론 그들 자신이 언젠가 그 일을 하게 되리라는 걸 알기 때문에 그냥 지금 하는 게 나아서일 수도 있다. 때로는 정반대의 이유이기도 했다. 즉 자기들이 진작 그 일을 했어야 했다는 걸 깨닫는 것이다. 아마 오베도 자기가 뭘 해야 하는지 내내 알고 있었겠지만, 사람이란 근본적으로 시간에 대해 낙관적인 태도를 갖고 있다. 우리는 언제나 다른 사람들과 무언가 할 시간이 충분하다고 생각한다. 그들에게 말할 시간이 넘쳐난다고 생각한다. 그러다 무슨 일인가가 일어나고 나면, 우리는 그 자리에 서서 '만약'과 같은 말들을 곱씹는다.

그는 다음 날 아침 계단을 내려오다가 중간에서 걸음을 멈췄다. 소냐가 죽고 나서 집 안에 이런 냄새가 난 적은 없었다. 그는 조심스레 몇 걸음을 더 걸어 계단에서 내려온 뒤 나무로 된 마룻바닥에 발을 디디고는 부엌 문간에 섰다. 마치 현행범을 막 체포한 것 같은 남자의 몸짓이었다.

"토스트 만들고 있던 게 너였나?"

미르사드가 근심스럽게 고개를 끄덕였다.

"네…… 괜찮으려니 싶어서요. 죄송해요. 그러니까, 제 말은, 괜찮은가요?"

오베는 그가 커피도 만들었다는 걸 알아챘다. 고양이는 바닥에서 참치를 먹고 있었다. 오베는 고개를 끄덕였지만 질문에 대답하지는 않았다.

"나랑 고양이는 길 주변을 따라 좀 산책을 해야 돼." 대신 그는 그렇게 말했다.

"저도 가도 되나요?" 미르사드가 재빨리 물었다.

오베는 마치 해적 차림을 한 미르사드가 보행자 전용 아케이드에서 그를 멈춰 세운 다음 여기 찻잔 세 개 중에서 은화를 감춘 게 뭔지 맞혀보라고 말하기라도 한 듯 그를 잠시 바라보았다.

"어쩌면 제가 도울 게 있을지도 모르잖아요." 미르사드가 열성적으로 말을 이었다.

오베는 현관으로 가 나막신을 신었다.

"여긴 자유 국가야." 그가 문을 열고 고양이를 내보내며 말했다.

미르사드는 이 말을 '당연히 괜찮지!'로 알아듣고 재빨리 재킷과 신발을 걸친 뒤 오베를 따라갔다.

"안녕들 하세요!" 그들이 인도로 다가가는데 지미가 외쳤다. 그는 엄청나게 진한 녹색 운동복을 입고 오베의 뒤에서 정력적으로 숨을 헉헉 내뿜으며 나타났는데, 운동복이 어찌나 그의 몸에 꽉 끼는지 오베는 처음에는 그게 옷인지 바디 페인팅인지 분간할 수 없었다.

"지미예요!" 지미가 헐떡이면서 미르사드에게 손을 내밀었다.

고양이는 지미의 다리에 찰싹 달라붙어 몸을 비비고 싶어하는 눈치였지만, 지난번에 그 비슷한 짓을 했다가 지미가 병원에 실려 갔다는 걸 떠올리고 마음을 바꾼 듯 보였다. 대신 녀석은 차선책에 적응하여 눈밭을 굴렀다. 지미가 오베 쪽으로 몸을 돌렸다.

"아저씨가 보통 이때쯤 돌아다니는 걸 봤거든요. 그래서 아저씨가 저랑 어울리는 데 찬성이신지 문의를 좀 해봐야겠더라고요. 제가 운동을 시작하기로 했거든요. 보시다시피!"

그가 만족스럽게 고개를 끄덕이자 턱 밑 지방이 쇄골 위에서 폭풍 속의 돛대처럼 이리저리 흔들렸다.

오베가 무척 미심쩍은 표정을 지었다.

"보통 이 시간에 일어나나?"

"설마. 아뇨, 아저씨. 이 시간엔 침대에 들어가지도 않아요!" 그가 웃었다.

이런 연유로 고양이, 과체중 알레르기 환자, 동성애자와 오베라는 남자가 그날 아침 시찰을 돌게 되었다.

미르사드가 자기와 자기 아버지 사이가 좋지 않다는 걸, 그래서 임시로 오베의 집에 있다는 걸 설명했다. 지미는 오베가 매일 아침 이 시간에 일어난다는 사실에 불신을 표했다.

"아버지랑은 왜 싸운 거예요?" 지미가 물었다.

"네 알 바 아냐!" 오베가 호통을 쳤다.

미르사드가 감사의 시선을 날렸다.

"근데 진짜로요, 아저씨. 매일 아침 이래요?" 지미가 활기차게 물었다.

"그래. 강도가 안 들었나 살펴본다."

"진짜로? 이 동네에 강도가 많아요?"

"첫 번째 강도가 들기 전까진 강도가 하나도 없었지." 오베가 중얼거리면서 방문객 주차장으로 갔다.

고양이는 지미의 운동 욕구에 별반 감명을 받지 않았다는 표정을 지었다. 지미는 입을 삐죽거리며 배를 만졌다. 벌써 살이 좀 빠졌다고 믿는 게 분명했다.

"루네 아저씨 얘기 들었어요?" 지미가 그렇게 소리치며 조깅에 가까운 걸음으로 오베의 뒤에 서둘러 따라붙었다.

오베는 대답하지 않았다.

"사회 복지과에서 아저씨 데리러 온대요. 아시겠지만." 그를 따라잡으며 지미가 설명했다.

오베가 수첩을 펴고 차량 번호를 적기 시작했다. 지미는 그의 침묵을 계속 떠들라는 권유로 알아들었다.

"그러니까, 요점만 말하면요, 아니타 아줌마가 가정 도우미를 신청했어요. 루네 아저씨가 엉망진창이 돼서 더는 잘 다룰 수가 없었거든요. 그래서 사회 복지과에서 실태 조사를 했는데, 어떤 놈이 전화를 걸어서 자기들은 아줌마가 이 상황을 감당 못한다고 결정내렸대요. 시설에다 루네 아저씨를 집어넣겠다는 거죠. 그러니까 아니타 아줌마가 그냥 없던 걸로 할 수 없냐고, 도우미도 더 이상 원하지 않는다고 했어요. 하지만 그러고 나니까 이젠 그 아저씨가 빡쳐가지고는 아줌마랑 틀어지기 시작한 거죠. 어떻게 조사를 무르려고 할 수 있냐면서, 애초에 살펴봐달라고 부탁했던 게 아줌마 아니냐고 계속 그러는 거죠. 이제 조사 결과에 따라 결정이 났으니 그걸로 끝이다, 뭐 그렇게 말하면서요. 아줌마가 뭐라고 하는지는 이제 중요하질 않은 거예요. 그 복지과 인간은 그냥 자기 페이스대로 계속 달리려는 거니까. 무슨 말인지 아시죠?"

지미가 입을 다물고는 반응 좀 해주길 바라는 표정으로 미르사드에게 고개를 끄덕였다.

"쿨하질 못하네……." 미르사드가 주저하며 입장을 표명했다.

"빌어먹게 쿨하지 않지!" 지미가 상체가 떨릴 때까지 고개를 끄덕였다.

오베는 펜과 수첩을 안주머니에 넣고 쓰레기 처리장으로 발길을 돌렸다.

"아 그거야 뭐, 그런 결정을 내리는 데는 오랜 세월이 걸릴걸. 지금 데려가겠다고 말은 하지만 일, 이 년은 손가락 하나 까딱 않을 거다." 오베가 경멸하듯 말했다.

오베는 그 망할 관료제가 어떻게 돌아가는지 잘 알았다.

"하지만…… 결정이 났는데요, 아저씨." 지미가 머리를 긁적이며 말했다.

"그럼 민원을 넣어! 그럼 또 몇 년은 걸린다고!" 오베가 성큼성큼 그를 앞질러 걸으며 짜증스레 말했다.

지미가 그를 따라가려 노력하는 게 과연 가치가 있는 일인지 가늠하는 것 같은 표정으로 그를 보았다.

"하지만 벌써 다 넣었어요! 이 년 동안 편지도 쓰고 뭐 그랬다고요!"

오베는 그 말을 듣고도 멈추지 않았다. 하지만 걸음이 느려졌다. 그는 지미의 무거운 발걸음이 눈 속에서 오베를 향해 열심히 다가오는 소리를 들었다.

"이 년?" 그가 돌아보지 않은 채 물었다.

"그 정도 됐어요." 지미가 말했다.

오베가 머릿속으로 개월수를 세는 것 같았다.

"거짓말이야. 그러면 소냐가 몰랐을 리 없어." 그가 지미의 말을 일축하듯 말했다.

"아니타 아줌마가 소냐 아줌마에게 아무 말도 못 하게 했어요. 아줌마는 나도 몰랐으면 했고요. 아시겠지만…….”

지미가 침묵했다. 고개를 숙여 눈을 보았다. 오베가 돌아봤다. 눈썹을 치켜떴다.

“내가 뭘 아는데?”

지미가 심호흡을 했다.

“아줌마는…… 아저씨가 본인 일만으로도 충분히 힘들다고 생각하셨어요.” 그가 낮은 목소리로 말했다.

뒤따르는 침묵은 너무 두터워서 도끼로 쪼개야 할 정도였다. 지미는 고개를 들지 않았다. 오베는 아무 말도 하지 않았다.

그는 쓰레기 처리장 안으로 들어갔다. 다시 나왔다. 자전거 보관소로 들어갔다. 다시 나왔다. 그만하면 충분히 다 봤다는 듯. 지미가 마지막으로 했던 말이 그의 움직임 위에 마치 베일처럼 드리워져 있었고, 헤아릴 수 없는 분노가 오베의 내면에 쌓여 가슴 안쪽에서 마치 토네이도처럼 속도를 올렸다. 그는 점점 난폭하게 문손잡이를 잡아당겼다. 문지방을 걷어찼다. 마침내 지미가 “이제 다 끝장났다고요, 아저씨. 그 사람들이 루네 아저씨를 시설에 넣을 거라니까요. 아시면서.” 같은 소리를 웅얼거렸을 때, 오베가 문을 어찌나 세게 닫는지 쓰레기 처리장 전체가 흔들렸다. 그는 그들에게 등을 돌린 채 침묵하며 서 있었다. 숨을 점점 더 가쁘게 쉬었다.

“저기…… 괜찮으세요?” 미르사드가 물었다.

오베가 몸을 돌려 오로지 통제된 분노만을 담아 지미를 가리켰다.

"아니타가 정확히 뭐라 그랬지? 우리가 '우리 일만으로도 충분히 힘들어서' 소냐에게 도움을 요청하는 걸 원치 않았다고 했나?"

지미가 마음을 졸이며 고개를 끄덕였다. 오베는 고개를 숙여 눈을 가만히 바라보았다. 재킷 아래에서 가슴이 울렁였다. 그는 소냐가 이 사실을 알았더라면 어떻게 느꼈을지 생각했다. 만약 소냐의 가장 친한 친구가, 소냐 자신의 일로도 '충분히 곤란하다'는 이유로 소냐에게 도움을 청하지 않았다는 사실을 알았더라면. 가슴이 찢어졌을 테다.

어떤 남자들이 갑자기 어떤 일을 하는지 이유를 설명하기란 때로 어렵다. 오베는 아마도 자기가 뭘 했어야 했는지 내내 알았을 것이다. 죽기 전에 누굴 도와야 했는지 알았을 것이다. 하지만 우리는 때가 올 때까지는 늘 낙관적이다. 다른 사람과 무언가를 할 시간이 충분하다고 생각한다. 대화를 나눌 시간이 충분하다고 생각한다.

민원을 제기할 시간도.

오베가 엄격한 표정으로 다시 지미에게 몸을 돌렸다.

"이 년이랬냐?"

지미가 고개를 끄덕였다. 오베가 헛기침을 했다. 처음으로 그가 자신 없는 표정을 지었다.

"아니타가 이제 막 시작했다고 생각했어. 나는 내가…… 시간이 더 있다고 생각했어." 그가 중얼거렸다.

지미는 오베가 누구에게 말하는 건지 알아내려고 노력하는 듯한 표정을 지었다. 오베가 고개를 들었다.

"지금 루네를 데리러 온다고? 진짜로? 관료제의 부패도 민원도 온갖 헛소리도 없다 이거지. 너 이거 확실한 거지?"

지미가 다시 끄덕였다. 그가 뭔가 말하려고 입을 벌리지만, 오베는 이미 움직이기 시작했다. 그는 서부 영화에 나오는, 치명적인 불의에 맞서 복수를 하려는 남자 같은 동작으로 주택들 사이를 급히 움직였다. 여전히 트레일러와 하얀 스코다가 주차되어 있는 맨 끝 집으로 방향을 틀고는, 문을 그냥 나뭇조각으로 되돌려버리겠다는 기세로 문을 두드려댔다. 아니타가 깜짝 놀라 문을 열었다. 오베가 뚜벅뚜벅 현관으로 들어갔다.

"관계 당국에서 받은 서류들 집에 있죠?"

"네. 하지만 저는……."

"다 내놔요!"

훗날 아니타는 그날을 회고하며 이웃들에게 오베가 그렇게 화가 난 건 1977년, 사브와 볼보의 합병에 대해 얘기를 나눴을 때 이후로 처음 봤다고 말하게 될 것이었다.

34

오베라는 남자와 이웃집 소년

오베는 파란색 플라스틱 접이식 의자를 들고 와 눈밭에다 밀어 넣은 다음 거기 앉았다. 시간이 좀 걸릴 수 있다는 걸 그는 알았다. 소냐에게 그녀가 좋아하지 않는 걸 말해야 할 때는 늘 그랬다. 그는 조심스럽게 묘석에서 눈을 털어냈다. 그래야 서로를 제대로 볼 수 있을 테니까.

채 40년도 안 되어 별의별 사람들이 주택 단지를 거쳐 갔다. 오베와 루네의 집 사이에 있던 그 집에는 조용하고, 시끄럽고, 호기심 많고, 견딜 수 없고, 거의 눈에 띄지 않는 종류의 사람들이 살다 갔다. 술에 취하면 울타리에 오줌을 갈기는 10대 자녀들이 있는 가족이 살거나, 정원에 허가받지 않은 관목을 심으려 했던 가족과 집을 분홍색으로 칠하고 싶다는 생각을 했던 가족도 살았다. 오베와 루네가 당시 얼마나 싸워댔는지와는 상관없이 그들이 서로 동의했던 게 딱 하나 있다면, 현재 누가 그 이웃집에 살고 있건 간에 그 사람들은 진짜 얼간이 같은 경향을 보인다는 사실이었다.

1980년대 말, 은행 지점장이 분명했던 사람이 '투자 목적으로' 그 집을 샀다. 오베는 그가 부동산 중개인에게 허풍을 쳐대는 걸 들었다. 결국 그는 이듬해가 되자 세입자들에게 줄줄이 집을 세놓았다. 어느 여름에는 그 집을 마약 중독자와 창녀와 범죄자들이 마음 놓고 누빌 수 있는 자유 지대로 새롭게 정의하려는 뻔뻔스런 시도를 감행했던 젊은이 세 명에게 임대했다. 파티가 자정까지 계속되었고, 깨진 맥주병에서 나온 유리조각들이 색종이 조각처럼 보도에 깔렸으며, 음악은 어찌나 시끄럽게 틀어댔는지 소냐와 오베의 거실에 걸어뒀던 사진이 떨어질 정도였다.

오베가 이 소란을 중단시키고자 찾아갔고, 젊은이들은 그를 비웃었다. 오베가 떠나기를 거부하자 그들 중 한 명이 나이프로 그를 위협했다. 다음 날 소냐가 알아듣게 말하려고 했을 때, 그들은 그녀를 '풍 맞은 할망구'라고 불렀다. 그날 저녁 그들은 전보다 더 시끄럽게 놀아제꼈고, 아니타가 정말로 자포자기하여 집 밖에 나와 소리를 치자 병을 집어던졌다. 병이 그녀와 루네의 집 거실 창문으로 날아들었다.

이건 말할 필요도 없이 정말로 안 좋은 생각이었다.

오베는 즉시 집주인의 재무 활동을 조사하면서 복수 계획을 짜기 시작했다. 그는 그 집의 임대를 막기 위해 변호사와 세무 당국에 전화를 걸었고, 소냐에게 말한 것처럼 설사 이 사건을 '대법원까지 빌어먹게 끌고 가야' 하더라도 끈질기게 매달리겠다고 마음먹었다. 하지만 그는 그 생각을 실행에 옮길 시간을 갖지 못했다.

어느 늦은 밤 그는 루네가 차 열쇠를 들고 주차 구역으로 걸어가는 걸 봤다. 주차 구역에서 돌아왔을 때 그는 비닐봉지를 손에 들고 있었는데, 그 안에는 오베가 알아볼 수 없는 내용물이 들어 있었다. 다음 날 경찰이 와서 세 젊은이에게 수갑을 채우고 데려간 다음, 상당량의 마약을 소지한 혐의로 기소했다. 익명의 제보자에게서 연락을 받고 수색해보니 그들 집의 헛간에서 마약이 나왔던 것이다.

그 일이 벌어졌을 때 오베와 루네는 길에 서 있었다. 그들의 시선이 마주쳤다. 오베가 턱을 긁었다.

"음. 나는 이 동네에서 마약을 어디서 사는지도 몰랐는데." 오베가 생각에 잠긴 채 말했다.

"기차역 뒤쪽 거리에서 팔아." 루네가 주머니에 손을 찔러 넣은 채 말했다. "최소한 내가 들은 바로는 그래." 그가 씩 웃으며 덧붙였다.

오베가 고개를 끄덕였다. 그들은 오랫동안 침묵을 지키며 미소를 지은 채 서 있었다.

"차는 잘 굴러가고?" 마침내 오베가 물었다.

"스위스 시계처럼 돌아가." 루네가 미소를 지었다.

그 뒤 두 달간 그들은 사이좋게 지냈다. 그러다가 당연하게도, 난방 시스템 문제로 다시 틀어졌다. 하지만 아니타가 말했듯, 싸움이라도 계속될 때가 좋았다.

그 이후로도 세입자들이 쭉 왔다 갔고, 오베와 루네는 대부분의 세입자들을 놀랄 만큼 관대하게 용인했다. 그 관대함과 용인을 어떤 관점에서 보느냐에 따라 사람들의 평판에 큰 차이가 날수야 있겠지만.

1990년대 중반을 지나던 어느 여름, 한 여자가 아홉 살 정도된 토실토실한 아들과 이사를 왔고, 그 즉시 소냐와 아니타는 그들을 기꺼이 맞아들였다. 소냐와 아니타가 들은 바에 따르면 소년의 아버지는 소년이 갓난아이였을 때 가족을 버렸다. 지금은 그들과 같이 살고 있는, 굵은 목에 40세 정도 되어 보이는 남자가 여자의 새 연인이었는데, 소냐와 아니타는 가능한 한 그 남자의 입냄새를 무시하려고 노력했다. 남자는 좀체 집에 붙어있질 않았고, 아니타와 소냐는 너무 많은 질문을 하지 않으려 했다. 그들은 그 여자가 남자에게서 자기들은 이해 못 하는 장점을 봤을 거라고 짐작했다. "그 사람이 우릴 돌봐줬어요. 그게 어떤 건지 아시잖아요. 미혼모로 살기란 건 쉽지 않아요." 언젠가 그녀가 씩씩한 미소를 지으며 그렇게 말했고, 그래서 이웃집 여인들은 가만히 있었다.

굵은 목의 남자가 소리를 지르는 게 벽 너머에서 처음 들렸을 때, 그들은 사람들은 제각각 자기 집에서 각자의 일에 신경을 쓰는 게 허용되어야 한다고 생각했다. 두 번째로 그 소리를 들었을 때, 그들은 어느 가족이건 언쟁을 벌일 때가 있으니, 이것도 그리 심각하지는 않은 일일 거라고 생각했다.

이후 굵은 목의 남자가 집에 없을 때, 소냐가 커피를 마시러 여자와 소년을 찾아갔다. 여자는 긴장된 미소를 지으면서 주방 선반을 너무 빨리 여는 바람에 멍이 든 거라고 설명했다. 그날 저녁 루네는 주차 구역에서 굵은 목의 남자를 만났다. 그는 누가 봐도 취한 상태로 차에서 내렸다.

그 뒤 이틀 밤 동안, 양쪽 이웃집 사람들은 그 남자가 집 안에서 소리를 지르고 물건 집어던지는 소리를 우연찮게 듣게 되었다. 여자가 고통으로 꺽꺽 우는 소리를 들었다. 아홉 살 남자애가 굵은 목의 남자에게 제발 그만하라고 간청하는 소리가 벽 너머로 들리자, 오베는 밖으로 나가 현관 입구에 섰다. 루네는 이미 기다리고 있었다.

그들은 당시 주민 자치회의 지도부에서 최악의 권력 투쟁을 벌이던 와중이었다. 거의 1년 동안 말도 섞지 않았다. 그들은 서로를 그저 흘끗 보고 나서 한 마디 말도 없이 각자의 집으로 돌아가곤 했다. 2분 뒤 그들은 옷을 다 차려입은 채 그 집 현관 앞에서 만났다. 그들이 초인종을 눌렀다. 그 폭력배가 문을 열자마자 그들을 후려갈기려 했지만, 오베의 주먹이 놈의 콧등을 때렸다. 남자는 발을 헛디뎠다가 다시 일어나 부엌칼을 잡고 오베를 향해 달려들었다. 그는 거기까지 가지도 못했다. 루네의 거대한 주먹이 나무망치처럼 그를 강타했다. 한창 때는 한 주먹 하던 사람이 루네였다. 그와 주먹싸움을 벌이는 건 무척이나 어리석은 일이었다.

다음 날 남자는 주택 단지를 떠나 다시 돌아오지 않았다. 젊은 여자는 소년을 데리고 다시 집으로 들어갈 마음을 먹기 전까지 2주 동안 아니타와 루네의 집에서 잤다. 루네와 오베는 마을의 은행을 찾아갔고, 그날 저녁 소냐와 아니타는 그 젊은 여성에게 이걸 선물로 생각해도 좋고 대출로 생각해도 좋다고, 어느 쪽이건 편한대로 하라고 설명했다. 하지만 안 받겠다는 건 선택 사항에 없다고 했다. 그렇게 해서 젊은 여자는 자기 아들과 함께 그 집에 계속 머물게 되었다. 컴퓨터를 좋아하는 그 토실토실한 소년의 이름은 지미였다.

지금 오베는 몸을 앞으로 숙인 채 정말 심각한 얼굴로 묘석을 바라보고 있었다.

"시간이 더 있을 줄 알았어, 어느 정도는. 그러니까…… 모든 걸 다 할 시간이."

그녀는 대답하지 않았다.

"문제를 일으키는 걸 당신이 어떻게 생각하는지 알아, 소냐. 하지만 이번엔 이해해야 해. 이 사람들은 설득이 안 먹혀."

그는 엄지손톱으로 손바닥을 꾹 눌렀다. 묘석은 여전히 아무 말도 없이 그 자리에 서 있었지만, 오베에겐 그녀가 무슨 생각을 하는지 알기 위해 굳이 말이 필요하지 않았다. 침묵을 지키는 것은 그와 논쟁할 때 그녀가 늘 선호하던 방법이었다. 살아 있을 때도 그랬고, 죽은 뒤에도 마찬가지였다.

아침에 오베는 사회 복지과인지 뭔지, 뭐라 처 부르건 간에 아무튼 거기에 전화를 걸었다. 파르바네의 집에서 전화했는데, 왜냐하면 더 이상 집에 전화가 없어서였다. 파르바네는 '사근사근하고 대하기 쉽게' 굴라고 그에게 조언했다. 통화는 시작부터 잘 굴러가질 않았다. 왜냐하면 오베는 그 '담당 공무원'과 진작 엮인 뒤였기 때문이었다. 담배를 피우던 그 하얀 셔츠의 남자 말이다. 그는 지금껏 루네와 아니타의 집 바깥 도로에 주차되어 있는 하얀색 스코다 문제에 대해 지극히 높은 수준의 흥분을 직접적으로 표출했다. 맞다. 만약 오베가 즉시 그 문제에 대해 사과하고, 자기가 고의적으로 하얀 셔츠를 차가 없는 곤란한 상황에 밀어넣은 사건에 대해 무척 후회스럽다고 동의만 했어도 유리한 협상 고지에 오를 수 있었을 것이다. 확실히 이렇게 쉭쉭대며 야유를 하는 것보다는 그게 훨씬 나은 대안이었을 것이다. "그러니까 표지판 읽는 법을 배웠어야지! 이 글도 읽을 줄 모르는 자식아!"

오베의 다음 행동은 루네를 요양원에 넣어서는 안 된다는 사실을 그 남자에게 설득하는 것이었다. 하얀 셔츠는 오베에게 '글도 읽을 줄 모르는 자식'은 그 주제를 꺼내기에는 무척 좋지 않은 호칭이었다는 점을 알려주었다. 이후 전화선을 통해 일련의 무례한 언사가 오가다가, 마침내 오베가 일이 이런 식으로 처리 되도록 허락할 수는 없다고 분명히 선언했다. 기억력에 조금 결함이 있다는 이유로 사람들을 집에서 데려가 자기들 좋은 방식으로 시설에 이송할 수는 없었다. 수화기 저편의 남자는 자기들이 '현재 상태의' 루네를 어디에 갖다 놓는지는 그렇게 큰 문제가 아니라면서, 왜냐하면 그 사람 입장에서는 '자기가 어디 있든 거의 차이가 없는 거나 마찬가지이기 때문'이라고 싸늘하게 대답했다. 오베는 다시 일련의 욕설로 되돌아가 고함을 질렀다. 그러자 하얀 셔츠는 무척이나 어리석은 소리를 지껄였다.

"결정은 이미 났습니다. 실태 조사는 이 년 전에 진행되고 있었고요. 당신이 할 수 있는 건 없습니다, 오베 선생. 하나도. 전혀."

그가 전화를 끊었다.

오베가 파르바네를 보았다. 패트릭을 보았다. 파르바네의 휴대폰을 부엌 식탁에 쾅 내려놓고는 "새로운 계획이 필요해! 당장!"이라고 호통을 쳤다. 파르바네는 정말로 기분이 안 좋은 얼굴이었지만 패트릭은 즉시 고개를 끄덕이고는 목발을 잡고 절뚝절뚝 재빠르게 문 밖으로 나갔다. 오베가 그렇게 말하기만 기다렸다는 듯. 5분 뒤, 오베로서는 무척이나 실망스럽게도, 그는 어리석은 겉멋쟁이 이웃 앤더스를 데려왔다. 지미가 활기차게 그와 붙어 있었다.

"그 사람이 여기서 뭐 하는 거지?" 오베가 겉멋쟁이를 가리키며 말했다.

"계획이 필요하시다면서요?" 패트릭이 그렇게 말하고 겉멋쟁이에게 고개를 끄덕인 뒤 무척이나 흡족한 표정을 지었다.

"앤더스가 우리 계획이에요!" 지미가 거들었다.

앤더스는 현관을 어색하게 둘러보았다. 오베의 얼굴을 보더니 말을 꺼내는 걸 단념한 게 분명했다. 하지만 패트릭과 지미가 그를 붙잡아 거실로 밀어 넣었다.

"가서 말씀드려요." 패트릭이 재촉했다.

"나한테 뭘 말해?"

"좋아요. 제가 듣기로는 저 스코다 주인과 문제가 좀 있다던데요, 맞죠?" 앤더스가 패트릭을 흘끔거리며 입을 열었다.

오베가 계속하라는 듯 성마르게 고개를 끄덕였다.

"어, 제가 무슨 회사를 경영하는지 말씀을 안 드렸던 것 같은데요, 그렇죠?" 앤더스가 망설이며 계속 말했다.

오베가 주머니에 손을 찔러 넣었다. 살짝 경계가 풀린 자세를 취한 것이었다. 그러자 앤더스가 그에게 이야기를 했다. 심지어 오베는 그 계획이 그럭저럭 괜찮은 것 이상으로 들린다는 사실마저 인정해야 했다.

"그 사람은 어디 있소? 당신네 그 금발 백치……" 앤더스가 말을 끝내기 전에 오베가 입을 열었지만 파르바네가 그의 다리를 걷어차는 바람에 말을 멈췄다. "당신 여자 친구." 그가 말을 고쳤다.

"아. 우리 헤어졌어요. 그녀는 나갔고요." 앤더스가 그렇게 말하고 자기 신발을 보았다.

이로 인해 앤더스는 그녀가, 그녀와 그녀의 개가 오베와 크게 싸웠던 일로 인해 기분이 상해 있었다는 사실을 설명해야 했다. 하지만 당시 그녀의 짜증은, 오베가 그녀의 개를 '똥개'라 불렀다는 사실을 앤더스가 알고 나서 웃음을 멈출 수 없었을 때 생겨난 분노에 비한다면 정말 하찮은 것이었다.

그리하여 다음 날 오후 하얀 셔츠를 입은 골초가 경찰관을 대동하고 자기 스코다를 속박에서 풀어줄 것을 요구하기 위해 도로에 나타났을 때, 트레일러와 하얀 스코다는 이미 그 자리에 없었다. 오베는 주머니에 손을 찔러 넣은 채 집 앞에 태평하게 서 있었고, 그의 적수는 마침내 평정을 완전히 잃고 오베에게 저주 섞인 욕설로 고함을 치기 시작했다. 오베는 자긴 이게 어찌된 일인지 전혀 모른다고 주장하면서도, 애초에 그가 주차 금지라고 적힌 표지판을 존중하기만 했다면 이 구역에서 이런 일이 일어날 리 없었을 거라고 점잖게 지적했다. 오베는 앤더스가 견인차 회사를 소유하고 있고, 점심 때 그의 견인 트럭이 스코다를 끌고 가서 마을에서 40킬로미터 떨어진 커다란 자갈 채취장에 갖다 놓았다는 세부 사항은 쏙 빼놓고 말을 했다. 경찰관이 정말 아무것도 못 봤냐고 요령 있게 묻자, 오베는 하얀 셔츠 남자의 눈을 똑바로 보며 대답했다.

"모릅니다. 잊어버렸나봐요. 제 나이가 되면 기억력이 감퇴하기 시작하거든요."

경찰이 주위를 둘러본 다음 만약 스코다의 실종과 아무 관계가 없다면 왜 여기 나와서 서 있는 거냐고 묻자, 오베는 순진무구하게 어깨를 으쓱하고는 하얀 셔츠를 바라보며 대답했다.

"TV에 여전히 볼 게 없어서요."

분노로 인해 남자의 얼굴에서 핏기가 사라졌다. 그런 일이 가능했다면 셔츠보다 더 하얘졌을 것이다. 그는 잔뜩 화가 난 채 그곳을 떠나며 이게 '결코 끝이 아니라'고 분통을 터뜨렸다. 당연히 끝이 아니었다. 한 시간쯤 뒤 아니타가 택배 회사 직원에게 문을 열어줬다. 직원은 그녀에게 시의회에서 보낸 등기 우편 서류를 건네줬다. 거기에는 '요양원 이송' 날짜와 시간이 결재되어 있었다.

그래서 오베는 지금 소냐의 묘석 옆에 서서 '자기가 얼마나 미안한지'에 대해 간신히 말을 하고 있었다.

"내가 사람들과 싸우면 당신 진짜로 속상해하는 거 알아. 하지만 사실은 일이 이렇게 된 거야. 내가 당신한테 올라갈 때까지 조금만 더 기다려줘야겠어. 당장은 죽을 시간이 없거든."

그런 다음 그는 시들고 얼어버린 분홍색 꽃을 땅에서 파내고 새 꽃을 심었다. 그리고 몸을 일으켜 접이식 의자를 접은 뒤, "왜냐하면 빌어먹을 전쟁 중이니까"처럼 들리는 말을 중얼거리면서 주차 구역으로 걸어갔다.

35

오베라는 남자와 사회적 무능력자

파르바네가 눈에 당혹감을 담고 오베의 집 현관으로 곧장 뛰어들더니 '안녕하세요'라는 인사도 생략한 채 화장실로 직진했다. 오베는 사람이 어떻게 집에서 집까지 20초밖에 안 걸리는 공간을 걷는 중에 그렇게 강렬한 요의를 느낄 수 있는지 모르겠다고 의아해했다. 하지만 예전에 소냐는 '난처한 상황에 처한 임산부보다 더 화가 난 사람은 없다'는 사실을 그에게 알려준 바 있었다. 그래서 그는 입을 다물었다.

이웃들은 최근 며칠간 그가 '다른 사람처럼 변했다'고, 그가 그렇게 '바쁜' 건 처음 본다고 말했다. 하지만 오베가 짜증스레 설명한 바에 의하면, 오베가 그간 그들의 사정에 관여한 바가 결단코 없었기 때문이다. 그는 지금껏 빌어먹게도 '바쁜' 사람이었다.

패트릭은 오베가 집 사이를 걸어 다니고 문을 닫는 모양새가 항상 '미래에서 온, 진짜로 화가 난 복수심에 불타는 로봇'* 같다고 말했다. 오베는 그게 무슨 뜻인지 몰랐다. 하지만 어쨌거나 그는 저녁에 몇 시간 동안 파르바네와 패트릭과 딸들과 함께 시간을 보냈고, 그러는 동안 패트릭은 자기가 그들에게 뭘 보여주려고 할 때마다 오베가 자신의 컴퓨터 모니터에 분노의 지문을 찍어대지 못하도록 최선을 다해 노력했다. 지미, 미르사드, 아드리안, 앤더스도 집에 들렀다. 지미는 사람들이 파르바네와 패트릭의 부엌을 '데스 스타'로, 오베를 '다스 오베'라 부르게 하려고 꾸준히 노력했다.** 그들은 지난 며칠간 수많은 계획을 고려했지만—거기에는 루네가 제안했을 것 같은 계획인, 하얀 셔츠의 헛간에 마리화나를 심는 안도 포함되어 있었다—그렇게 며칠이 지나자 오베는 포기한 듯 보였다. 그는 험상궂은 얼굴로 고개를 끄덕이고는 전화 좀 쓰자고 하더니 발을 질질 끌며 옆방으로 들어가 전화를 걸었다.

그도 이러는 게 싫었다. 하지만 전쟁 중에는 제대로 전쟁을 해야만 했다.

파르바네가 화장실에서 나왔다.

"다 했나?" 오베가 궁금해했다. 마치 이게 일종의 전후반 사이

---

* '터미네이터'를 뜻한다.
** 둘 다 〈스타워즈〉에 나오는 이름이다. '다스 오베'는 '다스 베이더'의 패러디.

의 휴식 시간이라도 되는 양.

그녀는 고개를 끄덕였다. 하지만 그들이 현관문 밖으로 나가던 도중 파르바네는 거실에 있는 뭔가를 보고 걸음을 멈췄다. 오베는 문간에 서 있었지만 그녀가 뭘 보고 있는지 잘 알았다.

"그건…… 젠장, 그거 별 거 아냐." 그가 중얼거리며 그녀를 문밖으로 쫓아내려 했다.

그녀가 움직이지 않자 그는 문틀 모서리를 세게 찼다.

"먼지만 뒤집어쓰고 있더라고. 사포로 갈아서 새로 칠한 다음에 광택제 한 겹 칠한 것뿐이야. 빌어먹게 별 거 아니라고." 그가 짜증스레 그르렁거렸다.

"오, 오베." 파르바네가 속삭였다.

오베는 문지방을 두어 번 걷어차며 상태를 확인하느라 바빴다.

"색은 벗겨내서 분홍색으로 다시 칠해도 되지. 그러니까, 여자애면." 그가 웅얼거렸다.

그가 헛기침을 했다.

"남자애라도, 뭐. 요즘은 남자애들도 분홍색 쓰잖아. 아냐?"

파르바네가 연푸른색 아기침대를 보았다. 그녀가 손을 입으로 가져갔다.

"울면 안 줘." 오베가 경고했다.

어쨌거나 그녀는 울기 시작했고, 오베는 한숨을 쉬고는—"젠장, 여자들이란."— 몸을 돌려 도로를 걷기 시작했다.

약 30분 뒤, 하얀 셔츠의 남자가 신발로 담배를 비벼 끄고는 아니타와 루네의 집 현관문을 두드렸다. 그는 간호사 제복을 입은 젊은 남자 세 명을 대동했다. 마치 폭력적인 저항을 예상하기라도 하듯. 작고 가냘픈 아니타가 문을 열자, 세 명의 젊은이는 살짝 부끄러운 표정을 짓지만 하얀 셔츠는 그녀 앞으로 발을 내디디며 마치 손에 도끼라도 든 것처럼 서류를 허공에 대고 흔들었다.

"시간 됐습니다." 그가 그녀에게 고지하고는 눈에 띄게 조급해하면서 현관으로 발을 들이려 했다.

하지만 아니타가 그의 앞을 막았다. 그녀만 한 체구의 사람이 누군가의 앞을 가로막을 수 있는 만큼은.

"안 돼요!" 그녀가 까딱도 않은 채 말했다.

하얀 셔츠가 자리에 서서 그녀를 보았다. 피곤하다는 듯 고개를 흔들고는 코 주변의 피부가 거의 볼살에 파묻히는 것처럼 보일 때까지 근육을 팽팽하게 당겼다.

"이 문제를 쉽게 처리할 수 있는 시간이 이 년이나 있었습니다, 아니타. 이제 결정이 났어요. 다 끝났단 소립니다."

그가 그녀를 지나치려 했지만, 아니타는 문간에 버티고 서서 고대의 석상처럼 꼼짝도 하지 않았다.

그녀가 그의 시선을 피하지 않으며 심호흡을 했다.

"상황이 어려워졌다고 그 사람을 넘긴다면 그게 대체 무슨 종류의 사랑이에요?" 그녀가 울며 말했다. 목소리가 슬픔으로 떨렸다.

"힘들다고 그 사람을 저버리라고요? 그게 대체 무슨 사랑인지 말해봐요!"

"루네 선생은 이젠 자기가 어디 있는지도 거의 모릅니다. 조사 결과에 따르면…….."

"하지만 난 알아요!" 아니타가 말을 끊고는 세 명의 간호사를 보았다.

"난 안다고요!" 그녀가 그들을 보며 울었다.

"그럼 루네 선생은 누가 돌볼 겁니까, 아니타?" 그가 과장되게 묻고는 고개를 저었다. 그런 다음 발을 내디디며 세 명의 간호사에게 자길 따라 집으로 들어오라는 손짓을 했다.

"제가 돌볼 거예요!" 아니타가 대답했다. 그녀의 시선이 바다 속 장례식만큼이나 어두웠다.

하얀 셔츠의 남자는 계속 고개를 흔들며 그녀를 밀고 지나가려 했다. 그때 그는 그녀의 뒤에서 그림자들이 솟아오르는 걸 보았다.

"나도 돌볼 거요." 오베가 말했다.

"저도요." 파르바네가 말했다.

"저도요!" 패트릭, 지미, 앤더스, 아드리안, 미사르가 동시에 한 목소리로 말하며 문간으로 몰려들어서 서로 먼저 빠져나오려고 경쟁하는 것 같았다.

하얀 셔츠가 멈춰 섰다. 그의 눈이 옆으로 찢은 듯이 가늘어졌다. 해진 청바지와 살짝 낙낙한 녹색 방한 재킷을 입은 여자가 소형 녹음기를 손에 들고 불쑥 그의 옆에 나타났다.

"지역 신문에서 나왔어요." 레나가 말했다. "몇 가지 질문을 하고 싶은데요."

하얀 셔츠가 오랫동안 그녀를 보았다. 그러다 몸을 돌려 오베에게 시선을 보냈다. 두 남자가 조용히 서로를 응시했다. 지역 신문 기자 레나가 가방에서 서류 한 묶음을 꺼내 그의 팔에 안겼다.

"여기 당신과 당신 부서가 최근 몇 년간 담당한 환자들이 나와 있어요. 다들 루네 씨 같은 분들로, 본인과 가족의 소망에 반하여 시설에 이송되고 요양원에 수용되었네요. 당신이 알선을 담당했던 노인 요양 시설에서 일어났던 부정행위가 모두 기록돼 있어요. 규칙들이 준수되지 않았고 적절한 절차들이 준수되지 않았다는 사실들도 모두요." 그녀가 말했다.

그녀는 마치 경품으로 당첨된 차의 열쇠를 건네주는 것 같은 목소리로 말했다. 그러더니 고개를 끄덕이며 미소를 지었다.

"기자로서 관료제를 면밀히 조사할 때 정말 신기한 게 뭐냐면요, 관료들이 정한 법을 제일 먼저 어기는 사람들이 관료들 본인이라는 사실이에요."

하얀 셔츠는 그녀에게 눈길도 주지 않았다. 그는 계속 오베를 응시했다. 둘 사이에는 한 마디도 오가지 않았다. 하얀 셔츠의 남자가 천천히 턱을 앙다물었다.

패트릭이 오베 뒤에서 헛기침을 하더니 목발을 짚은 채 집에서 폴짝폴짝 뛰어나와서는 남자의 팔에 들린 서류를 보며 고개를 끄덕였다.

"지난 칠 년간의 입출금 내역도 확보했습니다. 당신이 카드로 산 기차표와 비행기표, 머물렀던 호텔들 기록이 다 있어요. 업무용 컴퓨터로 한 검색 내역도 전부요. 업무상으로, 사적으로 교환한 이메일도 다 있고요……."

하얀 셔츠의 눈동자가 이리저리 헤매기 시작했다. 턱을 너무 꽉 앙다무는 바람에 얼굴 피부가 창백하게 변했다.

"비밀로 놔두고 싶어 하시는 게 있긴 않겠지요." 레나가 싱글거리며 말했다.

"하나도 없겠죠." 패트릭이 동의했다.

"하지만 아시다시피……."

"누군가의 과거를 진짜로 진지하게 파기 시작하면……."

"……대개는 차라리 그 사람 혼자만 간직하는 게 낫겠다 싶은 것들을 발견하게 돼요." 레나가 말했다.

"차라리…… 잊었으면 싶은 거요." 패트릭이 거실을 향해 고개를 끄덕이며 분명히 말했다. 거실에서는 루네가 안락의자 밖으로 머리를 쭉 내밀고 있었다.

거실에는 TV가 켜져 있었다. 갓 내린 커피 향기가 솔솔 풍겨왔다. 패트릭이 목발 하나를 들어 남자가 들고 있는 서류를 슬쩍 찌르는 바람에 하얀 셔츠의 눈이 살짝 찌푸려졌다.

"제가 당신이라면 인터넷 기록을 특히 유심히 볼 겁니다." 패트릭이 설명했다.

그런 다음 모두 자리에 서 있었다. 아니타와 파르바네와 여기자와 패트릭과 오베와 지미와 앤더스와 하얀 셔츠와 세 명의 간호사는, 포커 게임에 참가한 사람들이 자기 전 재산을 건 다음 탁자 위에 카드를 펼쳐놓았을 때만 생겨나는 침묵 속에 서 있었다.

마침내, 이 일에 관련된 모두에게, 마치 물 아래 붙들려 호흡할 가능성이 전혀 없는 상태와 같은 사건들이 벌어지고 난 후, 하얀 셔츠는 들고 있던 서류를 천천히 훑어보기 시작했다.

"이 헛소리를 다 어디서 얻은 거지?" 목을 어깨 아래로 쑥 집어넣은 채 그가 씩씩대며 말했다.

"인터넷에서!" 오베가 분개하며 말했다. 그는 두 주먹을 엉덩이 양옆으로 꽉 쥔 채 무뚝뚝하고 화난 표정으로 아니타와 루네의 집에서 걸어 나왔다.

하얀 셔츠가 다시 고개를 들었다. 레나가 헛기침을 하고는 도움을 주겠다는 듯 서류를 쿡 찔렀다.

"아마 이 옛날 기록에는 불법적인 건 없을 거예요. 하지만 제 편집자는 언론사에서 제대로 조사에 들어갈 경우, 당신네 부서가 관련된 모든 법적 절차를 다 검토하는 데 몇 달은 걸릴 거라고 확신하고 있어요. 어쩌면 몇 년이 걸릴 지도 모르죠……." 그녀가 남자의 어깨에 부드럽게 손을 얹었다. "그래서 제 생각엔 당신이 지금 떠나는 게 이 일에 관련된 사람들 모두에게 가장 쉬운 해결책이 되지 않을까 싶어요." 그녀가 속삭였다.

그리고 그 하얀 셔츠의 행동을 보고 오베는 진심으로 놀랐다. 하얀 셔츠가 돌아서서 떠났다. 세 간호사가 그의 뒤를 따라갔다. 그는 모퉁이를 돌아, 해가 하늘 꼭대기에 이르렀을 때 그림자가 사라지듯 사라졌다. 혹은 이야기의 끝에서 악당이 퇴장할 때처럼 사라졌다.

레나가 흡족한 얼굴로 오베에게 고개를 끄덕였다. "제가 기자와 싸울 배짱을 가진 사람은 없다 그랬죠!"

오베가 주머니에 손을 찔러 넣었다.

"약속하신 거 잊지 마세요." 그녀가 씩 웃었다.

오베가 끙 하는 소리를 냈다.

"그나저나 제가 보낸 편지 읽으셨어요?" 그녀가 물었다.

그가 고개를 젓는다.

"읽어요!" 그녀가 강권했다.

오베는 "알았어, 알았다고"처럼 들리는, 또는 콧구멍으로 내뿜는 성난 콧김으로도 해석할 수도 있는 대답을 했다. 어느 쪽인지 판단하기는 어려웠다.

한 시간 뒤 집을 떠나기 전까지, 오베는 거실에 루네와 단둘이 앉아 오랫동안 조용히 대화를 나눴다. 왜냐하면 오베가 파르바네, 아니타, 패트릭을 부엌으로 내쫓을 때 짜증을 내며 설명했듯, 그와 루네는 '훼방 없이 이야기를 할' 필요가 있었으니까.

그리고 아니타가 조금만 더 주의를 기울였다면, 그녀는 그들이 이야기를 나누기 시작한 뒤로 루네가 여러 번 웃음을 터뜨리는 소리를 들었다고 맹세할 수 있었을 것이다.

36

오베라는 남자와 위스키 한 잔

자기가 틀렸다는 사실을 인정하기란 어렵다. 특히나 무척 오 랫동안 틀린 채로 살아왔을 때는.

소냐는 그들이 결혼한 뒤로 오베가 딱 한 번 자신이 틀렸다고 인정한 적이 있다고 말하곤 했다. 때는 1980년대 초반, 나중에 알고 보니 사실과 다른 것으로 밝혀진 일에 대해 그녀의 의견에 동의하고 나서였다. 오베는 그건 거짓말이라고, 망할 거짓말이 라고 주장했다. 정확히 따지자면 오베는 그녀가 틀렸다는 사실 을 인정한 것이었다. 자기가 틀렸다는 걸 인정한 게 아니라.

"누군가를 사랑하는 건 집에 들어가는 것과 같아요." 소냐는 그렇게 말하곤 했다. "처음에는 새 물건들 전부와 사랑에 빠져요. 매일 아침마다 이 모든 게 자기 거라는 사실에 경탄하지요. 마치 누가 갑자기 문을 열고 뛰어 들어와서 끔찍한 실수가 벌어졌다고, 사실 당신은 이런 훌륭한 곳에 살면 안 되는 사람이라고 말할까봐 두려워하는 것처럼. 그러다 세월이 지나면서 벽은 빛바래고 나무는 여기저기 쪼개져요. 그러면 집이 완벽해서 사랑하는 게 아니라 불완전해서 사랑하기 시작해요. 온갖 구석진 곳과 갈라진 틈에 통달하게 되는 거죠. 바깥이 추울 때 열쇠가 자물쇠에 꽉 끼어버리는 상황을 피하는 법을 알아요. 발을 디딜 때 어느 바닥 널이 살짝 휘는지 알고 삐걱거리는 소리를 내지 않으면서 옷장 문을 여는 법도 정확히 알죠. 집을 자기 집처럼 만드는 건 이런 작은 비밀들이에요."

물론 오베는 예시로 든 옷장 문이 혹시 자기를 가리키는 건 아닌지 의심했다. 그는 소냐가 "나는 가끔요, 기초가 처음부터 몽땅 흔들리면 고칠 수 있는 게 있기는 한지 궁금할 때가 있어요"라고 중얼거리는 걸 이따금 들었다. 그녀가 그에게 화가 났을 때 하는 소리였다. 그는 그녀가 이야기를 어디로 몰고 가려는 건지 무척 잘 알았다.

"저는 그냥, 그건 디젤 엔진 비용에 달려 있다는 얘길 하는 거라니까요? 킬로미터당 기름을 얼마나 소비하는가, 그런 거요." 파르바네가 빨간불 앞에서 사브의 속도를 낮추고 좌석에서 더 편하게 자세를 잡으려 살짝 끙끙대면서 태연하게 말했다.

오베가 한없이 실망하여 그녀를 보았다. 마치 그녀가 자기가 한 말을 하나도 듣지 않았다는 것처럼. 그는 이 임산부에게 차량 소유의 기초를 교육하고자 노력했다. 그는 돈을 잃지 않으려면 3년에 한 번씩 차를 바꿔야 한다고 설명했다. 그는 뭘 제대로 아는 사람들이라면 무척 잘 인식하고 있듯, 다시 말해 돈을 아끼려면 휘발유 엔진보다 디젤 엔진을 선택해서 최소한 1년에 2만 킬로미터를 운전해야 한다는 사실을 심혈을 기울여 알려줬다. 그런데 이 여자가 하는 짓 좀 보라. 그녀는 나불나불 수다를 떨면서, 늘 그렇듯 오베의 의견에 동조하지 않고, "새 차를 사면 돈을 아끼는 게 아니잖아요." 같은 소리로 말싸움이나 걸더니 나중에 가서는 돈을 아끼는 건 "차에 드는 비용이 얼마나 되는지"에 달린 거 아니냐고 했다. 그래놓고는 "왜요?"라고 물었다.

"원래 그런 거니까!" 오베가 말했다.

"알았어요." 파르바네가 말했다. 그녀가 눈을 굴리는 모양새를 보자, 오베는 그녀가 이 주제에 대해 자신의 권위를 인정하지 않는 것 같다는 의심이 들었다. 적어도 그녀가 그래줄 거라고 합리적으로 예상했던 것만큼은 아니지 싶었다.

몇 분 뒤 그녀는 거리 반대편 주차 구역에 차를 세웠다.

"여기서 기다릴게요." 그녀가 말했다.

"라디오 채널 맞춘 거에 손대지 마." 오베가 명령했다.

"제가 뭐라도 할 것처럼 그러시네요." 그녀가 거슬리게 웃으며 미소를 지었다. 최근 몇 주간 오베가 싫어하기 시작한 종류의 미소였다.

"어제 찾아오셔서 좋았어요." 그녀가 덧붙였다.

오베는 엄밀히 말해 단어가 아니라 소리에 불과한, 그러니까 자기 기도를 깨끗이 청소하는 것 같은 소리를 냈다. 그녀가 그의 무릎을 톡톡 두드렸다.

"애들이 오베 아저씨가 오면 기뻐해요. 당신을 좋아한다니까요!"

오베는 대답하지 않고 차에서 내렸다. 어제 저녁 식사가 뭐 그렇게 나쁘지는 않았다는 사실까지는 인정해줄 수 있었다. 비록 파르바네가 그러는 것처럼 요리 가지고 그렇게 법석을 떨 필요가 있을까 싶었지만. 고기와 감자와 소스만 있으면 딱 되는 거 아니냔 말이다. 하지만 굳이 그녀가 하는 것처럼 일을 복잡하게 만들어야 한다면, 오베는 그녀가 만든 사프란 섞은 밥이 그럭저럭 먹을 만하다는 것에 동의할 수 있었다. 뭐 그렇다. 그래서 두 그릇을 비웠다. 고양이는 한 그릇 반을 먹었다.

저녁을 먹고 나서 패트릭이 설거지를 하는 동안 세 살배기가 오베에게 침대 머리맡에서 책을 읽어달라고 요구했다. 오베는 이 조그만 트롤*을 설득하는 게 무척 어렵다는 걸 깨달았다. 정상적인 토론을 이해하지 못하는 것처럼 보였기 때문이다. 그래서 그는 불만스런 표정으로 현관을 지나 세 살배기의 방으로 간 다음 침대 머리맡에 앉아서는 평소 '오베 스타일 흥분'을 담아

---

* troll. 스칸디나비아 신화에 나오는 거대한 괴물. 난장이로도 묘사된다.

책을 읽어줬다. '오베 스타일 흥분'은 파르바네가 썼던 말인데, 오베는 대체 그게 무슨 뜻으로 하는 소리인지 알 수가 없었다. 세 살배기가 그의 팔과 펼쳐진 책에 머리를 기대고 잠이 들자, 오베는 그녀와 고양이를 침대에 눕히고 불을 껐다.

다시 현관을 거쳐 돌아가던 중 그는 일곱 살짜리의 방을 지나쳤다. 소녀는 당연하게도, 컴퓨터 앞에 앉아 뭔가 열심히 두드려대고 있었다. 요즘엔 애들이 다 이런 짓을 하고 있는 것 같다고 오베는 생각했다. 패트릭은 자기가 '새 게임을 주려고 해봤지만 딸아이는 딱 한 가지 게임만 하고 싶어 한다'고 설명했고, 오베는 그 말을 듣자 일곱 살짜리와 그녀가 하는 게임 모두에 호의적인 감정이 들었다. 오베는 패트릭이 하라는 대로 하지 않는 사람들이 좋았다.

소녀의 방 벽에는 여기저기 그림이 걸려 있었다. 대부분 연필로 그린 흑백 그림이었다. 그는 이 그림들이 연역적 추론 능력이 없는, 운동 기능이 무척이나 미숙한 일곱 살짜리가 창조한 작품이라는 걸 고려한다면 그리 나쁘지 않다는 사실을 기꺼이 인정했다. 사람을 그린 건 하나도 없었다. 모두 집들이었다. 오베는 이 점이 정말 매력적이라는 걸 깨달았다.

그가 방으로 들어가 소녀 옆에 섰다. 소녀는 언제나 질질 끌고 다니는 것 같은 뚱한 얼굴로 컴퓨터에서 고개를 들었다. 사실 그가 나타난 게 그리 달갑지는 않은 것 같았다. 하지만 오베가 계속 서 있자 마침내 바닥에 놓여 있던 위아래가 뒤집힌 플라스틱 보관함을 가리켰다. 오베가 상자 위에 앉았다. 그녀는 그에게 자기가 하는 게임이 집을 지은 다음 그 집으로 도시를 만드는 것이라고 설명했다.

"집이 좋아요." 그녀가 조용히 중얼거렸다.

오베가 소녀를 봤다. 소녀가 오베를 봤다. 오베가 검지를 화면에 짚어 커다란 지문을 남기면서 마을의 빈 공간을 가리킨 다음 만약 이 지점을 클릭하면 어떻게 되는지 물었다. 그녀가 그쪽으로 커서를 옮긴 뒤 클릭하자, 컴퓨터가 순식간에 집을 세웠다. 오베가 의심적은 표정을 지었다. 그런 다음 플라스틱 상자에 편안히 앉아 다른 빈 공간을 가리켰다. 2시간 반 뒤 파르바네가 화를 내며 방으로 쿵쿵 들어와 당장 게임을 그만하지 않으면 플러그를 뽑아버리겠다고 협박했다.

오베가 나가려고 문간에 서 있는데, 일곱 살짜리가 조심스럽게 그의 셔츠 소매를 잡아당기고는 오베의 바로 옆에 걸려 있는 그림을 가리켰다. "저게 아저씨 집이에요." 그녀가 속삭였다. 마치 그게 소녀와 오베 사이의 비밀이라도 되는 양.

오베가 고개를 끄덕였다. 아무래도 이 두 꼬맹이는 완전히 글러먹은 애들은 아닌 모양이었다.

그는 주차 구역을 지나 길을 건넌 뒤 유리문을 열고 안으로 들어갔다. 카페는 비어 있었다. 머리 위에서 온풍기가 시가 연기라도 삼킨 것처럼 콜록거렸다. 아멜은 얼룩진 셔츠를 입고 카운터 뒤에 서서 행주로 잔을 닦고 있었다.

그의 딴딴한 몸은 마지막까지 남아 있던 숨을 몽땅 내뱉은 것처럼 쪼그라들어 있었다. 그 세대의 남자들, 세상에서 자기 몫을 꾸려온 남자들만이 감당할 수 있을 것 같은 깊은 슬픔과 위로할 길 없는 분노가 뒤섞인 표정이 얼굴에 떠올라 있었다. 두 남자가 잠시 서로를 지켜보았다. 한 명은 동성애자 청년을 차마 자기 집에서 내쫓을 수 없었고, 다른 한 명은 스스로를 제어할 수 없었다. 마침내 오베가 무뚝뚝하게 고개를 끄덕이고는 바 앞에 놓인 의자에 앉았다.

그는 카운터 위에서 손을 맞잡고 아멜을 건조하게 쳐다보았다. "지금도 그 위스키 남아 있으면 딱히 마다할 생각이 없습니다만."

아멜의 가슴이 얼룩진 셔츠 아래서 가쁜 숨과 함께 두어 번 오르내렸다. 처음에 그는 뭔가 말을 하려고 한 것 같았지만 생각을 고쳐먹었다. 그는 침묵 속에서 잔을 마저 닦았다. 행주를 개서 에스프레소 기계 옆에 놓아두었다. 말없이 주방으로 사라졌다. 위스키 병과 잔 두 개를 들고 돌아왔다. 오베는 병 라벨에 적힌 외국 글자를 읽을 수 없었다. 아멜은 그것들을 그들 사이에 있는 카운터에 내려놓았다.

자기가 틀렸다는 사실을 인정하기란 어렵다. 특히나 무척 오랫동안 틀린 채로 살아왔을 때는 더.

37

오베라는 남자와
쓸데없이 참견해대는 수많은 놈들

"이번 일은 미안하게 됐어." 오베가 눈을 밟으며 뽀드득 소리를 냈다. 그는 묘석에서 눈을 털어냈다. "하지만 세상이 어떤지 당신도 알잖아. 사람들이 더 이상 개인의 영역을 전혀 존중하지 않아. 노크도 없이 집으로 쳐들어와서는 진짜로 추태를 부려. 더는 화장실에 편하게 앉아 있을 수 없을 정도라고." 그는 그렇게 설명하고는 얼어버린 꽃을 땅에서 파낸 다음 새 꽃을 꾹꾹 눌러 묻었다.

그는 그녀가 동의의 뜻으로 고개를 끄덕여주길 기대하기라도 하듯 그녀를 보았다. 물론 그녀는 그러지 않았다. 오베의 옆에 고양이가 앉아 있다가 오베에게 전적으로 동의하는 표정을 지었다. 특히 평화롭게 화장실에 갈 수도 없는 신세가 됐다는 부분.

레나가 그날 아침 오베의 집으로 와 신문 한 부를 줬다. 오베는 1면에 나와 있었다. 실로 전형적인 심술쟁이 늙은이처럼 보였다. 그는 약속대로 그녀와 인터뷰를 했다. 하지만 카메라 앞에서 원숭이처럼 웃진 않았다. 그 점은 딱 잘라 말했다.

"진짜 멋진 인터뷰예요!" 그녀가 자랑스레 강조했다.

오베는 대답하지 않았지만 그녀는 개의치 않는 듯 보였다. 그녀는 초조해 보였고, 서둘러야 한다는 듯 시계를 흘끗거리며 제자리에서 서성거렸다.

"당신 붙잡아둘 생각 없는데." 오베가 중얼거렸다.

그녀는 대답 대신 십 대 소녀처럼 키득거리는 웃음이 나오려는 걸 꾹 눌렀다.

"저랑 앤더스랑 호수에 스케이트 타러 가기로 했어요!"

오베는 그저 고개를 끄덕이면서 그녀의 이 말을 대화가 끝났다는 얘기로 받아들이고는 문을 닫았다. 그는 현관 깔개 밑에 신문을 집어넣었다. 매트는 고양이와 미르사드가 묻혀서 들어오는 눈과 진창을 흡수하는 데 꽤 쓸모가 있었다.

그는 부엌으로 돌아와 아드리안이 그날의 우편물과 함께 놓고 간 광고지와 공짜 신문을 싹 치웠다(소냐가 그 건달놈한테 셰익스피어 읽는 법은 어찌어찌 가르쳤는지 모르겠지만, 그는 '쓰레기 광고지 금지'라는 딱 세 단어가 적혀 있는 표지판은 읽지 못했다).

종이더미 맨 밑에 레나가 보냈던 편지가 놓여 있었다. 아드리안이 오베의 집 초인종을 처음 눌렀을 때 가져왔던 그 편지.

그때는 최소한 초인종이라도 눌렀다. 이제는 여기 사는 사람처럼 들고 난다. 오베는 그렇게 투덜거리면서 마치 위조지폐를 감별하듯 편지를 부엌 전등에 비춰보았다. 그런 다음 싱크대 서랍에서 식탁용 나이프를 집어왔다. 비록 소냐는 그가 봉투를 개봉하려고 편지용 칼이 아니라 식탁용 나이프를 쓸 때마다 화를 버럭 내곤 했지만 말이다.

오베 씨께

이런 식으로 연락을 드리는 게 실례가 아닌지 모르겠습니다. 신문사의 레나 씨가 당신이 이 일을 크게 만들고 싶어 하지 않으신다고 하더군요. 하지만 친절하게도 제게 오베 씨 주소를 주셨습니다. 왜냐하면 제게는 정말 큰일이고, 저는 오베 씨에게 아무 말도 않고 넘어갈 수 있는 사람은 아니니까요. 저는 당신이 제게 감사 인사를 받고 싶어하지 않으신다는 점을 존중하지만, 적어도 당신의 용기와 이타심에 앞으로도 늘 감사하며 살게 될 사람들만큼은 소개드리고 싶었습니다. 당신 같은 사람들은 더 이상 없을 거예요. 감사하다는 말은 정말 턱없이 부족한 단어네요.

편지에는 그 검정 정장과 회색 오버코트 남자의 이름이 적혀 있었다. 정신을 잃고 떨어져 오베가 선로에서 들어 올렸던 그 남자. 레나는 오베에게 그 남자가 일종의 까다로운 뇌 질환 때문에 졸도한 것이었다고 말해줬다. 만약 그때 발견해 적절한 치료를 시작하지 않았다면, 그 병은 몇 년 안에 남자의 생명을 앗아갔을 거라고 했다. "그러니 어떻게 보자면 그분의 목숨을 두 번 구한 거예요." 레나가 격한 말투로 그렇게 외쳐대자, 오베는 기회가 있었을 때 이 여자를 차고에 계속 가둬놓지 못한 걸 조금 후회했다.

그는 편지를 접어 봉투에 넣고 사진을 집어 들었다. 아이들 세 명이 찍혀 있었다. 제일 나이가 많은 애는 십 대였고 나머지 둘은 파르바네의 맏딸과 비슷한 나이였다. 아이들은 오베를 보고 있었다. 아니 그보다는, 사실 보고 있는 건 아니었다. 그들은 깔개 위에 이리저리 흩어져 있었고, 손에 물총을 든 채 진짜 숨넘어가는 비명 소리가 날 때까지 웃어대고 있는 게 분명했다. 아이들 뒤에는 45세 정도 되어 보이는 금발 여인이 환한 미소를 지은 채 커다란 맹금처럼 두 팔을 쭉 뻗고 있었다. 양손에 들고 있는 양동이에서 물이 넘쳐흘렀다. 깔개 맨 아래에는 그 검정 정장 남자가 누워 있었다. 사진에서는 파란색 폴로셔츠를 입고 있었고, 쏟아지는 물세례를 방어하느라 헛되이 애쓰고 있었다.

오베는 편지를 광고지와 함께 치운 다음 봉지를 동여매고 나서 그걸 현관문에 갖다 놓았다. 부엌으로 돌아와 싱크대 맨 아래 서랍에서 자석을 하나 꺼내 냉장고에 사진을 붙였다. 사진 바로 옆에는 병원에서 돌아오던 길에 세 살배기가 그려준 요란한 색깔의 그림이 붙어 있었다.

오베가 다시 묘석의 눈을 털었다. 이미 치울 만큼 다 치웠지만.

"음, 그래, 내가 그 사람들한테 말했어. 사람이란 평화를 사랑하고 정상적인 인간을 좋아하게 마련이라고. 하지만 말을 안 들어먹어. 안 들어먹는다고." 그가 한탄하며 묘석을 향해 지친 듯 팔을 내저었다.

"안녕하세요, 소냐." 오베의 뒤에서 파르바네가 말했다. 정말로 활기차게 손을 흔드는 바람에 끼고 있던 커다란 벙어리장갑이 손에서 미끄러져 빠졌다.

"안녕!" 세 살배기가 행복하게 외쳤다.

"'안녕', '안녕'이라고 말해야 돼." 일곱 살짜리가 고쳐줬다.

"안녕하세요, 소냐." 패트릭, 지미, 아드리안, 미르사드가 차례로 고개를 끄덕였다.

오베가 신발로 눈을 쿵쿵 밟고는 끙끙거리는 소리를 내며 옆에 있는 고양이에게 고개를 끄덕였다.

"그래. 이 고양이는 이미 알겠지."

이제 파르바네의 배는 정말로 커져서, 몸을 숙여 웅크린 듯한 자세로 한 손을 묘석에 올려놓고 다른 한 손은 패트릭의 팔에 걸쳐놓자 거대한 거북처럼 보였다. 물론 오베가 감히 그 거대 거북이 은유를 입 밖에 내려는 건 아니었다. 자살을 하는 데는 더 유쾌한 방법이 많다고, 그는 생각했다. 이미 그 중 몇 가지를 시도해 본 사람으로서 말하자면 그렇다는 거였다.

"이 꽃은 패트릭과 아이들과 제가 가져왔어요." 묘석에 대고 친근한 미소를 지으며 파르바네가 말했다.

그런 다음 다른 꽃다발을 꺼내 덧붙였다.

"이건 아니타와 루네가 보냈어요. 사랑을 듬뿍 보낸대요."

다종다양한 한 무리의 사람들이 주차 구역으로 돌아가지만 파르바네는 무덤가에 계속 서 있었다. 오베가 왜 그러냐고 묻자 그녀는 "신경 끄세요!"라고 말하며 오베로 하여금 뭘 집어던지고 싶게 만드는 미소를 지었다. 단단한 건 말고, 뭔가 상징적인 걸.

그는 낮은 옥타브로 콧김을 내뿜으며 그 말을 받아치려다가, 일종의 내적 숙고를 어느 정도 거친 뒤, 이 두 여자와 동시에 말싸움을 하는 건 애초에 쓸데없는 짓이리라는 사실을 깨달았다. 그는 사브로 돌아가려 몸을 돌렸다.

"여자끼리 얘기였어요." 마침내 주차 구역으로 돌아와 조수석에 올라타며 파르바네가 간단히 말했다. 오베는 그게 무슨 소린지 알 수가 없지만 그냥 모르는 대로 놓아두기로 했다. 나사닌의 언니가 뒷좌석에서 나사닌이 안전벨트 매는 걸 도와줬다. 그러는 동안 지미, 미르사드, 패트릭은 사브 앞에 있는 아드리안의 새 차에 어찌어찌 껴져 탔다. 도요타. 판단력이 있는 사람이라면 도통 선택할 차가 아니라고, 오베는 판매 대리점에서 아드리안에게 수없이 지적을 했다. 하지만 최소한 프랑스제는 아니었다. 오베는 차 가격을 거의 8천 크로나 깎고 그 가격에 겨울용 타이

어까지 받도록 하는 데 성공했다. 그나마 이런 조건으로 도요타 정도면 받아들일 수 있었다.

오베가 대리점에 갔을 때 그 빌어먹을 꼬마는 현대차를 보던 중이었으니까. 하마터면 더 나빠질 수도 있었다.

그들은 주택 단지로 돌아온 뒤 각자의 방향으로 흩어졌다. 오베, 미르사드, 고양이가 파르바네, 패트릭, 지미와 아이들에게 손을 흔들고는 오베의 헛간을 돌아 들어갔다.

딴딴한 남자가 얼마나 오랫동안 오베의 집 앞에서 기다리고 있었는지 판단하기는 어려웠다. 아마 아침 내내 기다리지 않았을까 싶었다. 그는 황량한 벌판 어딘가에서 등을 꼿꼿이 세운 채 붙박혀 있는 파수꾼처럼 단호한 표정을 짓고 있었다. 마치 자기는 두터운 나무둥치에서 잘려 나왔고, 그래서 영하의 기온 따위는 아무 상관이 없다는 듯. 그러나 미르사드가 모퉁이를 돌아 걸어오고 딴딴한 남자가 그 모습을 보자, 남자는 재빨리 생기를 되찾았다.

"왔냐." 그가 몸을 펴면서 자기 몸의 무게를 처음 내딛는 발에 실었다.

"오셨어요, 아빠." 미르사드가 중얼거렸다.

그날 저녁, 오베의 집 부엌에서 아버지와 아들이 실망과 희망과 남자다움에 대한 이야기를 두 개의 언어로 나누는 동안, 오베는 파르바네와 패트릭의 집에서 저녁을 먹었다. 아마 그들이 제일 많이 하는 얘기는 용기에 대한 내용일 것이었다. 소냐라면 좋아했을 것이다. 오베는 잘 알았다. 하지만 그는 파르바네가 알아챌 정도로 미소를 크게 짓지 않으려 노력했다.

일곱 살짜리가 잠자리에 들기 전에 오베의 손에 종이 한 장을 쥐어줬다. 종이에는 '생일 파티 초대장'이라고 적혀 있었다. 오베는 마치 그게 임차권 합의를 위해 권리 이전 사항을 기술한 법률 서류라도 되는 것처럼 초대장을 읽었다.

"알았다. 그렇다면 선물을 원하겠군. 내 생각엔 그러네?" 그가 으름장을 놓았다.

소녀는 바닥을 보며 고개를 저었다.

"다 사주실 필요는 없어요. 딱 하나만 있으면 돼요."

오베가 초대장을 접어 바지 뒷주머니에 집어넣었다. 그런 다음 나름의 권위를 담아 손바닥을 옆구리에 올렸다.

"그래?"

"엄마는 그게 너무 비싸대요. 그래서 안 사주셔도 상관은 없어요." 소녀는 얼굴을 들지 않은 채 말하며 다시 고개를 저었다.

오베는 음모에 동참하듯 고개를 끄덕였다. 마치 공범에게 자기들이 쓰는 전화가 도청되고 있다는 신호를 보내는 범죄자처럼. 그와 소녀는 현관 주변을 둘러보며 꼬치꼬치 참견하기 좋아하는 귀를 가진 소녀의 어머니나 아버지가 구석에서 그들의 대화를 비밀리에 엿듣고 있지는 않은지 확인했다. 그런 다음 오베는 몸을 앞으로 기울였고, 소녀는 두 손을 깔때기 모양으로 만들어 그의 귀에 대고 속삭였다.

"아이패드요."

오베는 소녀가 방금 "아외쯔키즉드론츠!"라고 말하기라도 한 것 같은 표정으로 바라보았다.

"컴퓨터의 일종이에요. 특별한 그림 프로그램이 장착돼 있어요. 어린이용 프로그램요." 그녀가 조금 더 크게 속삭였다.

그녀의 눈에서 무언가가 반짝였다.

오베가 알아볼 수 있는 무언가가.

38

오베라는 남자와 이야기의 끝

넓게 보아 두 종류의 사람이 있다. 하얀 케이블이 정말로 쓸모 있다는 사실을 이해하는 사람과 그렇지 못한 사람. 지미는 전자다. 그는 하얀 케이블을 사랑한다. 흰색 전화기도 사랑한다. 뒤에 과일 마크가 찍혀 있는 하얀색 컴퓨터도 사랑한다. 그게 시내까지 차를 몰고 가는 도중에 합리적인 사람이라면 응당 이 문제에 관심을 갖는 걸 피할 수 없다며 열정적으로 나불대는 지미의 말을 듣고 오베가 어느 정도 종합적으로 내린 결론이었다. 마침내 오베는 일종의 깊은 명상 상태로 빠져들었고, 그러자 이 과체중 청년의 수다가 귓가에서 희미하게 쉭쉭거리는 소리로 바뀌었다.

지미가 거대한 머스터드 샌드위치를 손에 들고 사브 조수석에 들이닥치자마자, 오베는 이 문제로 지미의 도움을 청하지 않았다면 얼마나 좋았을까 하는 생각이 들었다. 매장에 들어가자마자 지미가 '신상 몇 개'를 살펴봐야 한다며 목적 없이 발을 질질 끌며 돌아다니는 바람에 상황이 딱히 개선되지도 않았다.

혼자 계산대로 발걸음을 옮기는 동안, 오베는 평소 느꼈던 대로 뭔가 일을 해내고 싶으면 혼자 해야 한다는 사실을 새삼 확인했다. 매장에 비치된 다양한 휴대용 컴퓨터를 보여주려 애쓰는 점원에게 "너 전두엽절제술*이나 뭐 그런 거라도 받고 온 거냐?"라고 오베가 고함을 질러대고 나서야 지미가 서둘러 도와주러 달려왔다. 사실 도움이 필요한 쪽은 오베라기보다는 매장 직원이었다.

"같이 왔어요." 지미가 점원에게 고개를 끄덕이며 '걱정 말아요. 저는 당신네쪽 사람이니까!'라는 메시지를 전달하는 듯한 시선을 흘끗 던졌다.

판매 점원은 절망스런 한숨을 푹 쉬고는 오베를 가리켰다.

"저는 이분을 도와드리려고 하는데……."

"너는 이딴 쓰레기 더미로 나한테 사기를 치려고 하지. 그게 지금 네가 하는 거라고!" 오베는 그가 말을 끝까지 하게 놔두지 않은 채 소리를 지르면서, 가까운 선반에서 자기도 모르게 잡아채 온 무언가를 들고 점원을 위협했다.

---

* 안구를 통해 수술 기구를 넣어 전두엽을 절제하는 수술. 중증 정신질환자를 치료할 목적으로 1950년대까지 성행하였으며, 폭력적인 성향이 제거되는 대신 인지능력과 언어능력 등이 심각하게 저하되는 부작용을 불러왔다.

오베는 그게 정확히 뭔지는 몰랐다. 마치 하얀색 전기 플러그처럼 생겼고, 필요할 경우 점원에게 집어던질 수 있는 딱딱한 물건 같기는 했다. 판매점원이 눈가에 경련을 일으키며 지미를 보았다. 아무래도 오베는 그와 접촉하는 사람들에게 그런 반응을 일으키는 데 무척 능숙해 보였다. 어찌나 자주 이런 일이 생기는지 오베의 이름을 딴 신드롬이라도 하나 만들 수 있을 정도였다.

"이 사람 아저씨한테 해를 끼칠 뜻은 없었어요." 지미가 유쾌하게 말하려 노력했다.

"저는 이분께 맥북을 보여드리려 했을 뿐인데, 저한테 무슨 차를 모는지 묻고 계시잖아요." 점원이 정말로 상처받은 표정으로 버럭 소리를 질렀다.

"밀접한 관계가 있는 질문이야." 오베가 지미에게 단호히 고개를 끄덕이며 중얼거렸다.

"전 차가 없어요! 차가 필요 없다고 생각하고, 더 환경 친화적인 교통 수단을 이용하고 싶으니까요!" 점원이 고집스러운 분노와 본능적인 분노 사이 어딘가에서 요동치는 듯한 목소리로 말한다.

오베가 지미를 보고는 이만하면 다 설명이 되지 않겠냐는 듯 팔을 뻗었다.

"저런 사람을 설득할 수 있을 리가 있나." 오베가 고개를 끄덕이고는 즉시 자기편을 들기를 기대하며 말했다. "그나저나 넌 대체 어디 있었던 거냐?"

"그냥 저쪽에서 모니터 보고 있었는데요." 지미가 설명했다.

"모니터 사게?" 오베가 물었다.

"아뇨." 지미가 그렇게 말하고는 별 이상한 질문 다 보겠다는 듯한 표정을 지었다. 오베가 정말로 신발이 또 '필요한' 거냐고 물었을 때 소냐도 "그게 무슨 상관이 있어요?"라고 말하면서 저 비슷한 얼굴을 하곤 했다.

점원이 몸을 돌려 달아나려 하지만 오베가 재빨리 다리를 앞으로 내밀어 그를 막았다.

"어디 가? 우리 일 안 끝났잖아."

점원은 정말로 불행한 표정이었다. 지미가 그의 등을 툭툭 두드리며 격려했다.

"오베 아저씨는 아이패드 좀 보러 온 거예요. 봐주실 수 있죠?"

점원이 험상궂은 표정으로 오베를 보았다.

"좋아요. 하지만 제가 벌써 물어보고 있었다고요. 무슨 모델 원하시는지. 16기가인지, 32기가인지, 64기가인지."

오베는 점원이 글자를 아무렇게나 조합해서 지껄이는 걸 멈춰야 한다는 듯한 표정으로 점원을 쳐다봤다.

"다른 메모리 용량을 가진 여러 제품들이 있다는 소리예요." 지미가 이민국에서 나온 통역사처럼 오베에게 점원의 말을 해석해줬다.

"나한테는 저놈들이 지랄같이 많은 추가 요금을 원한다는 소리로 들리는데." 오베가 콧김을 내뿜었다.

지미는 상황을 이해하겠다는 듯 고개를 끄덕인 뒤 점원에게 몸을 돌렸다.

"제 생각엔 오베 아저씨는 모델 사이에 무슨 차이가 있는지 더 알고 싶은 것 같아요."

점원이 끙 하는 소리를 냈다.

"음. 그럼 일반 모델이 필요하세요, 3G 모델이 필요하세요?"

지미가 오베에게 몸을 돌렸다.

"걔가 아이패드를 주로 집에서 쓸 건가요, 아니면 밖에서 쓸 건가요?"

오베가 예의 그 경찰용 권총 같은 손가락을 공중에 푹 찌르더니 점원에게 똑바로 겨눴다.

"야! 나는 걔한테 제일 좋은 걸 주고 싶다고! 알아들어?"

점원이 불안한 듯 한 발 뒤로 물러섰다. 지미가 씩 웃더니 마치 상대를 꼭 끌어안을 준비라도 하듯 두툼한 팔을 활짝 벌렸다.

"그러면 3G, 128기가에 부가기능 전부 다 있는 모델이라고 하세요. 케이블은 서비스로 주시는 거죠?"

몇 분 뒤, 오베는 카운터에서 아이패드 상자가 든 비닐봉지를 홱 잡아채고는 "팔천이백구십오크로나씩이나줬는데키보드도공짜로안주다니!"처럼 들리는 말을 중얼거리고는 뒤이어 '도둑놈들', '산적떼들'을 비롯한 다양한 형태의 욕설을 내뱉었다.

이리하여 일곱 살짜리는 그날 저녁 오베에게서 아이패드를 받았다. 지미는 충전용 잭을 선물했다.

그녀는 문 바로 안쪽 현관에 서서, 이 소식 앞에서 어떻게 해야 할지 망설이다가, 마침내 그냥 고개를 끄덕이고 말했다. "정말 멋져요…… 고맙습니다." 지미가 대범하게 고개를 끄덕였다.

"간식 있니?"

그녀가 사람들로 가득한 거실을 가리켰다. 방 한가운데에 초가 여덟 개 꽂힌 생일 케이크가 놓여 있었고, 튼실한 청년은 즉시 그쪽으로 방향을 틀어 항해를 시작했다. 이제 여덟 살인 소녀는 현관에 그대로 서서 놀랍다는 얼굴로 아이패드 박스를 쓰다듬고 있었다. 이게 진짜 손에 들어왔다는 사실을 감히 믿을 수 없다는 듯. 오베가 그녀에게 몸을 숙였다.

"내가 새 차를 살 때마다 딱 그런 기분이 들지." 그가 낮은 목소리로 말했다.

소녀는 주변을 둘러보며 누가 안 보는지 확인한 다음 미소를 짓더니 오베를 끌어안았다.

"고마워요, 할아버지." 그녀가 속삭이고는 자기 방으로 달려갔다.

오베는 현관에 조용히 서서 집 열쇠를 손바닥의 굳은살에 쿡 찔러봤다. 패트릭이 목발을 짚고 절뚝절뚝 오면서 여덟 살짜리를 쫓아갔다. 그는 이날 저녁에 가장 힘들지만 제일 보람없는 임무를 맡은 게 분명했다. 방에서 혼자 팝 음악을 들으며 새 아이패드에다 앱을 다운받아 까는 것보다 드레스 차림으로 앉아 있다가 따분한 어른들과 함께 케이크를 먹는 게 훨씬 재미있다고 자기 딸을 설득하는 임무 말이다. 오베는 재킷을 입고 현관에 선 채로 족히 10분은 바닥을 멍하니 바라보았다.

"괜찮아요?"

파르바네의 목소리가 그를 깊은 꿈에서 끄집어내듯 부드럽게 잡아당겼다. 그녀는 공 모양의 배에 손을 얹은 채 거실 입구에 서서 자기 앞에 놓인 배가 거대한 빨래바구니라도 되는 양 균형을 맞추고 있었다. 오베가 살짝 흐리멍덩한 눈으로 고개를 들었다.

"그럼, 그럼. 당연히 괜찮지."

"들어와서 케이크 좀 드시지 않을래요?"

"아니…… 아냐. 난 케이크 안 좋아해. 고양이랑 산책이나 할래."

파르바네의 커다란 갈색 눈이 마치 꿰뚫어볼 듯 그를 붙들었다. 요즘 와서 점점 더 그런 식으로 자기를 보는데, 오베는 그게 무척이나 불편했다. 마치 그녀의 안에 어두운 예감이 잔뜩 채워져 있기라도 한 것처럼.

"그래요." 그녀가 마침내 아무 설득도 담지 않은 목소리로 말했다. "내일 운전 교습 있는 거죠? 여덟 시에 초인종 누를게요." 그녀가 그렇게 제안했다.

오베가 고개를 끄덕였다. 고양이가 수염에 케이크를 묻힌 채 현관으로 어슬렁어슬렁 걸어왔다.

"다 먹었냐?" 오베가 고양이를 향해 씩씩댔고, 고양이가 그렇다고 확인하는 듯한 표정을 지으려는데, 오베가 파르바네를 흘 끗 보고는 조금 안절부절 못하며 열쇠를 만지작거리다 낮은 목소리로 말했다.

"좋아. 내일 아침 여덟 시."

오베와 고양이가 주택들 사이에 난 작은 길로 나섰을 때는 겨울의 어둠이 짙게 내려앉은 뒤였다. 생일 파티의 웃음과 음악이 벽 사이에서 커다랗고 따뜻한 카펫처럼 흘러나왔다. 소냐라면 좋아했을 거라고 오베는 생각했다. 그녀라면 이 정신 나간 임산부와 그녀의 말도 안 되게 제멋대로인 가족이 오고 나서 벌어졌던 일들을 사랑했을 것이다. 엄청나게 웃어댔을 것이다. 맙소사, 오베는 그 웃음이 얼마나 그리운지 몰랐다.

그는 고양이와 함께 주차 구역까지 걸었다. 이정표들을 모두 발로 걷어차며 확인했다. 차고 문을 잡아당겼다. 방문객 주차장을 한 바퀴 둘러보고 돌아왔다. 쓰레기 처리장을 확인했다. 그들이 오베의 헛간을 따라 난 길 사이로 돌아오는데, 파르바네와 패트릭의 집이 있는 길 맨 끝집에서 무언가가 움직이는 게 오베의 눈에 들어왔다. 처음에 오베는 파티 손님 중 한 명일 거라고 생각했지만, 이내 그 형상이 재활용 가족이 사는 컴컴한 집에 달린 헛간 옆에서 움직이고 있다는 사실을 깨달았다. 오베가 알기로 그 집 가족들은 여전히 태국에 있었다. 그는 사팔눈을 뜬 채 그림자 때문에 뭘 잘못 본 건 아닌지 확인하려고 어둠 속을 노려봤다. 몇 초 뒤 아무것도 보이지 않았다. 그러다가 오베가 자기 시력이 예전 같지 않다는 사실을 인정할 준비를 하는데, 그 형상이 다시 나타났다. 그 뒤에 둘이 더 있었다. 착각할 수 없는 소리가 들렸다. 창문에 단열 테이프를 붙인 뒤 망치로 톡톡 두드리는 소리. 유리를 깰 때 소음을 최소화하는 방법이었다. 오베는 그때 어떤 소리가 나는지 정확히 알았다. 철도 회사에서 일하던 시절 손가락을 베지 않고 깨진 기차 창문을 떼어낼 때 저렇게 하는 법을 배웠다.

"너네. 거기서 뭐 하는 거지?" 오베가 어둠을 뚫고 소리쳤다.

집 옆에 있던 사람 형상들이 동작을 멈췄다. 오베의 귀에 목소리가 들렸다.

"야 너희들!" 그가 크게 소리를 지르면서 그들을 향해 달리기 시작했다.

그는 놈들 중 하나가 몇 걸음 앞으로 나오는 걸 보고, 놈들 중 하나가 뭐라고 소리치는 걸 들었다. 헛간에서 싸움에 쓸 걸 들고 왔어야 한다는 생각이 들었지만 이미 늦었다. 오베는 곁눈질로 그 사람 형상들 중 하나가 길쭉한 걸 꽉 쥐고 휘두른다는 걸 보고는 저 개자식부터 먼저 때리기로 결정했다.

뭔가가 가슴을 찌르는 듯했는데, 고통이 너무 강한 나머지 동시에 다른 누군가가 등을 가격한 것 같은 느낌이 들었다. 오베는 등 뒤로 주먹을 날렸다. 설상가상으로 다른 놈이 다시 찔렀다. 마치 누군가 그의 머리 꼭대기에서부터 발끝까지 꼬챙이에 꿰기라도 하듯, 온몸이 고통으로 가득했다.

오베는 공기를 찾아 헐떡였지만 공기가 없는 듯 숨이 쉬어지지 않았다. 그는 성큼성큼 발을 내딛던 중 쓰러졌다. 몸 전체가 눈 위로 풀썩 넘어졌다. 얼음 조각이 뺨을 긁는 무딘 통증이 감지되었고, 커다랗고 무자비한 주먹이 가슴 안의 뭔가를 쥐어짜는 것 같은 느낌이 들었다. 마치 알루미늄 캔을 손으로 으스러뜨리는 것 같았다.

오베는 강도들이 눈을 밟으며 뛰어가는 소리를 듣고, 놈들이 달아나고 있다는 사실을 깨달았다. 시간이 얼마나 지났는지 모르겠지만, 머릿속의 고통을 참을 수가 없었다. 형광등이 줄줄이 폭발하는 것 같았다. 소리를 지르고 싶었지만 폐에 산소가 없었다. 귓속에서 피가 꿀렁이듯 뛰는 혈관 때문에 귀청이 떨어질 것 같은 와중에 멀리서 파르바네의 목소리가 들려왔다. 그녀가 잰걸음으로 달려오다 넘어지는 바람에 그 작은 발 위에 세워져 있던 불균형한 몸이 눈 위로 미끄러지는 게 느껴졌다. 모든 게 깜깜해지기 전 오베가 마지막으로 생각한 건 구급차를 주택들 사이에 들어오지 못하도록 하겠다는 약속을 그녀에게서 받아내야 한다는 것이었다.

왜냐하면 거주자 구역에서는 차량 통행이 금지되어 있으니까.

39

오베라는 남자

죽음이란 이상한 것이다. 사람들은 마치 죽음이란 게 존재하지 않는 양 인생을 살아가지만, 죽음은 종종 삶을 유지하는 가장 커다란 동기 중 하나이기도 하다. 우리 중 어떤 이들은 때로 죽음을 무척이나 의식함으로써 더 열심히, 더 완고하게, 더 분노하며 산다. 심지어 어떤 이들은 죽음의 반대 항을 의식하기 위해서라도 죽음의 존재를 끊임없이 필요로 했다. 또 다른 이들은 죽음에 너무나 사로잡힌 나머지 죽음이 자기의 도착을 알리기 훨씬 전부터 대기실로 들어가기도 한다. 우리는 죽음 자체를 두려워하지만, 대부분은 죽음이 우리 자신보다 다른 사람을 데려갈지 모른다는 사실을 더 두려워한다. 죽음에 대해 갖는 가장 큰 두려움은, 죽음이 언제나 자신을 비껴가리라는 사실이다. 그리하여 우리를 홀로 남겨놓으리라는 사실이다.

사람들은 늘 오베가 '까칠하다'고 말했다. 하지만 그는 빌어먹을 까칠한 사람이 아니었다. 그는 그저 내내 웃으며 돌아다니지 않았을 뿐이었다. 그게 누군가가 거친 사람으로 취급당해 싸다는 얘긴가? 오베는 그렇게 생각하지 않았다. 한 남자를 이해했던 유일한 사람을 땅에 묻어야 할 때, 그의 내면에 있던 무언가는 산산조각이 난다. 그런 부상은 치료할 수 없었다.

시간은 묘한 것이다. 우리 대부분은 바로 눈앞에 닥친 시간을 살아갈 뿐이다. 며칠, 몇 주, 몇 년. 한 사람의 인생에서 가장 고통스러운 순간 중 하나는, 아마도 바라볼 시간보단 돌아볼 시간이 더 많다는 나이에 도달했다는 깨달음과 함께 찾아올 것이다. 더 이상 앞에 남아 있는 시간이 없을 때는 다른 것을 위해 살게 될 수밖에 없다. 아마도 그건 추억일 것이다. 누군가의 손을 꼭 쥐고 있던 화창한 오후. 이제 막 꽃들이 만개한 정원의 향기. 카페에서 보내는 일요일. 어쩌면 손자들. 사람은 다른 이의 미래를 위해 사는 법을 발견하게 된다. 그건 소냐가 곁을 떠났을 때 오베 또한 죽은 거나 다름없었다는 것과는 다른 이야기였다. 그는 그저 살아가는 걸 멈췄을 뿐이었다.

슬픔이란 이상한 것이다.

병원 의료진은 파르바네가 오베를 실은 들것을 따라 수술실로 들어가지 못하게 했다. 그녀와 그녀가 휘두르는 주먹을 막기 위해 패트릭, 지미, 앤더스, 아드리안, 미르사드와 더불어 간호원 넷이 힘을 합쳐야 했다. 의사가 파르바네에게 임신 중이라는 사실을 생각하라면서 자리에 앉아 '마음을 편히 먹으라'고 했을 때, 파르바네는 대기실 벤치 중 하나를 뒤엎어 의사의 발등을 찧었다. 다른 의사가 의학적 중립을 지키는 얼굴로 문에서 나와 '최악의 경우를 대비하시라'는 말을 툭툭 내뱉었을 때, 그녀는 찢어질 듯 비명을 지르며 산산이 부서진 도자기 꽃병처럼 바닥에 주저앉았다. 그녀가 손에 얼굴을 파묻었다.

사랑은 이상한 것이다. 그건 사람을 놀라게 한다.

새벽 3시 30분에 간호사가 파르바네를 데려가려고 왔다. 그녀는 대기실을 떠나지 않겠다고 했다. 머리는 산발이고 눈은 충혈되었으며 얼굴에는 눈물을 따라 흘러내린 마스카라가 말라붙어 있었다. 그녀가 복도 끝의 작은 병실로 걸어들어갔을 때, 그녀는 언뜻 보기에도 무척이나 약해 보여서, 간호사는 그녀가 문지방을 건너다 바스라지지 않도록 앞으로 달려나가 부축해야만 했다. 파르바네는 문틀에 의지해 심호흡을 하고는 간호사에게 정말로 희미한 미소를 지으며 자기는 '괜찮다'고 안심시켰다. 그녀는 병실로 들어가 잠시 서 있었다. 처음으로 그날 밤 벌어진 일의 심각함을 마음에 새기기라도 하듯.

그런 다음 그녀는 침대로 가 곁에 섰다. 눈에 또 눈물이 고여 있었다. 그녀는 양 손바닥으로 오베의 팔을 때리기 시작했다.

"내 앞에서 죽기만 해봐요, 오베." 그녀가 훌쩍였다. "꿈도 꾸지 마." 오베의 손가락이 약하게 움직였다. 그녀가 양손으로 오베의 손가락을 잡고 이마를 그의 손바닥에 내려놓았다.

"당신 진정 좀 했으면 좋겠는데, 아줌마." 오베가 쉰 목소리로 말했다.

그녀가 다시 오베의 팔을 때렸다. 그는 입이란 잠시나마라도 다무는 게 좋은 것이라는 인생의 지혜를 깨달았다. 하지만 그녀는 그의 손을 잡은 채 계속 서 있다가 의자에 풀썩 앉았다. 그녀의 눈에 동요, 공감, 순수한 두려움이 뒤섞여 있었다. 이때 그가 다른 쪽 손으로 그녀의 머리를 쓰다듬었다. 코에 튜브가 꽂혀 있고 담요 아래서 가슴이 필사적으로 움직였다. 마치 숨을 쉴 때마다 길고 고통스런 충격을 받는 듯. 그가 씨근거리며 말했다.

"그놈들이 구급차를 거주자 구역에 들어가지 못하게 했지, 확실히?"

약 40분 동안 어느 간호사도 감히 병실에 들어갈 엄두를 못 냈다. 잠시 뒤, 오베가 보기에 툭 튀어나온 엉덩이가 눈에 띄는 안경 낀 젊은 의사가 플라스틱 슬리퍼를 신고 병실로 들어와 멍한 얼굴로 침대가에 섰다. 그가 서류를 보았다.

"파르…… 바나……?" 그가 서류에 적힌 이름을 곱씹으며 파르바네를 얼빠진 얼굴로 쳐다보았다.

"파르바네예요." 그녀가 고쳐줬다.

닥터는 그 문제에 딱히 관심이 없는 듯 보였다.

"여기 '가장 가까운 친척'으로 올라 계시네요." 그는 누가 봐도

30대 이란 사람인, 의자에 앉은 여자를 흘끗 보고, 다시 누가 봐도 이란 사람이 아닌, 침대에 누운 스웨덴 남자를 흘끗 보았다.

파르바네가 오베를 슬쩍 밀며 "아, 제일 가까운 친척이라굽쇼?"라고 킬킬거리고 오베가 "그 입 좀 닥쳐주시지!"라고 대답하는 것 말고는 둘 중 누구도 어떻게 그런 일이 가능한지 설명할 의욕을 보이지 않자, 의사는 한숨을 쉬고는 계속 말했다.

"오베 씨 심장에 문제가 있습니다……." 그가 온건한 목소리로 말을 꺼내더니, 뒤이어 최소 10년 동안 의사가 되는 훈련을 받았거나 의학 드라마에 병적으로 중독된 사람이 아니고서는 좀체 이해할 수 있을 것 같지 않은 용어들을 쭉 늘어놓았다.

파르바네가 수많은 물음표와 느낌표가 줄줄이 달린 얼굴로 그를 보자, 그는 안경을 쓰고 플라스틱 슬리퍼를 신고 오리궁둥이를 한 젊은 의사들이 병원에 오기 전에는 의대를 졸업해야 한다는 기막히게 상식적인 지식도 못 갖춘 사람들의 항의에 직면했을 때 늘 그렇게 하듯 한숨을 쉬었다.

"오베 씨 심장이 너무 큽니다." 의사가 무신경하게 진술했다.

파르바네가 멍한 표정으로 오랫동안 의사를 보았다. 그러다가 침대에 누운 오베를 탐색하는 시선으로 뚫어져라 보았다. 그런 다음 마치 의사가 팔을 뻗어 손가락을 요란법석 흔들기 시작하면서 "그냥 농담이었어요!"라고 외치길 기다리기라도 하듯 다시 그를 보았다.

그리고 그가 그렇게 하지 않자 그녀가 웃기 시작했다. 처음에는 기침하듯 콜록대다가, 재채기를 참는 것처럼 굴더니, 마치 발작하듯 낄낄거리며 한참을 웃어댔다. 그녀는 침대 옆을 붙들고는 웃음을 멈추려고 손바닥으로 얼굴에 부채질을 해댔지만 소용이 없었다. 결국에는 길게 쭉 잡아 빼는 듯 요란한 소리로 폭소를 터뜨리는 바람에 병실 밖까지 웃음이 새어나갔다. 복도의 간호사들이 문 안으로 고개를 빼꼼 들이밀고는 궁금한 얼굴로 물었다. "여기 무슨 일이에요?"

"내가 뭘 참고 사는지 이제 보이쇼?" 오베가 피곤한 듯 의사에게 말하더니 파르바네가 자기 히스테리에 못 이겨 베개에 얼굴을 파묻는 모습을 눈을 데굴데굴 굴리며 보았다.

의사는 이런 상황에 대처하는 법을 가르쳐주는 세미나에는 가본 적 없다는 듯한 표정을 짓다가 마침내 크게 헛기침을 하고는, 말하자면 자기 권위를 상기시킬 요량으로 발을 몇 번 바닥에 재빨리 쿵쿵댔다. 물론 그렇게 잘 먹히지는 않았지만, 의사가 여러 번 그러고 나자, 파르바네는 간신히 정신을 추스르고는 이렇게 말했다. "오베 심장이 너무 크다니. 나 죽을 것 같아요."

"환자가 약을 복용한다면 관리를 할 수 있습니다. 하지만 이런 증상은 확실히 말하는 게 어렵습니다. 몇 달이 될 수도 있고, 몇 년이 될 수도 있어요."

파르바네는 그런 건 뭐 됐다는 듯 의사에게 손을 흔들었다.

"아, 그건 신경 쓰지 마세요. 오베는 죽는 데는 진짜로 쓰레기처럼 형편없는 인간이 확실하거든요!"

오베는 그 말에 무척 기분상한 얼굴을 했다.

나흘 뒤 오베는 절뚝절뚝 눈을 헤치며 집으로 갔다. 한쪽에서는 파르바네가, 다른 한쪽에서는 패트릭이 부축했다. 한 인간은 목발을 짚었고 한 인간은 애를 뱄는데, 내가 도움을 받아야 한다 이거지, 오베가 생각했다. 하지만 그는 그 말을 입 밖에 내지 않았다. 몇 분 전 오베가 파르바네에게 사브를 집 사이로 후진시키지 못하게 하자 그녀가 성질을 제대로 부렸기 때문이다. "알아요, 오베! 좋아! 안다고! 한 번만 더 그 소리 했다가는, 내가 맹세하는데 그 빌어먹을 표지판에 불 질러버릴 거야!" 그녀가 그에게 소리쳤다. 오베는 그 말이 아무래도 살짝 과장되게 요란을 떠는 것 같은 느낌이 들었다.

그의 발밑에서 눈이 뽀드득 소리를 냈다. 창문에는 불이 켜져 있었다. 고양이가 집 밖에서 기다리고 있었다. 부엌 식탁에 그림들이 널려 있었다.

"애들이 당신을 위해 그렸어요." 파르바네가 그렇게 말하고는 예비 열쇠를 전화기 옆에 놓은 바구니에 넣었다.

파르바네는 오베의 눈이 그림 중 한 장의 맨 아래 구석에 적혀 있는 글자를 읽고 있는 걸 보고, 살짝 당혹스러운 듯 보였다.

"애들이…… 미안해요, 오베. 걔들이 쓴 거 신경 쓰지 말아요! 애들이 어떤지 알잖아요. 제 아버지가 이란에서 돌아가셨거든요. 그래서 걔들이 알질 못해요, 그러니까……."

오베는 그녀에게 눈길도 안 줬다. 그림들을 손에 들고 싱크대 서랍으로 갔다.

"지들 부르고 싶은 대로 부르는 거지 뭐. 빌어먹게 참견할 필요 없다고."

그는 그림들을 하나씩 냉장고에 붙였다. 한 그림 꼭대기에 '할아버지께'라고 적혀 있었다. 파르바네는 웃지 않으려 애썼다. 딱히 성공하지는 못했다.

"그만 쪼개고 가서 커피 물이나 좀 올려요. 나는 다락에 가서 이사용 상자 좀 내려와야겠으니까." 오베가 중얼거리고는 계단을 절뚝거리며 올라갔다.

그날 저녁, 파르바네와 딸들은 그를 도와 집을 청소했다. 그들은 소녀의 물건을 신문지로 하나씩 포장하고 옷들을 조심스럽게 개어 상자에 넣었다. 한 번에 한 가지씩 추억이 떠올랐다. 9시 반, 모든 일이 다 끝난 뒤 손가락에는 신문지 잉크가 남아 있고 입가에는 초콜릿 아이스크림이 묻어 있는 소녀들이 곤히 잠에 빠져들었을 때, 파르바네가 갑자기 걸신들린 금속 집게발처럼 오베의 팔을 꽉 잡았다. 오베가 '아야!' 하고 으르렁대자 그녀가 '쉿!' 하고 그르렁댔다.

그들은 다시 병원으로 돌아가야 하게 생겼다.

사내아이였다.

EPILOGUE
오베라는 남자와 에필로그

인생이란 참으로 기묘한 것이다.

계절은 겨울에서 봄으로 넘어가고 파르바네는 운전면허를 땄다. 오베는 아드리안에게 타이어 갈아 끼우는 법을 가르쳐줬다. 그 녀석은 도요타를 샀지만 그게 자기가 완전히 손을 놓는다는 뜻은 아니라고, 소냐를 찾아간 어느 4월의 일요일에 오베가 말했다. 그리고는 그녀에게 파르바네네 집 꼬맹이 사진을 몇 장 보여줬다. 4개월 된 새끼 물개처럼 통통한 아기였다. 패트릭은 카메라가 달린 휴대폰을 사라고 강권했지만 오베는 그 제품들을 믿을 수가 없었다. 그래서 지갑 대신 고무줄로 둘둘 만 사진 뭉치를 들고 다니며 만나는 사람마다 사진을 보여줬다. 심지어 꽃

집 점원들에게도.

계절은 봄에서 여름으로 넘어가고 가을이 찾아올 무렵, 그 짜
증나는 기자 레나가 동네로 이사를 와 아우디를 모는 겉멋쟁이
앤더스와 같이 살게 됐다. 오베가 이삿짐 밴을 운전해주었다. 그
는 그 머저리들이 자기 집 우편함을 망가뜨리지 않고 차를 후진
시킬 수 있을 거라고는 믿지 않았다. 그렇게 된 사정이었다.

미르사드와 아버지 아멜은 화해했다. 미르사드도 이사를 와서
지미와 살게 됐다. 지미는 여전히 자기 엄마 집에 살았다. 아멜
은 감사의 표시로 샌드위치에 지미의 이름을 붙였다. 지미는 이
렇게 굉장한 선물은 받아본 적이 없다고 말했다.

루네는 좋아지지 않았다. 그는 특정한 기간 동안, 한 번에 며
칠씩, 사실상 의사소통이 전혀 되지 않았다. 하지만 오베가 찾아
갈 때마다 루네의 얼굴에는 온통 웃음꽃이 폈다. 예외 없이.

집 몇 채가 더 지어졌다. 몇 년 지나지 않아 동네는 조용한 변
두리에서 도시 지구로 바뀌었다. 그 사실이 패트릭을 창문을 열
거나 이케아 옷장을 조립하는 데 있어 더 유능한 인간으로 만들
어주지 않는 건 분명했다. 어느 날 아침 패트릭은 자기와 마찬가
지로 그런 일은 영 젬병인 비슷한 나이대의 남자 두 명과 함께
오베의 집 앞에 나타났다. 둘 다 조금 아래 쪽 거리에 자기 집이
있다고 설명했다. 집을 복구하는 중인데 칸막이 벽 들보 때문에

문제가 있다는 것이었다. 그들은 어찌해야 할지 몰랐다. 하지만 물론 오베는 알았다. 그는 '멍청이들'처럼 들리는 말을 몇 마디 중얼거리고는 가서 보자고 했다. 다음 날 다른 이웃들이 나타났다. 또 나타났다. 또 나타났다. 몇 달 지나지 않아 오베가 온갖 곳에 나타났다. 근처 네 군데의 거리 안에 있는 거의 모든 집을 찾아가 이것저것 수리했다. 그는 늘 사람들의 무능함에 대해 노골적으로 투덜거렸다. 하지만 소냐의 무덤가에 혼자 서 있을 때면 이따금 이렇게 중얼거렸다. "낮에 뭔가 할 일이 계속 있으니까 가끔 꽤 괜찮긴 해."

파르바네의 딸들은 매년 생일을 축하하고, 이게 어찌된 일인지 누가 채 설명하기도 전에 세 살배기는 여섯 살짜리가 되었는데, 세 살배기 시절 종종 그랬듯 버르장머리 없게 굴기는 매한가지였다. 오베는 여섯 살짜리가 처음 학교에 가던 날 그녀와 함께 학교에 갔다. 여섯 살짜리는 문자 메시지에 웃는 표정의 이모티콘을 넣는 법을 오베에게 가르쳤고, 오베는 자기가 휴대폰을 샀다는 사실을 절대 패트릭에게 말하지 말라고 다짐을 시켰다. 버르장머리 없기로는 동생과 비슷한 여덟 살짜리는 이제 열 살이 되었고, 처음으로 파자마 파티*를 열었다. 집 안의 막내 남동생은 오베의 부엌을 장난감으로 온통 어질러놓았다. 오베는 집 바

---

* pyjama party. 친구들끼리 파자마를 입고 밤새 노는 파티.

깥 공터에 물장구를 칠 수 있는 작은 연못을 팠는데 누군가 그걸 물장구치는 연못이라고 부르면 "정확히 말하면 빌어먹을 수영장이야, 수영장이라고!"라며 코를 씩씩댔다. 앤더스는 다시 주민 자치회 회장으로 당선됐다. 파르바네는 집 뒤의 잔디밭을 깎을 새 잔디깎이 기계를 샀다.

계절은 여름에서 가을로 넘어가고 가을은 겨울로 넘어가던, 파르바네와 패트릭이 오베의 집 우편함으로 트레일러를 후진시킨 지 거의 4년이 되던 11월의 어느 싸늘한 일요일 아침, 파르바네는 누가 얼어붙은 손으로 자기 이마를 만진 것 같은 기분에 눈을 떴다. 그녀는 자리에서 일어나 창밖을 보며 시간을 확인했다. 아침 8시 15분이었다. 오베의 집 밖에 쌓여 있던 눈이 깨끗이 치워져 있었다.

그녀는 실내복에 슬리퍼 차림으로 작은 도로를 가로질러 달려가며 오베의 이름을 불렀다. 그가 준 여벌 열쇠로 문을 열고 거실로 들어가 젖은 슬리퍼로 계단을 비틀비틀 올랐다. 겁을 잔뜩 집어먹은 채 오베의 침실로 더듬거리며 갔다.

오베는 푹 잠든 것처럼 보였다. 그녀는 그의 얼굴이 그렇게 평화로운 걸 처음 봤다. 고양이는 그의 옆에 누워 자기 머리를 오베의 손바닥에 조심스레 누이고 있었다. 파르바네를 보자 천천히, 아주 천천히 일어났다. 마치 여기서 벌어진 일을 완전히 받아들이고 있다는 듯. 그러더니 그녀의 무릎으로 기어올랐다. 그들은 침대 가에 같이 앉았다. 파르바네는 구급대원들이 도착할 때까지 오베의 가는 머리칼을 어루만졌고, 부드럽고 상냥하게 그들더러 시신을 데려가달라고 설명했다. 그런 다음 몸을 앞으로 기울여 오베의 귀에 속삭였다. "제 사랑을 소냐에게 전해주세요. 제게 빌려주신 것에 감사의 말도 전해주시고요." 그녀가 협탁에 놓여 있던 봉투를 집어 들었다. 봉투에는 손글씨로 '파르바네에게'라고 적혀 있었다. 그녀가 계단을 내려갔다.

봉투에는 서류와 증명서, 집의 원래 도면, 비디오 플레이어 사용설명서, 사브의 점검 책자가 들어 있었다. 은행 계좌번호와 보험증서도 있다. 오베가 '모든 일을 일임한' 변호사의 전화번호도 들어 있었다. 하나의 삶 전체가 문서로 정리되어 파일에 들어가 있었다. 인생의 결산. 맨 위에 있는 편지는 그녀에게 쓴 것이었다. 그녀는 부엌 식탁에 앉아 편지를 읽었다. 편지는 길지 않았다. 마치 편지를 채 다 읽기도 전에 파르바네가 눈물로 편지를 흠뻑 적시리라는 걸 오베가 이미 알고 있었던 듯.

아드리안에게 사브를 줘. 나머지는 당신이 처리하면 돼. 집 열쇠는 줬으니. 고양이는 하루에 두 번 참치를 먹고 다른 집에서 똥을 싸는 걸 싫어해. 그 점 신경 써주고. 시내에 은행 서류 등등을 전부 맡긴 변호사가 있어. 계좌에 11,563,013크로나 67외레가 있어. 소냐의 아버지가 물려준 거야. 그 양반이 주식을 했거든. 진짜 교활한 영감이었지. 나랑 소냐는 그걸로 뭘 할지 모르겠더라고. 애들이 열여덟 살이 되면 백만 크로나씩 줘. 지미가 입양한 딸애한테도 같은 액수를 주고. 나머진 당신네 거야. 하지만 빌어먹을 패트릭이 돈 관리를 하게 놔두진 마. 소냐도 당신이 하는 걸 좋아했을 거야. 새로 이사 오는 사람이 거주자 구역에서 차 몰게 놔두지 말고.

오베

편지 맨 아래에 그는 대문자로 '당신은 완전히 멍청이는 아냐!'라고 썼다. 그리고 나사닌이 가르쳐준 웃는 모양의 이모티콘을 그려넣었다.

오베는 장례식에 대한 명확한 지시 사항이 담긴 편지도 남겨놓았다. 어떤 일이 있어도 '빌어먹을 난리법석을 떨어서는 안 된다'는 내용이었다. 오베는 아무런 의식도 원치 않는다고, 그저 소냐 옆에 묻어주기만 하면 된다고 했다. '조문객 금지. 시간낭비 금지!' 그는 파르바네에게 확실하고 분명하게 밝혔다.

300명이 넘는 사람들이 장례식에 왔다.

패트릭, 파르바네, 딸들이 들어왔을 때는 사람들이 벽과 복도에 줄지어 서 있었다. 모두들 '소냐 기금'이라고 새겨진 촛불을 들고 있었다. 왜냐하면 이게 파르바네가 오베의 돈을 쓰기로 결정한 방식이었기 때문이다. 고아들을 위한 자선기금. 그녀의 눈은 눈물로 퉁퉁 부어 있고 목은 꽉 막혀서, 파르바네는 자기가 지금 꼭 며칠 동안 공기를 찾아 헐떡이고 있는 것 같다고 느꼈다. 촛불을 보자 그녀의 호흡이 편안해졌다. 패트릭이 오베에게 작별인사를 하려고 온 사람들을 둘러보다가 그녀의 옆구리를 팔꿈치로 쿡 찌르며 만족스럽게 씩 웃었다.

"젠장. 오베는 이거 진짜 싫어했겠다. 그지?"

그러자 파르바네가 웃었다. 왜냐하면 정말 그랬을 테니까.

저녁에 그녀는 젊은 신혼부부에게 오베와 소냐의 집을 보여줬다. 여자는 임신한 상태였다. 방을 돌아다니는 동안 그녀의 눈이 반짝였다. 자기 아이가 미래에 갖게 될 추억이 바닥에 펼쳐지는 걸 상상하는 사람의 눈이 반짝이듯. 그녀의 남편은 집이 덜 만족스러운 게 분명했다. 목수용 바지를 입고 있고, 돌아다니는 동안 몰딩들을 미심쩍다는 듯 발로 차면서 짜증스런 표정을 지었다. 파르바네는 그래봤자 달라질 게 없다는 걸 알았다. 그녀는 아내의 눈을 보며 이미 결정이 내려졌다는 걸 알았다. 하지만 젊은 남자가 부루퉁한 목소리로 광고에 나온 '그 차고'에 대해 묻자, 파르바네는 그를 유심히 위아래로 훑어보더니 무미건조하게 고개를 끄덕이며 무슨 차를 모는지 물었다. 그러자 남자는 처음으로 몸을 곧게 펴더니, 거의 알아볼 수 없을 정도의 미소를 지으며 오로지 딱 한 단어만이 안겨줄 수 있는 불요불굴의 자존심을 담아 그녀의 눈을 똑바로 바라보며 대답했다.

"사브요."

명민한 기자이자 진정한 신사인 요나스 크램비에게 감사드립니다. 오베를 발견했고, 그에게 이름을 붙여주었으며, 제가 그의 이야기를 계속 쓸 수 있도록 관대하게 허락해주셨습니다.

편집자 요한 해기블롬에게 감사드립니다. 제가 저지르는 언어상의 결점들에 대해 탁월하면서도 빈틈없는 태도로 조언을 해주셨고, 제가 그 조언들을 무시하는 내내 끈기 있고 겸허하게 저를 받아주셨지요.

제 아버지 롤프 배크만에게 감사드립니다. 저는 제가 당신과 안 닮은 점들이, 정말 가능한 한 최소한으로만 있길 바랍니다.

옮긴이 **최민우**

2002년부터 대중음악 평론과 에세이를 썼다. 2012년 계간 『자음과 모음』 신인문학상을 받았고, 『고양이들』『제인 오스틴의 연애수업』『분더킨트』『뉴스의 시대』 등을 우리말로 옮겼다.

A MAN CALLED OVE

오베라는 남자

초판 1쇄 발행 2015년 5월 20일
초판 18쇄 발행 2015년 12월 10일

지은이 프레드릭 배크만
옮긴이 최민우
펴낸이 김선식

경영총괄 김은영
마케팅총괄 최창규
책임편집 이은 **디자인** 문성미 **책임마케팅** 이상혁
콘텐츠개발2팀장 김현정 **콘텐츠개발2팀** 백상웅, 문성미, 임세미
마케팅본부 이주화, 이상혁, 최혜령, 박현미, 정명찬, 김선욱, 이소연, 이승민
경영관리팀 송현주, 권송이, 윤이경, 임해랑
일러스트 박오롬 **외부스태프** 최호준

펴낸곳 다산북스 **출판등록** 2005년 12월 23일 제313-2005-00277호
주소 경기도 파주시 회동길 37-14 3, 4층
전화 02-702-1724(기획편집) 02-6217-1726(마케팅) 02-704-1724(경영관리)
팩스 02-703-2219 **이메일** dasanbooks@dasanbooks.com
홈페이지 www.dasanbooks.com **블로그** blog.naver.com/dasan_books
종이 한솔피엔에스 **출력·인쇄** 갑우문화사 **후가공** 이지앤비 특허 제10-1081185호

ISBN 979-11-306-0521-0 (03850)